戒厳令下新宿 菊地成孔の日記

2020.6–2023.1

SHINJUKU, TOKYO, UNDER MARTIAL LAW 2020.6— 2023.1

菊地成孔

草思社

まえがき「今までで一番凡庸なタイトル」

僕は来年早々にはサーヴィス停止になってしまうSoftBankのガラケー使用者でスマホは持たず、今や「非常に静かなる血みどろの抗争（現代とは何から何までがそういう時代だと思うのですが、それはさておき）」の様相を呈している「ポイントサーヴィス」を一切使用せず、SNSに関しても必要最低限（自分のイベントの告知とか。ですね）しか利用せず、つまり、アーミッシュの人々や極右エコロジーの人々と事実上、大差のない暮らしを、ほぼ15年以上、実験的に続けてみました（現在も継続中です）。

昔から、テクノロジーの進化が恐ろしくて、虚勢を張る人々はいましたが、勝ち負けで言えば、負け組に決まっています。恐ろしいわけですから、逃げているのであるが、自分は逃げていない。と合理化している人々が、長期的に見て勝ち組になるのは非常に難しいでしょう。もちろん、最新テクノロジーに適合さえすれば勝てる。と言っているのでは全くありません。彼らは別の位相の奴隷として、敗北以下の立場にあるとも言えます。

大体、勝ち「組」とか言いますけれども、僕が知る限り、真の勝者というものは、顔面腫れ上がって、何とかリングで立っていようと、最高級リゾートホテルのデラックススイートの、さらに隠し部屋みたいなどこかにすらおらず、誰にも知られない部屋で、1人ぺろっと舌を出していようと、大体孤独で、チーム組んだり、集まって飲み会行ったりしません。

それは兎も角、僕程度の歴史的知識であろうと、産業革命がもう受け入れられないのが人類ですから推して知るべしで、僕がよく覚えているのはクマさんこと篠原勝之さんが、対戦型ファミコン麻雀ゲームが出た時に「あんなもんするやつは好きになれねえ。遊びっていうのはちゃんと人間同士が会ってやるもんだ」と、ブラウン管越しにですが、かなりのガチで激昂なさっていて（顔震えてました）、結果、その発言が躓きの石（＝スキャンダル）となって、少なくとも「地上波文化人タレント（ゲージツ家）」という、当時結構な高位からは転落した感があります。

2ちゃんねるも結構な踏み絵で、僕が記憶しているのは、当時、先進的で、その未来が注目されていた。と言っても過言ではなかった、バトラーツという格闘技団体のトップで、カリスマもそこそこあった石川雄規という代表兼レスラーの方が、「いざこれから」というタイミングでの格闘技雑誌のインタビュー中、もう呪いの言葉に近い怨念で、2ちゃんねるを罵倒し続け、流石にインタビュアの人がなだめていました。バトラーツはその期待値に反して、何か袋小路みたいなのに陥って解散しましたが、僕の考えでは、興行の内容とか、団体の運営とか、そういった普通の理由によるものではありません。石川選手もやはり躓きの石に、手だか足だかを取られたと思います。

　理由は簡単で、歴史の流れというのは必然の可能性が高く、ほぼほぼ受け入れるしかないのに、たかが個人が（しかも感情的になって）徹底抗戦したところで、大きな渦に飲まれるしかない。類例は山ほどあります。

「じゃあ、お前は敢えて自殺行為をしているのか？」と言われれば、ほんのちょっとはそうかも知れませんが、少なくとも僕の、自分を使った人体実験の目的は、スキャンダルを摑むことではありません。

（因みに僕のいる音楽の世界におけるテクノロジー発達の話は、それだけでも何冊もの本が出ているほどの面白さですが、それはさておくとして、僕は音楽テクノロジーの発達に脅威や反射的な怒りを感じたことは一度もないし、今も全くありません。ＡＩがもたらす新しいサウンドには普通にワクワクしています）

　というのは、90年代後半インターネット黎明期には、なんかもう忘れちゃってるんですが笑、コメント欄とか何とか、いろんなスペースありますよね。ああいう場で、名も知らぬ方と、大変に口汚い喧嘩をしたりして、狂犬並みに大暴れしていましたが、それはそれは大変楽しかったですし（そういうのが即時的に好きなだけできるのがインターネットだ。と思っていましたし）、ましてやそれを理由に、「ネットなんかやめてやる！」と激昂にまかせて契約を解約したりはしませんでした。

また、当時、面白がって公式サイトに電話番号を公開していたので、携帯に直接「殺害予告」の電話がかかってきたりして、コレがまた大変楽しく、半年ほど名も知らぬその方（1つ2つ年長の男性でした）と、殺すの殺さないの、殺すならどう殺すの、毎晩毎晩熱心に口汚く言い合い、日課になっていましたが（やった事がない前メディアですが「ダイヤルQ2」での喧嘩サーヴィス？に似ていると言われた事があります）、半年ほどで相手の方のバッテリーが突然切れ「……あのう、菊地さん、今まですんませんでした」と言ったので「いやあ、お疲れ様でした！　楽しかったです！笑　僕を殺したくなったらまた電話ください！笑」と言って終わったのもよく覚えています。

この例などは「インターネット」「ホームページ」「携帯電話」の融合ですから、てんこ盛りですね笑。

とにかく、こうしたことはどれも皆、嘘偽りなく楽しすぎて、「永遠にコレやってるんだろうなオレ笑」と本気で思った事もあります。

ただ、そんな僕が「これ、ちょっと恐ろしいな。どうなるんだろう」とマジで脅威を感じた事がありました。

当時自分で〈0円ファン〉という言葉を作って充当したんですが、「一銭も使わず、かつ、音楽家としての僕の熱狂的なファンでいることが可能」という状況が整った時がありましたよね？　ご記憶の方も多いでしょう。アレです。

スティーヴン・ウィットの名著『誰が音楽をタダにした？　巨大産業をぶっ潰した男たち』が発表される2016年より遥か前のことです。

まだ、サブスクリプションという概念も実装性も整っていない時期で、さまざまな場所で、CD作品の不法ULが、公式の販売より下手したら一歩早く、同じ音質で聴けるようになった時代です。

実際に僕は当時「菊地さん、僕はあなたの音楽のほとんどを聴いて、心酔しています。しかしCDは買ったことがなく、ライブもULされているのを聴いているだけなので、いつかライブに行きたいなと思っています。これからも頑張ってください」というファンメールを頂き、「うおおお笑」とたじろいだ事もあったのですが、まあ、ご存知の通り、これは歴史の必然ではなく、一時的な発作みたいなものでした（ただ、彼らの子孫は今でも根絶されたわけではない、どころか、多数派ですよね。ネットでの発言／引用だけで、他者を評価／理解して、勢い「菊地成孔って、実存するんですね！」という感覚も生じていますが、これは驚くに値しません。僕は「旧約聖書時代の人」と呼んでいますが）。

まあ、商品としてのサブカルとか何とか以前に〈消費と可処分所得の歴史〉を、ちょっとでも勉強すれば「人は労働で得た金を、趣味にぶっ込みたい」という、ひょっとしたら衣食住なんて吹き飛ばすぐらいの強い欲望を、決して手放せないことはすぐわかります。今はもうこの話、説明不要ですよね。

ただ、当時〈0円〉はインパクトありました。「これは公害みたいなもんで、テクノロジーが内包する〈やりすぎという持病=属性〉がもたらす一過性の現象だ。しかし、にしても、これ、どこまで広がって、どう収まるんだろう?」と思った僕は、取り急ぎ、当時はまだ何の疑問もなく更新を続けていた「公式サイト」という名のブログフォームを停止しました。

そうしたら、なんか、「渡りに船」といったタイミングで株式会社ドワンゴさんがプラットフォームになって、「有名人の会員制有料ブログマガジン」という企画を立ち上げ、お誘いを受けたので、それに乗った訳です。「SNS」の歴史を、どう捉えるか?というのは、ほとんどやってない僕なんかには難問ですが、時期的に、まだ「SNS」が現在のように定着する、一手前だったような気がします。

「いやそれ、音楽がタダになった問題とズレちゃってるしw」と言われたらその通りで、コレは主に「プロの文筆家が、積極的に無料で文章を発表するSNSというメディアからの逃避」のことですよね。

ただ、ご存知の通り、SNSというメディアは、いまだに文章=思想の無料性からは完全には独立していませんが(今は、前世紀と比べたらグラングランな気もしますが)、音楽の無料性とも、当時は深くシェイクハンドしていたんですよね。なんか、SNSの側の元に、何でもかんでもタダぐらいの、万能感に近いイメージでした(有名な「音楽聴くのに、お金が要るんですか?」という徒花的な台詞もあったりして)。

〈「推し」という概念と言葉によって巨大なパイプを整え、ありとあらゆる消費行為を、ソフトもハードも、動的に整えつつ「正しく」走って行こう〉という、ハラハラするような現代から思い返すに、随分と牧歌的な時代でした（それはまるで、〈激症化のないコロナ禍のようだった〉とも言えるでしょう）。

1）「まずSNSをやめよう（っていうか、当時、あらゆるSNSのアカウント1つも持ってなかったんで、厳密には「始めないでおこう」が正しいですけど）」2）「そのためにはスマホを使えない人間であろう」3）「ついでだポイントっていうのもあれ、後々エグい事になんぞきっと。今のうちからやめよう」と、ある日僕は、3つの「やらない」を実行してみたんです（若い頃はレンタルヴィデオ屋さんのポイントカードとか必死に貯めてましたし、ワンセグ時代は携帯無しでは生きていけなかったですよ）。

ただ、「歯を食いしばって我慢した」とか「激昂に任せて投げ捨てた」とかではないですよ。実際いまだに、生活には何の支障もないですし（あらゆる局面で「まずこのQRコードを読みとれ」と言われたら「スマホ持ってません笑」といえば、口頭で済みますし。まだ、今の所ね笑）。むしろ、3種の神器に振り回されて疲れ果てている友人よりも、楽に生きている実感すらあります。便利な側面は、友達に頼れば良いし。

その結果、流石に僕が〈躓きの石に足を取られ、ゴロゴロ落ちて消えてしまった〉ということは、こうしてギリ免れているものの、今更面白くもないものしか書けない老害に成り下がってしまったか、還暦を迎えても、変わらず独自の作風を堅持している面白い書き手であるかどうかは、実は僕自身にも全くわかっていないんです。3種の神器を使わなかった最大の効果は「自分が市場にとってどのぐらい面白いのか、本当にわからなくなっちゃった」というものかも知れません。

というわけでこの本は「かくして、実験的に、ある独特な立場に身を置いた音楽家／文筆家。の——後の世が〈最初のコロナ禍〉と呼ぶであろう——数年間の日記」で、発表媒体は、前述、会員制有料ブログマガジン。です。

まえがきに遠慮会釈なしでどかーんとオチを書きますが、この日記は、横浜の客船内でなんか変なもんが見つかったぞ、ぐらいから始まり、実際に僕がコロナに罹患して終わります。この凡庸さは「一見するだに内容がよく分からない＝ちょっと捻ったタイトルの本が多い」僕のビブリオグラフィの中でも、ダントツで凡庸なタイトル（「大谷翔平のコロナ日記」「イーロン・マスクのコロナ日記」ぐらいじゃないと「コロナ日記」ぜんぶ凡庸でしょ笑）としっかりリンクし、僕を大いに満足させています。

僕のような人も、僕のようじゃない人も、というか、あらゆるすべての人々が、何らかの形で（そのほとんどが、「過去ログの形で」でしょうけれども）「コロナ日記（あるいは〈準コロナ日記抄〉ぐらいの）」を持っている筈です。「菊地成孔のコロナ日記」は、今や、面白いかどうかすらどうでも良いと、菊地成孔自身が思っています。彼は、「文才」という名の、特殊技能やセンスを持ったエリートが、誰だって持っている「日記」を、書籍化し、「好き」とか「嫌い」とか「どうでもいい」とかいうフレーズを知らない人々に「書かせる」事なんて、この20年代に全部終わってしまえば良い。とワクワクしています。だいたい、初出は有料なんですよね。それを再度本にまとめてお金もらって良いのかね笑？　何らかの違法もしくは犯罪かも？　内容よりもその事自体にワクワクします。

それでは最後までお楽しみください。「あとがき」でまたお会いしましょうね。

菊地成孔

2023年8月24日　駅前のタクシー乗り場で、素敵な老夫婦が「イーロン・マックスってねえ。発明家なんですって」「へえー」という会話をしていて、しかし昭和や平成と比べると、ほとんど癒されなかった。その「癒されなさ」に。

戒厳令下の新宿　菊地成孔のコロナ日記　2020.6 - 2023.1　目次

戒厳令下の新宿　菊地成孔のコロナ日記　2020.6 – 2023.1

「Sings, Plays & Scats」ブルーノート東京公演前口上

令和2年6月25日　午前0時40分記す

本日は、非常に奇妙な夜となり、大変ワクワクしています。ひょっとしたら、最初で最後かも知れませんね。こんな夜を皆様と過ごすのは。

そもそも、お陰様で、と申しましょうか、私が過去、ブルーノート東京さんでオンステージする際は、ほとんどが満員御礼、有難くも頂戴しておりまして、つまり、私は、ステージの上から、そういう光景しか見た事がありません。

ですので、今夜ばかりは、何か、会員制の秘密クラブめいているような、非合法のパーティーでもあるかのような、ちょっと不良で特権的な気分を、せっかくですから、皆様、ステージ上の私共、ブルーノート東京の全スタッフと共に、大いに味わいましょう。

ジャズマニアの方々になら言うまでもなく、「Sings, Plays & Scats」と云うのは、バンド名ではありませんで、「弾き語りライブ」とか「アンプラグド」とかと同じ、演奏のフォームの名前です。私が、歌い、演奏し、スキャットする。という、シンプルにそういう事で、今までガッチリと組織化された、軍のようなオーケストラを率いてきた私にとって、ひょっとしたら、今

までで一番リラクシンなステージかも知れません。ただ好きな曲を、気の置けない仲間と、好きなように楽しみたいと思います。

　今回も、飲食のセクションの皆様と、ライブを楽しむ相談をしまして、時節柄、がっつりお料理を、というよりも、楽しく気楽にお聴き頂けるよう、第一には「今回のライブのテーマが〈花〉である事」をお伝えした上で、「ワインセレクトより、オリジナルカクテルの充実を、そして、ブランデーと、出来たらオリジナルのショコラをお出しして頂きたい」とワガママを言わせて頂きました。ブランデーとショコラに合う、花のような音楽をお届けする所存であります。ごゆっくりお楽しみください。

　カクテルは「flowers of romance」という、英国のパンクロックマニアには知らぬ者はいないアルバムから拝借しています。シャルトリューズ、赤紫蘇、レモン、そしてペルーを原産国として知られる「ピスコ」という、非常に艶かしい蒸留酒がベースになっています。一口ずつ舐めるように、ぜひお試しください。

　ブランデーは王道、Hennessy XOをご用意し、ショコラは「シンプルなガナッシュ（ショコラティエの名店「ヴァローナ」のグラン・クリュ・マリアージュのセリエの中、多く用いられるグアナラ種使用）」、「キャラメリゼヘーゼルナッツ（真のノワゼットですね）」、そしてパティシエの力作となります、「ブルーマロウをあしらった、ラベンダーのアロマ香るガナッシュ」は、うるさ型のショコラ・ラヴァーの皆様にも、味をしっかりご記憶して頂けるでしょう。こちらもカクテル同様、舐めるように淫らに、そして遊ぶように楽しくお召し上がりください。音楽はその行為自体のために組織されています。「花」と云うのは、特に大人にとって、思っているほど簡単なものではありません。

それでは最後までごゆっくりお楽しみくださいますよう。またしてもコラボレーションを楽しんで下さった飲食セクションの声も代弁しまして、皆様に感謝の意を表したいと思います。

菊地成孔

(※註)いわゆる「コロナ禍」期間の中での最初のライブ。客数は制限され、ステージ上の「密」も厳重に避けられ、観客は声を出す事も拍手も禁じられた。

沖至逝去

令和2年9月10日　午後5時46分記す（前回から77日経過）

『レクイエムの名手』を出版したので、追悼の文章はもう書かないつもりでいまして、日々というものは、人が死んでゆく連続でもありますから、そうですねえリー・コニッツなんかは、個人的に凄く堪えたので、追悼文ではなく、「レベッカ」を此処（ビュロー菊地チャンネル「今週の1曲」）とブルーノート東京で演奏しましたけれども、それでもどんどん、最近は、不勉強にして全然存じ上げないお若い方などが亡くなったりして、ウチも両親（育ての親。は元気に生きていますが）も亡くなってかなり経ちますし、あとは愚兄がくたばって、テメエが死ぬだけですから、悲しませる人々の数が最小になるように生きてゆこうと思うばかりです。

僕が初めて、観光ではなく演奏でパリに行ったのは、ティポグラフィカというバンドが解散すると決めた、その解散ツアーでした。海外ツアーというものは、リーダーとメンバーでは忙しさが違います。僕が世界中で旨いもん喰って、陶酔しながら勉強してる間に、山下洋輔や大友良英はプロモーターと打ち合わせだ、現地のメディアで取材だと大忙しで、僕の役割は、さながらツアーコンダクターというか、どこでメシ喰っていいかわからないメンバー達を従えて、此処が旨い、彼処が旨いと、それはもう楽しく、毎日毎日僕らは鉄板の上で焼かれてやんなっちゃいながら喰い歩いていただけで、ガンダムでニューヨークに行った時は、何日滞在したかもう忘れましたが、ウルフギャングのニューヨーク本店ででっかいビフテキ1枚喰うのが精一杯で、毎日ぶっ倒れるほど取材やパネルがあって、シャワー浴びたらもう起きて。といった感じでして、50過ぎてから山下や大友の大変さを知ったものですが、30代のパリなんかもう大暴れで、一人だけでアランデュカスの本店に行ったり（そのためだけに、演奏で使わないスーツとタイを持って行ったりしました。一番お洒落なのは、現地で買う事だったでしょうが）、新旧のカフェ巡りで、腹がカフェオウレでチャポチャポになったほどでしたが、ティポグラフィカの解散ツアー（これは、フランスで3箇所演奏し、帰国して東京で一回だけ演奏する。というアクロバチックなものでしたが）で巡業した時、パリで同じフェスに出ていた渋谷毅（たけし）オーケストラが〈デュック・デ・ロンバール〉というパリで最も有名な老舗ジャズクラブで演奏するので、聴きにゆこう、ということになりました。

壁には、名だたるジャズの偉人たちの演奏写真や、オフステージのスナップが、古書店のように貼り巡らされており、その中には大西順子さんのトリオの写真があったりしました。僕は「おお、これが戦前からあるパリの名店。まず第一に、ものすげえカビ臭せえな笑」と思いながら、ちょっとした洋館のような店内で、柱の後ろの席に腰掛けました。

渋谷オーケストラの演奏は新宿ピットインと全く同じで、昭和のシャンソン喫茶のようなステージとのギャップが微笑ましかったんですが、途中で阿川佐和子さんそっくりな渋谷さんがマイクを握り、例の、何を言ってるのか聞き取れないぐらいの小さい声で「ええ……っと……古くからの……えー、友達が来てるので……」と仰って、「来てるので何なの？」という観客の疑問をよそにもうアナウンスをやめてピアノ椅子に座ってしまったんですが、僕には何が起こるかわかっていました。「ああ、沖至ってまだパリにいるんだ」と思うが早いか、果たして沖さんが登壇しました。

沖さんは、恐らく、「あれ、移住の時に買った服そのままだろうな」という、まあ一言で言って、大変お洒落な乞食ですが笑、パリにはこういう人がまだいっぱいいた時代です。１９９８年の事ですが、沖さんは70年代初期にはもうパリに移住していたはずです。ご興味がある方は検索すれば、恐らく出てきます。日本のフリージャズの歴史の中でも、最異端児、と言えるでしょう。パリにエグザイルしたジャズメン、というのはほとんどがアフロアメリカンです。日本人では唯一だと思います。

ヨレヨレの、というのとも違う、とにかくパリの乞食としか言いようがないんですが、完全な正装、つまりダブルのスーツにショートブーツ、クタり果てた舞台衣装のようなハットに、胸には懐中時計のチェーンが見えました。

その、埃の塊みたいな老人が、あくまで僕の記憶なので曖昧ですが、今の僕ぐらいの年齢だったと思います。ゆっくり、ゆっくり、ステージ中央まで来ると、フランス語でちょっと挨拶するでもなく、いきなり調音されていない、平均律外のチューンで、トランペットを吹き始めました。「うわあ、童話の世界みてえだなあ。これが伝説の沖至か」と、僕は感動しました。

渋谷オーケストラは、しばらく全く相手にせず、沖さんのソロが続きました。そして、何となく、としか言いようがないんですが、絶好のタイミングで、何となく、オーケストラがそれに加わりました。それは、渋オケ特有の、感傷的で男っぽい、ゆったりした曲で、沖さんのトランペットの音とのマリアージュは絶品、僕は斜め下を見ながら「ううわ。うっわ。やっぺえなコレは」と言いながら、20世紀最後の、永遠のサウンドだコレは。と思ったものです。曲が終わると、赤塚不二夫さんそっくりな渋谷毅さんが、猛烈に小さな声で「沖至」と言い、沖さんはちょこんと頭を下げて、ステージから降りました。

後にも先にも、沖至の演奏を生で見たのはあの時だけです。すごいシチュエーションに思えるでしょうが、考えてみたら当たり前のことです。しかし、その圧倒的な違和感と骨董感、一人で伝説になってしまったジャズメンの結晶化した美しさは（やはり、今年コロナで亡くなった）ジュゼッピ・ローガンに匹敵するものです。沖さんはあらゆるどの流れにも文脈にも合流しませんでした。パリにフリージャズやインプロのシーンがあるのかさえ、僕は知らないです。

ただ、パリというのは、あの、猛烈に乾燥した空気の中で、たくさんの音楽家がストリート演奏をしていて、『南米のエリザベス・テイラー』の「恋の面影」のヴォーカル録音と中ジャケ撮影のために、カヒミ・カリィさんと一緒にパリに滞在した際（「恋の面影」は演奏だけ東京で録音し、ヴォーカルだけパリで録音されています）、ちょっとした天気待ちの休憩中に、物凄いクオリティのコントラバスのソロ演奏（バッハの曲を独奏用にアレンジしたもの）が聴こえてきたので、「え？　コレ何？　ＥＣＭのクラシックのシリーズ？」と思って周囲を見渡すと、撮影に借りたカフェの中では違うレコードがかかっています。飛び出すようにして外に出ると、何とそれはストリート演奏で、見上げる小さな教会の下で、もうガラクタみたいなコントラバスを、バカの一つ覚えで申し訳ありませんが、パリの乞食としか言いようがない、というか、あの人、実際に乞食だったと思いますが笑、ミンガスぐらい太った、髪が腰まであるかという、ボロボロのタキシードを着た、裸足の（足の爪が全部真っ黒い）老人が弾いていて、足元には、どこかのカフェから拝借したと思われる紙皿が置いてあって、小さなサンチームばっかりで（まだユーロの前なので）僕がさっと見た限り、フランの硬貨は一つもありませんでした。「無責任シリーズ」じゃありませんが、もし昭和だったら、誰かがこの人を来日させ、風呂に入れて散髪させ新しいタキシードを着せ、「パリからクラシック界の奇才が来日」というコンサートを打てば、噂が噂を呼び、物凄い評価と集客になったかも知れません。

それほど、その演奏たるや、今まで僕が聴いたコントラバスのソロ演奏で、あれを超えるものは無い、というぐらいのテクニックとパッションが横溢していて、それはもう、何が演奏されているのかわからないほど素晴らしく、パリの空気と地の霊にマッチングしていたのでした。

パリにゆくたび僕は「ああ、パリは嫌だなあ。嫌だ嫌だ」と思います。この感覚は、現代では伝わりますまい。パリはまだ王政の霊魂が残っていて、貧富の差が大きく、下町は水周りが悪く不潔で、物質としての鴨やワインも、エスプリとしてのロマンティークも、胃がもたれて吐き気がするほどです（実際に僕は、オムスと谷王と一緒にパリでライブをやった時、入国初日で食中毒になったこともありました。まあ、移民街でクスクス喰ったら・ですけど）。いや、伝わるかも知れない。そういう愛も、そういう愛を催させるカルチャーもあるのであります。とにかくエグいよなあ、何から何まで。パリには、最も美しい、上手な演奏や歌と、最も下手で、汚い演奏や歌が溢れています。

「いや、それ、お前のことだよ」とおっしゃる方もいるかも知れません。歌舞伎町に住むフランスかぶれ。猥雑と聖俗と現代思想とナルシシズム。一時期は僕のパブリックイメージ、というか、キャラは、そんなもので、コレは非常にシンプルで強いイメージ原型なので、人が飛びつきやすいし、僕をちゃんと見ていない、というか、聴いていない人々（勢いそれは、本やネットだけで僕を消費している人に限定されがちですが）の中には、まだそのイメージを僕に抱いている人も数多くいます。もし本当にパリにかぶれた人がいたら、その人物は、大変な自己嫌悪と自己愛に引き裂かれて、ロマンティークに飲み込まれてしまうでしょう。

パリだとか猥雑だとか聖俗だとか現代思想といったものは、そんなに甘いものでは無いです。僕がパリから学んだものは、微笑ましくもパリにストレートに憧れるような、あるいはパリみたいにならないように。という、羽交い締めをされながら手招きされるような事ではなく、パリを一つの特殊な都市として客観化する。という事ですし、それは東京もニューヨークもサンフランシスコもバンコクもソウルもモスクワも、サンパウロもブエノスアイレスも、地球上のあらゆる都市に対して等しいものです。

こういう世の中でなかったら、沖さん逝去が日本に届くのは、何年か遅れたかも知れません。届かなかったかも知れない。シーンの中心にいて、まだ若かったエリック・ドルフィーの訃報がニューヨークに届くまで（ドルフィーはベルリンで客死したので）一ヶ月近く要しました。

沖さんはパリの病院で、パリ市民として亡くなりました。僕にとって、日本人とパリとジャズミュージックの関係性をして、最も強いものが、沖至さんの人生そのものでした。童話の世界がまた一つ消えた。沖さんは文字通りパリの空の上に。ご冥福をお祈りいたします。

「生きていて良かった」と思わせること

令和2年12月11日　午後6時記す（前回から92日経過）

「粋な夜電波」の第一回をお聞きいただくと瞭然とするかと思いますが、僕は世が安定しているよりも、世が混乱している時の方がワクワクする一種の症人です。夜電波は、ああいった国難があったのにもかかわらず、というか、あったからこそ、ですが、躁状態が抑えきれないまま番組が始まりました。

昨年20周年のツアーを敢行したDC/PRGも、ファーストアルバムのリリパから3日後に合衆国で同時多発テロが起こり、そのままガツガツに活動し、イラク戦争で米軍がバグダードに侵入した時に活動を一旦やめ、半ば騙されるような形で笑、活動を再開したら震災が起こり、国難をバックグラウンドにインパルス！と契約し、気がつくと昨年20周年を迎えました。

コロナ禍も、僕には困窮や辛苦は与えていません。ペペ・トルメント・アスカラールの15周年の特別公演は、予定はされていましたが、まさかサントリーホールで行うことになるとは思ってもいませんでした（※註）。フライングになりますが、「今週の1曲」の次回と次々回は、サントリーホールの公演からカッティングした曲をお届けします。

世に、著名人でパニック障害罹患者は数多あれども、壊死性リンパ結節炎症の罹患者は遥かに少ないであろうと予測しますが、98年に僕はこの病気で臨死状態にまで陥りました。見舞いに来た多くの友人が、僕はもう死ぬのだと察し、見舞いの間は楽しくしていても、病室を出るとすすり泣きが聞こえたりする時もありました。僕はそのすすり泣きを聴きながら、不謹慎にも、口を隠すこともせずニヤニヤしていました（口に手を当てる体力も失っていたので）。退院し、世に戻ってからDCPRG（当時）と第二期のスパンクハッピーを同時に立ち上げました。気合が入ったとかそういうことではありません、自らの肉体、という一種の国家が存亡の危機にさらされたので、自然とそうなったんです。

現在、艱難辛苦の真っ只中におられる方々が沢山いらっしゃると思います。自死の選択に逡巡されている方さえ、数少ないとは言えないでしょう。僕は、繰り返し申し述べていますが、音楽家の務めとは、聴衆に「生きていて良かった」と思わせること、その一点しかないと考えますし、逆に言えば、音楽にはその力しかない、と思っています。その点においては、宗教家や学者や政治家に優ってしまう能力を音楽家は持つ可能性があるということです。

BOSSくんとODも立派な音楽家です。彼らも今日、結成以来初めてのMVと新曲をドロップしますし、僕個人も彼らに同業者としてのエールを送るとともに、DC/PRG、ペペ・トルメント・アスカラール、新たに立ち上げた菊地成孔クインテット（ここ最近の「今週の1曲」のジャズセットに、DC/PRGのドラムス、秋元修を加えたものです）、JAZZ DOMMUNISTERS

の活動を、乱世に向けて放ち、著述家としても（僕は、著述も音楽活動の一環であると考えています）、当ブロマガのコンテンツ制作者としても、特に気合を入れる事もなく、地球それ自体から、そして、聴衆、読者の皆様から共有するグルーヴに乗っていこうと思いますし、これは話が逆で、発生したグルーヴからは逃れられません。

音楽は、発する者だけのものではなく、また、聴取する者のためだけにあるのではありません。神から人類全体への賜物であり、音楽家は媒介者に過ぎません。

僕の究極の願いは、人類全員が何らかの形で音楽家になることです。当ブロマガのエデュケイション・コンテンツは、エリート教育だとか、選民に類することではなく、同じゲームのプレイヤーを増やすために楽しさを配送しているだけであって、公園で遊びのルールを熱心に説明している子供や、宗教の折伏（しゃくぶく）者の方が行為としてはより近いと思っています。

皆様と同様、全ての音楽家が今年、何らかの形でダメージを受けましたが、窮地にワクワクするか、窮地に負けてしまうか、窮地に腐り切ってしまうかは、紙一重です。窮地にワクワクする狂気を与えてくれた両親に感謝します。オリンピックがなくなった分、我々はコロナウィルスというメダリストが記録を更新し続けているのを、毎日受け取っています。ここに来て、「過去最多」とか「この基準では過去1位」といった言葉がマスメディアで飛び交っているのは、間違いなくオリンピックの代替でしょう。少なくとも、用語としては代替している。公式発表というものを半分は全く信じていない症人としては楽しいものです。

つまり、憤りや鬱屈も陽性に転じれば楽しいものです。「陽性」という皮肉極まりない言葉も、人々がネガティヴだのポジティヴだの言い飽きた頃に出てきた痛烈な一撃でしょう。痛烈な一撃には、痛烈な一撃で対応するのが人類というケダモノが神から授かった才能の一つです。僕は「屈するなかれ」といっているわけではありません。歯を食いしばり、抵抗することは、時にグルーヴを止めてしまいます。ポツダム宣言を傍受した段階で受け入れていれば、日本に原子爆弾が落とされる可能性は低かった。あの時の軍部の「屈さない」という行為は、日本に、近代的な意味での軍という団体が創設されてから初めての敗北という苦渋を飲めず、もっと大きなグルーヴに乗れなかった記録として語り継がれるべきものだと思っています。

僕は、合衆国が人民共和国へCO2の削減を求める、といった、インチキに肥大したリベラル・グローバリズムではなく、もしそこに「不自由」という名の敵がいた場合にのみ発動される、リベラリズム（自由主義）の原義に忠実なリベラル・グローバリストでありたいと願いながら、ネトウヨの類語として登録されるべきであろう「ネトリベ」によってもたらされる、あらゆる不自由を撤廃するために、サントリーホールでの演奏終了後に、スキップしながら退場しました。それが、僕が全身で感じ取ったグルーヴであるからです。実際にやってみればどなたもお分かりになると思いますが、スキップという運動は大変に軽やかで気が楽で、グルーヴィーな運動です。入力値よりも遥かに、結果としての速度や運動量が高く出ます。こういうのこそを真のコスパというのではないでしょうか。

今、みなさんが感じている憤りや抑鬱感を、ドラッグのように、一瞬で消してしまうのではなく、力の入れ方と運動のさせ方をちょっと変えるだけで、莫大な結果が出るという事、生きていて良かった、と生命を肯定できる陽性反応を出すことが、9回裏かも、まだ1回の表かも知れないゲームの中で、1プレイヤーとしてパフォーマンスできているとしたら、不断の博打の中で、小さい勝ちを拾っていることになるでしょう。陰性反応とは、弱度のことではありません、大変な強度を持つ陰性反応もあります。ウィルスという遣いが我々に問うているのはそこではないでしょうか。今からペン大の授業に行ってきます。

（※註）震災時と同じく、来日音楽家の公演キャンセルが相次ぐ中、クラシック界のそれに当たった形。

感傷と爆笑のモスチキン

令和3年1月25日　午後1時記す（前回から45日経過）

ソフトランディングの形で生活が昼型（大体、正午の1時間前に起床、就寝が深夜5時）に定着してきた。とは言え朝型のが絶対に良い。モーニングが食えるし、深夜2時に眠剤なしで眠くなるのは、なにか、刑務所から出て、娑婆に出たような気分である。経験はないが（面会の経験なら山ほどある）。

『次の東京オリンピックが来てしまう前に』『ＡＡ　五十年後のアルバート・アイラー』が刊行された。どちらも本当に愛着のある本だ。と、いうことはまたしても売れないだろう。今は「生きるのがこんなに辛いのだが、頑張って生きる」という貧弱極まりないテーマで1冊塗りつぶしている本が共感を呼び、とてもためになる経営学や生き方やメンタルの守り方などが書いてある本しか売れない。１９６５年の出版業界に戻りたいとは言わない、２００１年の出版業界にも。今が一番良い。今が酷いなら、酷い今が一番良い。

気がついたら、こんなにも。という程、アウェイになっている。そもそもアウェイだのホームだのはスポーツの用語だ。出版業界も、スポーツ界のように、勝敗と記録を計上する業界になるのだろう。僕が生まれてからついこの間までは、散文の中でも最も軽い「エッセイ」というものがエッセイストという遊撃手たちによって書き飛ばされ、読み飛ばされていた。でないと『スペインの宇宙食』などという書籍が出版されるわけがない。

僕は小説家は数えるほどしか好きではない。エッセイストはほとんど例外なく好きだ。山口瞳は素晴らしい、山口瞳原作の映画「江分利満氏の優雅な生活」も素晴らしい。新珠三千代は宝塚歌劇団出身だが、この作品での、ちょっとボヤッとした（そして、たまに――アナロジーではなくガチの――ヒステリー発作を起こして動けなくなったりする）、おっとりした社宅妻役が一番良い。

エッセイは、ランチプレートのようであるべきだ。音楽の本も愛着はあるが、エッセイ集には一冊残らず愛着がある。「全エッセイの中で、一番、ご自分で愛着がある一編はどれですか?」という、馬鹿ギリギリの質問にも回答は決まっている。『次の』に収録された「低温調理の焼肉屋と、熱伝導のアイスクリームスプーン」と、『時事ネタ嫌い』に収録された「パソコンにマスクをつける日」（2009年1月に書かれたコレの方が、『次の』収録、10年後の2019年12月に書かれた「次に狩られるのはアイツだ」よりも遥かに、コロナを予見していた、というか、感染症のパンデミックについてエッセイとして完成していると思う）と、『ユングのサウンドトラック』に収録された「いつでも脳内で撮影快調」である。『服はなぜ』は、書物として全体に深い愛着がある。我ながらよく焼けた、でも誰にも食べられないケーキのような本である。あの本に書かれた予見は、一文残らず現実になり、今もなり続けているが、当時はエキセントリック扱いだった。

ビートも作り始めた。ベネズエラの女性彫刻家、マリソル・エスコバル（Maria Sol Escobar「Marisol」は通称）は、ほとんど写真が流通していないが（本人がマスコミ嫌いで、最終的には失踪した）、アヌーク・エーメとFKA twigsを掛け合わせたようなエキゾチックな顔で、女優のようだ。僕はカミーユ・クローデルが嫌いだ。あんなに胸焼けする実体は、愛ではない。と彼女に言いたい。ルイーズ・ブルジョアはクールだが、作るものが怖すぎる。

マリソル・エスコバルの「女と犬」という作品と「Portrait of Sidney Janis Selling Portrait of Sidney Janis by Marisol, by Marisol」という、ちょっと翻訳しづらい、頭が軽く狂ったタイトルの作品が本当に好きで、こういう感じのビートが出来たらいいな、あれ、ＰＣ検索すれば見れるかな？と思い、近所のモスバーガーにゆく。

海鮮かき揚げライスバーガーとオニオンリングフライと、その時、メニューのトップにあるハンバーガー、そして汎用フライドチキン界の最強、モスチキンを頼み、ＰＣを開くと、出るわ出るわ、僕も見たことがなかった彼女のポートレイトまでガッサガッサ出てきた。インターネットは便利である。頭の中で音が鳴り出した。

ノイズキャンセリング機能がついたイヤホンなどしなくても、集中力で街のノイズは自然に消える。頭の中がビートでいっぱいになってきて、気がつくと、モスチキンとオニオンリングフライ以外は食べ終えていた。ビートは消え、フェードインするようにして街の、素晴らしい騒音が音量を上げる。僕は自分で揚げるフライドチキンより美味いチキンを、モスチキンしか知らない。アメリカ式のファットでジューシー、でも、日本式のコロリとした唐揚げでもなく、アジア式の（或いは、オーストリア式の）、叩いて平たくした腿肉を煎餅のように形成して、ジューシー過ぎず、歯応え過ぎずで仕上げる。肉の繊維の潰し方が完璧である。このルセットを開発したモスの商品開発部は、一生胸を張って良いと思う。

かぶりつく。美味い。車も人も、往来している。車も人も、どこに行くのだろう。この店舗はその楽しみがない。二つの幹線道路しか見えないので、彼らの行く先がすぐに想像できてしまうからである。千葉や神奈川の知らない街にドライブに行き、モスチキンを食べながら車や人々がどこから来てどこに向かうのか？　それは江戸時代の街道筋のようにも、未来のメコン川流域にも、寂れた地方都市の国道沿いにも思え、涙腺はがっちりホールドされ、胸の中だけで泣けてくる。顔は、ぼうっとしている。

いきなり谷王からメールが来て「明日のドミューンで、コレやりません？」と「浪曲ドナルド・トランプ一代記」が送られてきた。「4年あったらまた会いましょと」と書いてあって、僕は爆笑した。爆笑するなり食べ終わった、危なく咀嚼中のモスチキンをPCに噴くところだった。「あぶねえ笑」と苦笑しながら立ち上がった。立ち上がって食器を戻した。ずっと一人でここを切り盛りしていたが、コロナによって思わぬ増客があり、4人体制のリーダーとなった婆さんが「毎度あり!」と笑いかけた。片手をあげた。外に出るとそこには街が。

(※註) 前年4月に発出された1回目の緊急事態宣言をきっかけに、日記の文体はこの回から一変した。

ウルフギャング丸の内店のシャトーディケム

令和3年1月28日　午後3時記す（前回から3日経過）

雨である。雨であるだけで素晴らしいのに、雪と混じりつつある。こういうのを淡雪という。重ねて、素晴らしい。淡雪を見ながら日記を書く。明治時代の文豪にでもなった気分である。大体、10時から11時の間に起床。という、微妙な昼型が定着しつつある。これだと3時に眠くなるので、「真夜中」という時間も楽しめる。先日、DOMMUNEに長時間出て、東京は夜の9時に終わり、一人で外に出た。

僕は渋谷という街が元々苦手だった。やっとここに来て、「少し苦手ではなくなるかな」と思ったのは、テレビなどで盛んに見る、「渋谷の再開発」の様が、とても気に入ったからである。うるさ型がこぞって一言いいたそうな宮下パークには行ってみたい。僕は何十年かぶりで、渋谷にワクワクした。それは恋に似ている。恋に似てる何か。

DOMMUNEがあるパルコ周辺は、その区域の（今の所）外である。だが僕は、外に出た瞬間、踊り出したくなる程舞い上がった。

誰もいなかったからである。

それは映画のセットのようだった。端的に懐かしい。これは、昭和の渋谷だ。60年代、映画の大手5社には全て「日活銀座」「東宝銀座」といった、屋外型セットがあり、その大抵が銀座だったが、チネチッタにあったヴェネト通りを、フェリーニは「実際のヴェネト通りよりも、私にはセットの方がリアリティがある」と言った。

コンビニがなく、公衆電話がたくさんあり、歩きタバコが吸い放題で、終電を過ぎると、ほとんど誰もいなくなり、やっている店は大通りにはない。そんな光景が、コロナによっていきなり現出した。

それまで7時間以上パルコに閉じこもっていたので、エレヴェーターのドアが開いた時には、「うわあああああああ」と口に出してしまった。

30分ほどタバコを吸いながら歩き回り（一人も行きあたらなかった）、色々なことを思い出した。僕が通った音楽学校は池尻大橋にあった。僕が教鞭を執っていた音楽学校は渋谷にあった。様々な人と、渋谷を歩いた。常に居心地の悪さを感じながら、胸がときめいていた。

コロナが僕に与えたものは、概ね全て楽しいものだった。しかし、もし、真綿で首を締められるような、誰にでも共感してもらえるであろうこの閉塞感が、もしネガティヴなものとして僕の中に堆積しているとしたら、コロナはこの一瞬をもって、それを全て清算したと言えるだろう。僕には、空気が綺麗に見えた。

さらに数日前に、ウルフギャング（ステーキハウス）の丸の内店に行った。寺門ジモンによって多くの日本人に紹介され、有吉弘行によって啓蒙され、ユーザーを爆発的に増やしたという、非常に現代的なステーキハウスである（ニューヨークの老舗だが）。

青山のシグネチュア店だけは仕入先が違い、他の店より美味い。などというビフテキ都市伝説が飛び交うもまた楽し。普通に考えてそんな事はあり得ない。僕は店内の設えに於いて丸の内店を最上とする（二位が青山シグネチュア店。あとはどこも同じ）。

「フォートゥーを1人で」と言ってもさほど驚かれない。ミディアムレア、ハーフのロブスター・マックンチーズ、ハーフのクレーム・ド・スピナッチ、以上。ワインはグラスにカベルネソーヴィニオンがあったらそれで。

月に一度は、猛烈にビフテキが食べたくて仕方がなくなる。性欲とアナロジーするなら、いかな僕が中年だとしても図式的な中年に過ぎるだろう。そもそも僕個人のビフテキ欲は、性欲とアナロジーでは全く結べない。

ただ、熟成肉、特にテンダーロインの方、さらに言えば、テンダーロインもサーロイン（Tボーンの左岸と右岸）も食い終わり、サーロイン側の岸辺に残された僅かなデルタ（店員は、客がそこを食うだけの食欲を残しているかどうか、かなりの集中力で注視している）を、天本英世に似た老練なサーヴィス氏が「いかがいたしましょう？」と耳打ちしたので「勿論いただきます」と、戦場のような大皿を指差して笑うと、微笑み、自分でカットし出した。

この部分は、魚であれば中落ちに当たる。この僅かな部位は、男性器、そして女性器に酷似している。いつも、どちらだと思って食べるか迷う。しかしその日は、渋谷の夜の街頭セットの美しさと、闘病中の知人の事と、仕事の事が、肉とワインとパンによっても押し流す事が出来ず、一瞬だけ押し寄せてきて、保安官（※註1）に送るメールの内容を諳んじて修正している間に食い終えてしまった。保安官がビフテキを食う男の邪魔をしてどうする。

食後のリカーのメニューに、なななななななななんと、シャトーディケムのグラスサーヴィスがあって、「うんわー！」「なにこれー！」と叫んでしまった。女性のスタッフが近づいてくる。

「何か（微笑）」

「あのさ、このシャトーディケムだけれども、ずっとメニューにあった？」

「ございます（微笑）」

「一杯３５００円でこれ、水位１センチぐらいでしょ笑。じゃないと偽物だ。ヴィンテージにもよるけど」

「お持ちしますか？（微笑）」

「……是非お願いします」

運ばれてきたのは、いわゆるコニャックグラスに水位４センチほどだった。

「いかがですか？　偽物でした？（微笑）」

「いや、本物でした笑。ヴィンテージはあたりもつかないから聞かないけど、若いでしょ。勿論」

「若いですね（微笑）」

「え、じゃあこれ、要するに、ウルフギャングは、ディケムの若めのブテイユを大量に安定供給するって事？」

「丸の内店だけです（微笑）」

「ええ？　ウルフギャングってルセットもエイジングも全店」

「統一してございます（微笑）」

「でも、酒のチョイスだけは違うんだ。各店」

「申し訳ありません、そこは企業秘密で（微笑）」

「ニューヨーク本店にも、ホノルル店にも、確か青山にもなかったよ」

「そうですね……青山にはインメニューしているかと（微笑消える）」

「まあそれはともかく、驚きました。もう一杯。は（時計を見て）あーギリギリ!!　無理よね？笑」

「あのう、大きな声では言えないのですが（微笑）、今、お話始めたのが7時前でしたので、数分のオーヴァーは（微笑）」

「ではお代わりを。ピーカンナッツパイとシュレックと一緒に」

「かしこまりました。ディケムお代わり、ピーカンナッツパイにシュレック添えて。でございますね」

「あと、エクスプレスがあるでしょ」

「はい、ございます（微笑）」

「あれに、アイスキューブ入れて。3個でいい」

「かしこまりました（微笑）」

「喫煙所、ありましたよね？」

「（もの凄い申し訳ない顔になって）あいすいません、あのうですね、あれは吸煙器のお試しレンタルが昨年いっぱいで終わりまして、そのまま廃止に」

「マッジかよーーーー!!」

「はい（笑）。マッジなのですが（微笑）、あのう、当ビル全体の喫煙スペースが、扉を出まして（道順を説明）となっておりまして」

「そんなに歩いたら息切れるよ笑、っていうか、そんなに歩いたら、口の中のパイとディケムとエクスプレスの味がなくなっちゃう笑」

「大変申し訳ございません（微笑）」

モデルのような女性スタッフとの会話によって、脳内は再び、味のことに集中し出した。ああ、旨かった。満足だ。今僕は、完璧に満足しているし、完璧にリラックスしている。料理店が一番リラックスする場所だ。レコード屋も事務所も、料理店に比べれば落ち着かない。6時半からの入店は、コロナの前に換算するなら、昼過ぎだ。

だんだんとこれもディナーに感じられるようになるだろう。新しい女性と暮らし始める時のように。僕は会計を済ませ、例のミントのキャンディーをクロークで貰って、外に出て、待ちぼうけているタクシーを拾い、行先を告げた。

その瞬間に、「あ、オレの公式アカウントを取って、そこで公開すればいいんだ」と、いきなり思いついた（※註2）。「どうすれば筋とやらが通せるのだろうか？　イマイチ確信がないな」と引っかかっていた部分が綺麗さっぱり解けて、僕は高速でメールの一段落を書き換えた。

「ああ、こんで良いんだこんで良いんだ。いきなり思いついたー」と独り言を言うと、運転手が「何かお客さん、良いことでもあったんですか？」と不機嫌そうな顔で問いかけてきた。

「ああ、あったね」

「自分たちはもう、良いこと何にもないっすね。お客様が羨ましいですよ」

「いや、僕、音楽関係ですけど、もう、ワヤですよ笑」

「ああー、それはお気の毒に……って言うか、今みんな一緒ですよね。でも、お客さん、良いことあったなら良かったですね」

「まあ、さほどのことじゃないけど笑」

これで「読みづらい」「読めなかった」「長くてワロタ」が山ほど釣れる。外道も美味いものだ。かき揚げにすればよろしい。人類は進化している。文章が読めないようにである。僕も室町時代の文献は読めない。

　僕を冷笑家と誤解して身を震わせて嫌悪している人がいるのはまあ仕方がない。情報貧者はいつの世もいる。「スマホを握った情報貧弱」など、今では逆説ですらないだろう。

　しかし冷笑を通り越した、痙攣的な嘲笑家のクリシェである「ワロタ」という表記を、音でも文字でも、僕は一度もしたことがない。「ワロタ」を公用語として取り締まらない世界にいる者は、痙攣的嘲笑の実践者ではないとしても、痙攣的嘲笑を看過した者だ。いじめてはいないが、いじめを看過した者と似ている。そりゃあ看過者は後ろ暗いだろう。

　Twitterは脇役の製造機だ。「座頭市」を見ると、まず画面に座頭市が入ってくる。そこには必ず、座頭市のオーラからただならぬものを感じて黙っている準主役（敵役）と、座頭市に対して「おい、ドメ◯ラ。この村に按摩の用はねえけどな」「ウヒヒヒヒ」「勝新なりきりすぎワロタ」という脇役達がいて、一瞬にして斬り捨てられないと映画が始まらない。

　僕は主役なんかごめんだ。厳密には主役も準主役も脇役もごめんだ。あそこに石を置いて、一ヶ月経ったら撤去する。それ以外のことは何もしない。〈これは我ながら良いアイデアだな。ウルフギャングの肉と酒とスイーツとコーヒーに感謝しないと〉と僕は何回か脳内でリピート再生し、事務所に着き、タバコに火をつけた。本当に美味い。あ、もう次のDOMMUNEだ。良い気分に乗ったまま選曲を詰めよう。

〈爆音クラシックでのプレイリスト〉

※表記は全て、カタカナ＝近似値で行わせて頂きます。プレイ順。LR表記は割愛で。拡散自由でお願いします。

1）アンドレア・パドヴァ／バッハ「ゴルトベルク26番」
（酒飲んでいたのと、湯山さんの圧に負けて、湯山さんのいう通りグールドだと言ってしまいましたが、パドヴァです笑）
2）マリア・カラス／プッチーニの有名なアレ
3）シュトックハウゼン／トランス
4）デニソフ／ピアノとオーケストラのための協奏曲
5）佐藤茂／音の始源を求めて（より、テープとリングモジュレーターの作品）
6）ジョン・ケージ／マース・カニングハムへの62の方法
7）ペン大生　田中義崇の授業提出作品（ftスヌープドッグ他）
8）武満徹／地平線のドーリア
9）ジャズドミュニスターズ／秘数21
10）ペン大生　佐藤の授業提出作品
11）ペン大生　高橋大地の授業提出作品
12）シュトックハウゼン／光の月曜日

13）ペン大生　高橋大地の授業提出作品
14）ヒンデミット／組曲ルードゥス・トナリスより6番
　ピアノ）ボリス・ベレゾフスキー　LIVEソプラノサックス）菊地成孔
15）松平頼則／ピアノとオーケストラのためのテーマとヴァリエーション
16）ペン大生　佐藤の授業提出作品
17）マーラー交響曲5番のアダージョ部
18）シュトックハウゼン／2ヴァージョン
19）アンタイル／弦楽のためのセレナード第1集
20）友人にやってもらったフランス語のナレーション
21）中島ノブユキ／プレリュード　ハ長調

（※註1、2）この当時僕は、映画評論家の町山智浩氏と2度目の論争（というか、襲撃に対して10倍返し）したのだが、ホームである町山さんが圧勝し、僕はレイシストであり、発達障害者差別の極悪人とツィッタラーに量刑を下された。これは相当面白い体験だった。当時のツィッタラーという人々の思考とメンタリティ（それはとてつもなく危険で愚かなものだが）が、手に取るように理解できたからだ。その後の経緯は「あとがき」に譲る。

トリキの植木等

令和3年2月2日　午後3時記す（前回から5日経過）

節分が正しくはいつだか忘れてしまったが、セブンで豆を買い、一人で「鬼はー外！　福はー内！」と学童のように叫んでいるところを想像したら、思わず笑ってしまった。野暮はしじゃんせ侍ならば、誰が鬼だか福の神。ベランダで恵方巻きの代わりにタバコを咥える。見下ろす街は静かで、穏やかである。

昨日トリキに行った。コロナ対策として30％ほどのメニューがカットされており、対面席にはビニールシートが吊るされ、8時で閉店するが、客は楽しい時間を大いに謳歌している。親や親戚から嫌という程聞かされた、戦前から戦時中、戦後にかけての故郷の話が4Kデジタルで蘇る。「戦前と戦後」からもう歌っておいた事だが。

トリキのBGMにペペ・トルメント・アスカラールが流れたら、さぞや焼き鳥も不味くなるだろう笑。流れているのはJ-POPである。

強度の強い曲（J-POPチャンネルは、そうでなくとも強度が高い曲ばかりである「ヒット曲」も、並べて聞くと強度差があることをアナウンスする装置なので、非常に面白い）に限って時折「え？　このコード？」という、フックなコードが使われている。定番の中に、心地よい異物感が1つ入れば、それはもう効果抜群なのだ。

これは〈減速主義〉と言えるだろう。ここ数日単位でも加速的に流行語としての強度を失いつつある「加速主義」の意味を、正確に理解しているとはとても言えないが、コード一個は、BPM120（1秒間に2拍）だとしたら、クロノス時間で僅か2秒間である。それだけで、ベタがフレッシュに変わる。流行歌が変質する速度は、ここに来て、「ある構造形態に於いては」とするが、めっきり減速し、僕を含めたトリキ愛好者たちに癒しを与えている。

5つの味のコロッケが新製品になっている、バジル、チキンクリーム、カニクリーム、コーンクリーム、チーズの5つの味である。各々「兵庫、鳥取、鳥取、北海道、北海道」と、材料の原産地が書いてあり、思わず「ぜんぶ北海道で良くないこれ？」と口に出して言ってしまった。彼はそれを聞いて僕に寄ってきて、満面の笑みで、

「いやあ、これえ、製品開発部の人間がですねえ笑、ロシアンルーレット？みたいな感覚でお客様に楽しんで頂こう、なあんて思ったらしくて笑」

「ああこれ、5個でワンセットなんすか笑」

「はい笑」

「こう、隠れてささっと、5個全部カニクリームにして貰えないかな？　カニクリームだけ食いたいんで笑」

「うわー、あいすいません笑、これ、ロシアン」

「聞いたそれは笑」

「でして笑」

「バジル要らないなあ笑」

「自分、食いますよ笑」

「ええ本当？笑、こうやって、オレがさっと渡したら」

「歩きながら食っちゃいますね笑」

「えトリキって、働いてる人、腹減ってるの？笑」

「減ってなくてもコロッケは食えますね笑、ドールチェアーンドガッパーナー♪」

会話を寸断して歌いながら笑いながら去っていった。まるで植木等ではないか、というか、さんざドルチェが本社の日本語表記は「ガバーナ」だと言い続けてきた努力も無駄になった。大変な癒しである。


時空が飛びまくるが、今はドミューンの控え室である。若いミュージシャン、若い評論家、若い編集者でいっぱいだ。僕と同い年の佐々木あっちゃんはまだ来ておらず、今日の最年長である大友っちも来ていない。今僕の背後に谷王がいる。アルバート・アイラーに関する日本でのサミットがパルコの中で行われている。僕はどうやってこの空間の物凄いグッドバイブスを伝えられるか言葉を失うしかない。あっちゃんが入ってきた。

「なんで小説送ってくんないのよ笑」

と言うと、やや疲れた目で
「やめてよ？笑」

と言った。

一番若いドラムスの青年と喫煙室に行く。

「僕、新宿芸高の中退なんですよ」

「うわあ、おいくつですか」

「21です」

「うひゃあ」

学祭である。学祭を抜け出してタバコを吸っているのだ。ただ、僕はとっさにロールプレイで衣装を着ろと言われたら、校長の服を着ないといけないのではないか。絶対にそんな事はないと思っていたが、校長として眺める学祭も良いものだ。

ウォーキングシューズを買う

2021年2月8日　午後3時記す（前回から6日経過）

　正午に起きて、深夜4～5時に寝るというタイムテーブルに慣れ始めてきた。せっかくライブもないのだから朝9時に起きたい所なのだが、しまった。「大恐慌へのラジオデイズ」の収録が、零時を超えないとできない。三回先まで内容が決まっている（※三回先が「続・道で拾ったCDをかけっぱなしにして質問に答える」ですので、ウケ狙いの方からシリアス極まりない方まで、満遍なくメールでお送りください。宛先はinfo@kikuchinaruyoshi.netです）。

「夜電波」はTBSまで事務所の車で行って、入り口でパスを貰い、それを首から下げて9階まで行き、スタジオに入った。台本は細密に全部書いてあって（大体30分～1時間で電撃の様に書いた。我ながらよく8年間も毎週書けたと思う。習慣のなせる技であろう）選曲も事前に決まっていて、スタジオで話し、収録が終わるとトナミDが、噛んだ所や、言い間違えを直してくれた。終わると再び長沼の運転で事務所に帰る。

　今は全く違う。そもそも「収録日」「収録時間」が曖昧で、木曜の零時にアップできればギリギリでも良いし、金曜あたりに録り終えてしまう事も多々ある。（番組で言った通り）都内の貸しスタジオ「NOAH」のどこかに、零時〜6時の6時間パックで入って、カウンターで使用料を支払い、スタジオに入ってから自分で機材を組み立て、喫煙室で一服してから台本を書き始める。台本といっても細密ではなく、テーマと話の流れのメモを書くだけである。

選曲は、その時気に入っているCDを持ち込んでスタジオの大音量でチェックする時もあるし、YouTubeで探したりする。「あ、あの曲あるかな?」と探して、結果なかった、という事は今まで一度もない。

途中で好きなだけ休憩や熟考の時間が取れる。番組で言った通り、喫煙ブースのコミュニケーションがあるし、一人でも気がつくとタバコを吸いながら30分ぐらい思いに耽っている時もある。ここも夜電波と全く違う。

やり始めてまだ18回目だが、流石にもう「夜電波再び」という感じの人もいないだろう。せっかく3000人弱限定の会員制なのだ。夜電波の数字が一番良かった時は「まあ、正確じゃないけど、大体この数字だったら、リアルタイム聴取者は全国で60万人ですね」と言われた。単純に0・5%にまで絞られている。しつこいようだが99・5%減である。面影を追っても仕方がない。全く違う風にしたいのだが、夜電波は8年間で、あらゆるトライをしてしまったので、「夜電波にはできない事」を模索するも、「番組の長さが一定でない(その時のノリ)」「ガチガチのコンプラを気にしなくて良い」以外、今のところ見つからない。

「外で、歩きながら、或いは店の許諾を取って、飲み食いしながら」も楽しそうだが、これだと画像のないユーチューバーに近づく。YouTubeチャンネルもニコ動の生配信も一切見たことがないから、どんな人が何をやっているかは知らないが、〈無謀なまでにでっかいエビとかタコとかを数多く買ってきて、無茶なことをして会員数を上げるために躍起になっている、少し頭のおかしい、欲深い人〉ぐらいしか思い浮かばず、これでは幾ら何でも想定が雑すぎるだろう。あらゆる知人が「こないだ、誰それのYouTubeチャンネルでさあ」という話題の振り方をする。完全についてゆけない。

「ちょっと危ないことでも言っちゃうポッドキャスト」になってしまうのも違うなあと思う。以下、具体的なトーンとマナーの追求を書いても詮無い話なので止める。僕はテンプレが苦手で、スタンダードを目指しても目指しても、異形のスタンダードになる。60過ぎたら正常のスタンダードに収まるのだろうか。

番組の内容を考えながらメールボックスを開けると、癌闘病中の知人の1人から、何度目かの生検結果が陰性になったので治療が終わった。という旨のメールが届き、一安心する。もう1人は、それよりも前から治療は終わり、経過観察の日々が続く旨、知らされている。ホッとしても油断ができない。が、今は「ホッとする」方に全額を置く。

ウォーキングを始めるためにウエアとシューズを買った。ウォーキング用のみならず、今、あらゆるスポーツウエアはムッチャクチャにお洒落になっている。別に時代に逆らいたいとかでは無いが、機能性は機能性として、見た目は「失敗しちゃったお父さん」みたいになりたいので、先ず、asicsの専門店に行った。

「あなた、前はアシックスじゃなくてエルメスにいたのでは無いですか?」といった感じの、僕と同世代かちょっと上のマダムが出てきた。

「あ、お客様。それはレディスです笑」

「はい。あの、僕足が小さいんで、レディスの一番大きいのが良いんですよ。これの24はありますか」

「いやいやいや、あの、メンズとレディスは基本のデザインから違うので」

「わかってますよ。でも、メンズの一番小さいのでも指が余っちゃうんで」

「いえ、指一本分(一関節分。の意味だと思う)余るのがウォーク用の基本でございまして」

「だから、メンズ用だったら一番小さくても指が3本分ぐらい余っちゃうんですよ笑」

「いやお客様のご身長でしたら……えっと、では、メンズの24とレディスの24をどちらも持って参りますね」

この会話は、少なくとも僕の人生の中で500回以上繰り返した会話だ。僕は料理店以外ではリラックスしない。

「ほらね、メンズではソール入れてもこの有様なんです笑」

「オシャレ履きはどうされているんですか?」

「ソール二枚いれて、ブカブカで履いてます笑。これはウォーキング用なんで」

あらあ、あらあ、と言いながら、彼女は僕の前に、侍女のように跪いて、何度も靴紐を編み上げ直し、僕の足をメンズ用に入れ直し続け、とうとう諦めた。

「ちょっとお客様、御急ぎでなければ、足のサイズ御測りしてよろしいですか？」

「ええもちろん」

「あらあお客様、23センチですね」

だから余計なことをしないで最初からレディス用にしてくれれば良いのだ笑、知りたく無いことまで知ってしまった。思えば、人間ドックでの身長測定が、ここ3年、毎年2ミリずつ縮んでいた笑。２０１８年より僕は、約1センチ身長が詰まったのだ笑。

計測したら彼女は、人が変わったようにテキパキと動き出し、シューズをそのまま袋に詰め出した（箱は要らないといったので）。

「ありがとうございました。足が御小さいのですねえ」

「感心されてもなあ笑。足だけじゃ無いんですよ。手首もほら」

「あらあ……あたくしよりも細うございますね」

「僕、自分より手首が細い女性と会ったことがないです」

シューズを小脇に抱え、ユニクロで、カラーコーデもへったくれもなく、特売品から適当なスエットを上下買って、ファミリーマートで手袋とニット帽を買った。メガネとマスクで、ダメな映画に出てくるダメな銀行強盗である（例えば「ホーム・アローン」）。僕は大いに満足した。

四方全部を想定するに、西は都庁まで、南は南青山まで、東は四ツ谷まで、北は高田馬場まではいけるだろうと思う。パニック障害だった時は、途方もない距離と時間を、毎日、気づけば歩いていた。精神が危機的だった代わりに、身体は限りなく磨かれていった。パニック障害が寛解してからは、意図的に身体の鍛錬に向かった。

だが人間の営為で、「気がついたら続けていた」事に勝る事はひとつもない。あれほどすごい事はない。人間が限りなく獣に近づく行為だと言えるだろう。メンタリストのDaiGoが、ミネラルウォーターのCMで「習慣をコントロールできれば、人生の90%はコントロールできる」と言っていて肝が冷えた。この人は必ずヤラかす。

自堕落を称揚するわけではないが、コントロールフリークも恐ろしい。僕は自死を決定論的な、最低最悪の選択とまでは思わないけれども、この人は最後に自殺するだろう。するしかない。自らの死をコントロールするのが、コントロールフリークの最終にして最高のコントロールである。「あんたメタルベンディングができるんだから良いじゃん。ボディコントロールなんか」と、タクシー後部座席のモニターに向かって口に出してしまった。

僕は運命や神の啓示を信じる。それだけしか信じてないともいって良いかも知れない。コントロールなんて意味がないといっているのでは無い、コントロールの本懐は、コントロールすると、コントロールしきれない領域に対峙することになる。そこである。コントロールしないと、何がコントロールの結果で、何がコントロールを超えたものの結果かの差がわからなくなる。迷子の子供だ。メタルベンディングが出来るメンタリストは、「人生の90％がコントロールできる」と、笑っていない目で言った。

「コロナがインフルエンザと合併して、凄まじく酷い事になる」と予測し、人々を恐怖に陥れて性的興奮を得た者共は、もしまた同じことがやりたいなら、とするが、黙って隠れてないで、土下座した方が良い。僕は、「こんなにみんなマスクして手洗いうがいしたら、インフルエンザがコロナよりも先に絶滅しちゃうでしょ」と思っていた。

両雄は相まみえて雌雄を決し、二兎追うものは一兎も得ない。自堕落で、多機能不全を起こしているジャンキーは、例えば肝臓病の治療、例えばアルコール依存症の治療のために入院すると「おかげで他の内臓がみんな健康になるやろがい」と、このセリフ自体は天才漫才師、横山やすしのセリフだが、まあそういったことになる。パニック障害の時の僕と同じだ。

全てを着用し、外に出て歩いてみた。今はその帰宅後である。驚くべきことに僕は、上野まで歩いて帰ってきた。

ローストビーフ、サラダ、ツィトローネンクーヘン、グレンファークラス

２０２１年２月23日　午前８時記す（前回から15日経過）

タバコの本数が増えてしまう。「ウルトラライト」は、その名の通りウルトラ（極度）に軽いのである。スペルは違うが、政治的極右のことを「ウルトラライト」というが、何せ０・１ミリグラムなので、ハイライト１本吸うのに１５０本吸わないと追いつかない。極右も大変だ。コップ一杯の水にウイスキー一滴垂らした水割りウルトラライトをガブガブ飲んでしまうのは仕方がない。

昔はチェインスモーカーで、しかもゴロワーズの両切りとか缶ピースを吸っていた。ＰＣの画面も下の歯もタールで真っ黒になり、床にはタバコの吸い殻がいっぱいに詰まった烏龍茶の１・５リットルのペットボトルが常に4～5本転がっていた。チューリヒで買った洒落た灰皿は吸い殻の山に埋もれて、遺跡のようになっていた。

60年代の東宝——先日、東宝とカプコンが組んで作ったハリウッド映画「モンスターハンター」を観たが、UOMOの連載で話しているし、内容は割愛するが、とにかく、先ず東宝のロゴマークが出て、普通のハリウッド映画が始まり、終わると長い長いエンドクレジットの留めにカプ

コン、と出てから留めの留めに東宝と出るので、そのインパクトに引きずられてどんな映画か忘れるぐらいだった。「大日本人」の冒頭、墨痕鮮やかに「製作　吉本興業」と出た時と同じぐらいのインパクトがあった――プログラムピクチャーを見ると、サラリーマンは会社でも自宅でもタクシーの中でも、とにかく腰をかけたら一服する。

現在「社長シリーズ」「クレージーキャッツシリーズ」「喜劇駅前シリーズ」「若大将シリーズ」を全て見て、「誰がなんというう作品の何分目になんというタバコを吸ったか」の研究家として仕事ができるぐらいになっている。どんな小さな事でも（むしろ、どんな小さい事であればある方が）オタクになると面白い。紙のノートが3冊になった。森繁久彌は1958年の段階で紙巻のウィンストンを吸っている。

彼らはあらゆる場所で一服するが、必ず1本である。そのほとんどが平均で20ミリ程度のもので（15ミリのハイライトは発売当時、ガチで「ハイにライト」だった）、1本で足りたのであろう。同様に彼らは、会社の重役室で、会議の前などにジョニーウォーカーやナポレオンをショットグラスで1杯だけぐいとあおる。

これはおそらく東宝のコードではない。他社の映画もアメリカの映画も同様で、「灰皿の上にギガ盛りみたいに吸い殻がうず高く盛られている画」、や、「ウイスキーやブランデーの空き瓶が何本も倒れ、グラスを持って退廃しきっている男。の画」は、プログラムピクチャーよりも、小説家や脚本家、ジャズミュージシャンや、劇的な艱難辛苦にいる人物、が描かれる文芸作で、要するにクリエーターがチェインユースという極端な摂取の仕方を始めたのであろう。酒もタバコもどんどん薄められて行き、ダラダラ続けられるようになった。どうにもこうにも、「軽いタバコをバカバカ吸う」のは良い事がない。花粉症の薬を強くしてもらって、ハイライトにしようかなとベランダで考えていると、あっという間に6時半になってしまった。もう、どこの店にも行けない。

コンビニも飽きたし、DC/PRGの解散宣言も投下された頃だろうし、ささやかな贅沢をしようと思い、伊勢丹まで歩いて行った（最近はウォーキングが習慣化しているので、歩くのが好きになった）。

歩いてゆくと10分ほどかかるので、何を買うか頭の中で決まってしまう。今は伊勢丹が誇る外壁面ショーウインドウがプラダのモノクロ写真で構成されており、非常にクールで気分が良い。地下一階に降りるエスカレーターは実にスムースで、フロアにゆったりと着地するや否や「全国肉フェア」みたいなのがやっていて、牛、豚、鶏の弁当がずらっと並んでいたので、米沢牛の弁当（ローストビーフとロースの照り焼きが半々になっている）と、北海道産のA－5をローストビーフにしたローストビーフ弁当（ちゃんとローストビーフ用のソースとすりおろしのレフォール＝西洋山葵が付いている）を買う。米沢牛は肉質が柔らかい赤身で、サシが少なく、丁寧に焼いてある。A－5のローストビーフは見るからに野趣溢れる感じだ。一挙に2つ喰う訳ではない。半分ずつ食べ比べて、残りは明日喰うのである。これの併せに、ルーコラとクレソンだけのサラダを買う。

HOLLÄNDISCHE KAKAO-STUBE（ホレンディッシェ・カカオシュトゥーベ）は、ドイツ語で「オランダ風ココアの部屋」という名だが、これはもともと、ハノーファ（確かニーダーザクセン州）にある、バンホーテンの試飲場のイートインから始まったのが由来で、要するに老舗バームクーヘン屋である。J・P・エヴァンのアトリエの隣にあり、エヴァンはいつでも列ができていて、HKSはいつでも客がいないが、僕が行くのは圧倒的にホレンディッシェ・カカオシュトゥーベである。ここでツィトローネンクーヘンを買う。

ツィトローネはフランス語のシトロン、つまりレモンのことで（イタリア語では「リモーネ」）、空洞の円筒形ではなく、直方体に焼いたバームクーヘン生地に、レモンジュースとレモンジャムが塗ってあり、周りを砂糖で固めてある、ものすごく甘い焼き菓子である。

と、ここまでは、以下に買う酒から逆算的に併せたもので、今夜の主役はグレンファークラスだ。いわゆるスコットランド産のシングルモルトで、グランカーヴのウイスキー売り場でホームバー用の小瓶の3本セットが可愛いデザインの箱詰めされているのを横目で見ながら、「いつか部屋飲みする機会があったら買おう。無いけど」と思いながら、お持たせ用とかにいつか買おうと思っていた。

10年、12年、シェリー樽原酒、の3本が可愛くトライアングルになっていて、ドイツの三角チョコレート「マッターホルン」の外箱みたいなデザインでちょいダサ可愛く、欧州の土産物みたいなルックスである。これを買う。

オンザロックで飲むので、氷も凝ろうと思ったが、氷専門店が見つからなかったのでセブン氷で妥協する。まあこのぐらいで丁度良い。

部屋で弁当を2つ開け、各々半分ずつを皿に盛り、残りはそのまま輪ゴムで閉じて冷蔵庫に入れる。正月に残った祝い箸を出して、サラダはパッケージ容器から直で良い、小ぶりの食パンみたいな形のツィトローネンクーヘンはナイフで羊羹みたいに厚切りにして皿に盛り、半分はテーピングして冷蔵庫にしまう。

ここで（酒の用意はせずに）食べ始めてしまう。サラダにはオレンジと擂りおろした玉ねぎと白ワインビネガーとパンプキンシードオイルのドレスが付いていて、とても美味い、山盛りを1分ぐらいでバリバリ掻っ込んでしまう。

冷蔵庫のペリエをぐいぐい飲んでから牛肉に向かう。米沢牛は国産牛の中で一番好きである。薄切りだったので、食べ口が上品で、赤みの味わいが深い。火通しもしっかりしていて、うっすらと甘辛の味付けはタリアータ（イタリアのステーキサラダ）でも食べているようで、とっても美味い。

北海道産のサシだらけのA-5のローストビーフはシェリー酒のソースとレフォールをたっぷりかけて、これまた非常に美味い。ロンドンの専門店で食べても、肉が固く貧弱だった。A-5は嫌いな食材で、A-5だけの焼肉屋なんてあっという間に胸焼けてしまうが、こうやってローストビーフにすれば美味かろうな、どこか日本の弁当屋が絶対にやっている筈だ。と思っていたら案の定、売れ線のコーナーにあった。歯ごたえもあり、サシも入り、味付けはオーソドックスである。非常に美味い。

ダブル和牛のサスティンは非常に長く、そこそこ味の強い菓子であるツィトローネンクーヘンを一切れ口にして噛み始めてからも、しばし続いていた。ツィトローネンクーヘンは幼児退行を起こさせる味でもあるし、30代によくドイツに行っていた頃のコンディトライ（ケーキ屋さん。これに喫茶が併設されているのをドイツ〜オーストリアでは「カフェ・コンディトライ」と言う）での記憶も蘇ってくる。ファサファサねっとりの食感で、思いっきり甘酸っぱいが、美味い。

口の中を、遠く2種の和牛のサスティンと、ドイツ菓子の強烈な甘酸っぱさでいっぱいにした所で、マルタ島で買ってきたショットグラスにセブン氷を2個ほど入れると「コリン」と音がして、そこに先ず12年をそっと注ぐ。ミニバー用のハンディ瓶なので、ままごと遊びのようだ。キンキンの氷の上に（＝オン・ザ・ロック）シングルモルトを注ぐと、うっすら煙のような、蒸気のようなものが立つ。

口の中は、最高の舞台が準備されている。それまでの間に、とっくにハイになっていたが、グレンファークラスの12年を1ミリほど口に含んで、喉に流し込んだ瞬間、感極まって「くあああああああ笑」と叫んでしまった。

完璧な状態は、手軽にできる。シンプルな選択を間違えなければ良いのだ。全ての選択に自信があること、その組み合わせに揺るぎない自信があることは、難しいことでもなんでも無い。ハイから一気にローにダウンした僕は、目をしかめながら「かああああああああああ。かああああああああ」と溜め息をついた。

ツィトローネンクーヘンを食べながら、ショットグラスの底をつかんで思いっきり振り、残りをキッチンシンクに捨ててから、氷を入れなおし、次にシェリー樽原酒を注ぎ、口をつけたら、更に完璧なマッチングで、感動のあまり死にそうになった。まだサステインが続いているローストビーフの味、ドイツ菓子の強い甘さ、シングルモルトの強烈なアタックと樽の強烈さが僕に優しく襲いかかり、いけないいけないと思いながら、切り残しのツィトローネンクーヘンをガバッと摑んで貪ってしまう。そこにグレンファークラスを流し込む。

僕はいとも簡単に「なんでもいいわ。もうどうでもいいわ。死ぬほど気持ちいいわ。あははははははははははは！」という状態になる。グレンファークラスを注ぎ足し、ショットグラスを持ってベランダに出て、騒音を聴きながら、インドネシア土産の強いタバコを一服する。

1万円ぐらいしかかからない。ものを6個買うだけで良い。完璧な状態は、手軽にできる。シンプルな選択を間違えなければ良いのだ。全ての選択に自信があること、その組み合わせに揺るぎない自信があることは、難しいことでもなんでも無い。バンドだってそうだ。このメンバーにこの曲をやらせたら最高。いとも簡単なことだ。気がついたら音楽はかけていなかった。

街の騒音を聴き、街の風に当たりながら、僕は喜びのあまり途方に暮れていた。

（※苦いサラダ、強い牛肉料理、甘い焼き菓子、シングルモルトのオンザロック、ベランダ、タバコ、が揃えば、このアンサンブルは皆さんのお宅でも簡単に再現できます。ぜひお試しください）

10年後の3月11日

2021年3月11日　午後7時記す（前回から16日経過）

10年前の3月11日に僕は歌舞伎町のタワーマンションの最上階で、絶叫マシン級の衝撃によって眠りから覚めた。ベッドが部屋の中央まで移動したからだ（僕が飛び起きてから、それは反対側の壁にぶつかって止まった）。地震自体による怪我や、大切なものの破損は（いくつかのボルドーグラスと、ボルドーワインは粉々に砕け散ったが、値段がやたら高い以外は、大切なものではない）一切なく、しかし、日中から夜にかけての臨時ニュースを見ながら、あっという間に世界が変わってゆくことを確信し、異様なファイトが湧き上がったのを記憶している。

前年にDCPRG（当時。スラッシュなし）が3年の凍結から目覚め、野音で活動を再開したばかりだった。また、年末にはTBSラジオのレギュラーが決まっていて、もう番組名も決まっていた。ご存知の通り、戯れた名前である。「夜」の電波、としたが、被災者の皆さんにとっての「夜」がどんなものであろうか?という考思は、一時的に完全停止した。

僕が一瞬にして決めたのは、「特別な動きはしない。音楽を流し続け、紹介し、可能な限り、良い調子で喋り続ける。概念的な話はしない、どんな話も、自分の過去の経験と、その時にストリートで拾ったものだけにする」という事だった。

僕は、普段は劇場で人を笑わす事を務めとしている芸人さんや、いろいろな役になりきる俳優さんたち、タレントさんたちが被災地で炊き出しをしたり、普段通りのネタをやりに被災地に赴いたり、（江藤淳は激怒したが）現上皇陛下が作業服を着て、国民の目線にまで降りて対話をされたことは、皆手放しで素晴らしいと思う。

だが、以下、ディスと評価されても全く構わないが、被災で残されたピアノを弾いて、魂の歌みたいなものを敢えて作っては被災者の皆さんの涙を搾り取ったり、一刻も早くとばかりに被災地へ赴いてライブをやった一部の音楽家の行動には、未だに不信感が払拭できない。被災者の方々に対する、一時的な対症療法として、音楽を使う事は構わない。効果は保証されている。しかし、それは絆創膏以上でも以下でもない。

僕は、特に大衆音楽は、とするが、もう新しい詞も、曲も、音源さえ特別に作り出される必要はない。必要があるとするならば、作り出す必要がある音楽家がいるから。だけだと思っている。戦争を始める時は、新曲が作曲される。音楽の悪用の一つだろう。しかし、関東大震災の歌とか、阪神淡路バラードというものは、未だかつて残っていない。ベトナムの反戦歌も、日本の反戦フォークも、僕は、僕のことを「いけ好かない」と思っている人々と等量、あるいはそれ以上の意識で「いけ好かない」と思っている。あれにはあれで、社会的な目的を超えた、ポップの力はもちろん備えられている。いけ好かないその場しのぎの命の歌、みたいなものを、唾棄にまで扱わない根拠は、辛うじてそれがあるから、の一点のみである。

大衆音楽は、あらゆる形の、あらゆる傷（それは、分単位で今でも発生し続けているだろう）を負った人々にも、今、特になんの傷も負っていない、被災地から見れば傍観者の立場にいる人々にも、あらゆる誰もが、傷を負ったら、手を伸ばせば摑める常備薬であり、その常備の完璧さこそが、大衆音楽が誇るべき美点だと思っている。大衆音楽は特効薬やワクチンよりも遥かに、米穀や飲料水に近い。

まだ余震が続き、今年はおそらく（＝昨日僕はテレビジョンを消し、一日中読書していたので）あらゆるアニヴァーサリー（アニヴァーサリーは、慶事にだけ使う言葉ではない）番組で指摘されないであろう、東京電力の大久保社員寮が民衆の手によって半壊ギリギリまで襲撃されるのを横目で見ながら、それまで5〜6年かけて友達になった、数多くの在日4〜5世の労働者たちが、道端で号泣しながら、街に別れを告げ、故郷に帰る姿（こういったものは、僕が知る限り、テレビ上でもSNSでも触れられなかった）を横目で見ながら、行きつけの飲食店の料理人と給仕たちと勘定の時に握手を重ねながら、その時の僕の血はたぎっていた。これから毎週、マイクの前に立たなくてはいけない。彼ら全員が、僕のラジオを楽しみにしていると言った。

マイクは人に、大変なパワーを授ける。このパワーを善用すること、それだけが僕のミッションになった。これを最大限に使う。直接的なメッセージではなく、間接的に、死にまで追い込まれそうな人に、人生が肯定できるように、笑いのない時間には笑いを、グルーヴがない時間にはグルーヴを届けるために、マイクを言語用にではなく、音楽用に使った。

8年間それを続け、役割が終わったという理由で突然解雇されたが、別にそれは構わない。ディスクジョッキー用のマイクは、欲しくて欲しくて手にした物ではない、音楽は生まれた時から変わらず続ける。それ以上でもそれ以下でもない。

そして10年後の今日、僕は、マイクではなく、文字列の入力によって、その密告と公表によって、一部の大衆に、人種差別主義者であり、才能が枯渇した落ちた偶像であり、舌禍に対して謝罪もしない極悪人として反感を買っている。世の中は変わっていない。反復し、周回するだけだ。音楽と同じように。遥か遠く、２００2年に僕はマイクではなく文字列によって、1年間「SWIM」というタイトルでパニック障害の治療日記をつけた。その時は、あの2ちゃんねるですら、僕を共感と正義の人として扱ったのである。ライブの一つも聴きに来なかった者でさえ。

大衆は概ね弱者である。だから弱者の味方然とすれば（僕は「SWIM」を弱者の応援歌として綴ったのではない。神に誓って。フロイディアンとして自らが強化される記録を綴ったのだ）弱者が集まって英雄に仕立て上げ、弱者の神経を逆なですれば磔刑にかけられる。僕が磔刑にかけられた経験は1度や2度ではない。

大切なことは、英雄になる経験も、磔刑にかけられる経験も、どちらも、しておいた方が歩みは軽い、ということだけである。英雄の足元は軽すぎ、磔刑者の足元は重すぎる。自重や自速を知るにはもってこいだ。自分が何者であるか知るには、あらゆる両極の経験が役に立つ。双極性障害者には、大いなるチャンスがある。

4月から（いかな制限付きとはいえ）延期していたライブが復旧する。5月にはペン大が全クラス3次元に戻って復旧する。「新潮」に元老院の議事録に関して、書評を書いた。新連載も始まる。若き音楽家は、僕の側にも、僕の遠くにも、どんどん生まれ育っている。大切なのは常に、自己の復興である。自己が変わらずして、世界が変わるだろうか。世界が変わるのを待ち、ましてや世界の変化に流されることは、自己喪失の第一歩である。10年前にマイクを摑んだ時、僕はその例を挙げることから始めた。

誰もが、この経験をすべきだ。「自分とは関係ないや。そんな苛烈な人生」と思うのは、単なる早合点である。誰だって出産され、地上に生まれてきた限りは、両極を体験することになる。自我が恐ろしいのは、忘却や解離のシステムを持つことである。忘れないためには、踏ん張らない事だ。心身の力を抜いていれば、持ち上げられても、踏みつけられても、それが如何なる事態であるか理解できる。力を入れるのは、後々だって良い。

「菊地成孔とペペ・トルメント・アスカラール」オーチャード公演アンコール挨拶

2021年3月20日　午前6時記す（前回から9日経過）

サントリーと言わず、オーチャードと言わず、クラシックのホールには「指揮者用の個室」があり、そこにはどちらも、かなり良質のバスタブとシャワーがついている。僕は演奏開始の1時間前に、バスタブに湯を張り、要するに風呂に入った。身を清めないといけない。「今年最初の演奏だから」というだけではない。

風呂から上がり、髪を乾かしてから服を着て、僕は屋上に行った。喫煙ブース、というより、屋上の一部を解放しているからである。夕方の渋谷の高層階からは何が見えるかご想像頂きたい。渋谷は今、「令和の東京再開発」のトップを走り、あまつさえ、少なくとも文化的には成功していると僕は思う。レトロ東京とニュー東京のミクスチュアセンスにはアニメや漫画の感覚が絶対に入り込んでいる。素晴らしい。

誰もいない東急Bunkamuraの屋上で、タバコを吸い、安堵でも鬱屈でもない、お気に入りのため息をついた。身体が重い、東京はどうなるのだろう。いつでも東京は煌びやかだ。きっと大空襲の時でさえ。わくわくしてきた。

背伸びをして椎骨のストレッチと深呼吸を繰り返すと、確実で強い力が湧いてきた。痛むのは喉と鼻の奥だけである（花粉症が「物凄い」というに吝かでないほど悪化しているので）、それもステージに上がればまったく感じなくなるだろう。僕はステージ上でなら、背中から撃たれても演奏を続けられる自信がある。

しかし、もし僕が加齢の果て、歌が歌えなくなり、サキソフォンの吹奏ができなくなったとしても、ペペ・トルメント・アスカラールは、演奏家と楽曲さえあれば永続できる。このオルケスタの底辺にあるテーマは、淫らな血の混じり、そして永遠と死であろう。

指揮者用控え室に戻り、クールストラッティンのタキシードとジバンシィのリボンタイ付きのブラウス、モデーロの革靴に着替え、ヴィヴィアン・ウエストウッドのピアスをつけて鏡を見る。良い調子に老けてるな。よしよし、と自分に言い、ミュグレーのエンジェルを手首と両耳の下に。素晴らしい香りが立ち上がり、楽譜とサックスのストラップを握って確認する。「よし、気が狂った。行こう」。ステージに向かう。

＊

〈終演後、アンコール時の挨拶〉

本日は、緊急事態宣言明けに翻弄されがちな中、直接会場までお越し頂き、感謝に堪えません。楽団、スタッフ、会場を代表して御礼申し上げます。有難うございました。両脇に人はいないわ、マスクしたままだわ、歓声があげられないわで、さぞかし息苦しく、また、奇妙なリラックスがあるとは思いますが、直接お越し頂く喜びは、我々にとって格別なものです。コロナがあろうとなかろうと、です。

と、こういった席で、いきなりではありますが、先ずは皆様に訃報を、お伝えしなければなりません。先日我々は仲間を一人、失いました。

当楽団は、観客の皆様のご愛顧により、今年で結成16年を迎えました。

その、16年前から、我々のステージにおけるライティングを創造し、休むことなく、我々のステージを照らし続けてくれた、照明監督の小柳衛（こやなぎまもる）が、先日、79歳で天寿を全うしました。

コロナであるとかね、事件性があるとか、そういう話ではありません。年寄りの頑固な職人が一人、普通にくたばった。というだけの話であります笑。

しかし、小柳の名前が護衛の衛と書いて、「まもる」と読むのは伊達ではありません。我々は生まれ落ちた瞬間から、小柳の創作した光に、文字通り、護衛されて参りました。

人類は今、16年前よりもはるかに、ライティングというものが如何に重要であるかを知るようになったと思います。今やどなたも、写真や動画を撮影する際、日常的に、照明というものの重要性を当たり前のように噛み締められておられるでしょう。

音楽のライブですので、ややもすれば、音響技師や会場の設え（しつらえ）、演奏そのもの、ばかりが取りざたされがちですが、我々の音楽が生まれ落ちたその瞬間から、我々の世界観を演出してくれ、我々を、光の力で護ってくれていた小柳の業績を称えると共に、今から10秒間の黙禱を皆様と共にさせて頂きたく思います。

16年間も、創造的な仕事を共にすれば、大変に深い付き合いがあっただろうとご想像される方も多いでしょう。しかし、私は、この16年間で、小柳と口を利いたのは、わずかに数度しかありませんでした。代わりに、私は、小柳が創作した、気品と格調のある、最適格以上の光と影、闇の中で、小柳に感謝の意を忘れたことはありません。楽団員と共に、演奏を全うする事で、その気持ちを伝える。私はそういう人間ですし、小柳もそういう人間だったと思います。

光を司る職人でしたので、今頃は光に満ちた場所にいる事でしょう。ステージ上では、としますが、彼に、こうして直接、最初で最後の感謝を、しかも我々の舞台を愛する方々と共に伝えることが出来れば、幸甚の至りに存じます。

特定宗教をお持ちの方は、宗教如何にかかわらず、その宗教における黙禱の作法に従ってください。私は音楽以外に宗教は持ちませんが、あらゆる既存の宗教を皆等しく評価しておりますので、今宵は、中南米の異端キリスト教方式で弔意を捧げたいと思います。メキシコのグアダルーペという教会で有名ですが、中南米のカソリックにおけるマリア像の肌は黒く、祈りの言葉はスペイン語で、多く、神酒、神の酒ですね、にはダークラムが捧げられます。

それでは、参ります。黙禱。

有難うございました。小柳もむくわれます。不敵にニヤっと笑った顔が見えるようでありま
す。

さて、頑固で職人気質の、つまりはちょっと面倒くさい笑、年寄りの見送りも無事済みましたので、楽団員を紹介させて頂きます。「自慢とやっかみはしちゃいけねえよ」というのが亡くなった親父の教えです。「自慢すると前から刺される、やっかむ（＝嫉妬する）と後ろから刺される」と教わりました。「刺されるって、刃物持ってるのはそっちだろ」と思いましたが笑、もし、私が他人様に、あられもなく、淫らなほど、自慢たらたらになれることがあるとすれば、優れた楽団員に恵まれる能力しかありません、「あいつ使えないけど、どうしよう」とか、特定メンバーが揉めてしまい楽団を出るとか、私に不満を持ち、衝突ののちに退団してしまったといった、世間によくある経験を、私は一度たりともしたことがありません。

あの〜これってバンドリーダーとして、すごい才能だと思うんですよねえ〜（口笛で「ドラえもん」のテーマを吹く）。まあ笑、本当はエリントンもベーシーも、マイルスもジャコ・パストリアスも散々やってます揉め事は。戦前から戦後へと三代前から続き、私と愚兄の代で店を潰した、水商売の家系全体が、何かの博打に、大当たりしたんでしょう。

本当に素晴らしい彼らと演奏を共にできる事を、常に、心から誇りに思っています。惜しみない拍手を賜れれば幸いです。

（※以下、メンバー紹介）

さて、音楽家はステージに上がる演奏家だけではありません、最近、ファンレター等でも、「あの新曲は素晴らしい」と御高評賜っております、「小鳥たちのために2番」、ですが、あの曲の作曲、オーケストレーション共に、私と生み出してくれた才媛、本日は会場におりませんが、作曲家の小田朋美にも惜しみない拍手を。

そして、本日は、賜ったアンコールにお応えしまして、新曲を初披露したいと思います。昨年末、「岸辺露伴は動かない」というテレビドラマの音楽監督をやらせて頂きました。後世に残るであろう、本当に素晴らしい作品で、関われた事を心から感謝いたします。会場には、監督とプロデューサーがおります。この場を借りて、NHKドラマ制作部、そして、私、というよりも、当楽団に指名くださった御二人に感謝します。

「大空位時代」とはラテン語で、インターレグナムと言いますが、そもそもは神聖ローマ帝国で、王権が不安定だった時代を指します。王が亡くなり、それを継ぐ王がすぐに現れない場合、それは、ボクシングのチャンピオンシップなどと同じく「王座の空位」。〈からのくらい〉、と書きますが、特に、1250年から1273年までは、亡くなったローマ王、これは当時のドイツ王でもありましたが、彼を世襲できる有力な家門、家柄がなく、権力の真空状態が23年間続きました。この23年間を、後々歴史家は「大空位時代」と呼び、歴史上にいくつか見られる同様な現象に対する名としました。

そして、この曲にも、共同制作者がいます。今、会場にいる、佐々木語は、僕と同じ年齢の、しかし僕の音楽の生徒の一人です。東京芸大の作曲科を卒業した、親子ほど歳が離れた女性と、自分が教育を行った、同い年の男性と、どちらも、共同作曲ができる事を、私は大変に自己満足しております。私は、才能と実力さえあれば、犬とでも共作しますし、イズラエル人とパレスチナ人だけで構成されるバンドを作るにも一切の躊躇はありません。

しかしこれは、東京芸大の実力と、我が私塾、ペンギン音楽大学の実力には、作曲家の輩出に23年の遅れがあるという事も同時に意味しており笑、大変な意欲が湧き上がる事を抑える事ができません笑。もし私が教育者として、あと10年間でも教師である事を続けられれば、必ずや、東京藝術大学を凌駕する笑、優れた作曲家を輩出できるようになるでしょう笑。

少々長くなりました。それではこれが初演となります。「アリア〈大空位時代〉」、オペラの作法に則りまして、レチタティーヴォとアリア、ジャズでいうと、ヴァースとスィーム、という言い方をしますが、要するに本歌の前に、前歌がくっついているという、一般的な二部構成になっております。そしてソプラノ歌手は、ヴォーカロイドで（CD-Rをかざす）、CD-Jのスイッチを楽団長が指先でポン出しするという、渋谷慶一郎さんのヴォーカロイドオペラ「THE END」を遥かに超えた、画期的な笑、手作業という手法を使わせて頂きます。

どちらも、「岸辺露伴は動かない」のために作曲したものを、私が当楽団用に作曲の追補とオーケストレーションを施した形になっております。

小柳が亡くなることで、舞台照明の世界には空位が生じることでしょう。この演奏を、今宵の初演に限り、小柳衛に捧げたいと思います。そして現在、全世界市民が望んでいるのは、次の偉大な権力者よりも、大いなる空位の時代ではないでしょうか。空の位、雲の上より降り注ぐ光と共に、お聴き下さい。「〈大空位時代〉レチタティーヴォとアリア」です。

＊

演奏を終えて控え室に戻ろうとしたら、舞台監督であり、小柳氏と旧知の仲である柳川氏が、「小柳の件、本当に有難うございました」と頭を下げたので、「いやいや笑」と答えて入り口で別れた。余りにも普通すぎる話だが、僕は一瞬、「こんな事なら、もっと小柳さんと話しておけば良かった」と思い、すぐに打ち消した。言葉すら交わさない、豊かな関係だってある。16年もである。私服に着替え、豪華すぎる指揮者用のソファに一人で座って、僕は30分ほど虚脱していた。それからタバコを持って、夜のBunkamura屋上へと向かった。

＊

お越しいただいた全ての皆様に、愛の表明をさせていただきます。僕は。あなたを。愛しています。次は浜松のアクトシティです。ここの会場も素晴らしい。浜松は鰻とヤマハの街です。

来月には国内観光への規制もほとんどなくなっているでしょう。美味しい鰻を食べ、旧市街などを観光するのは、現在の検索力を使えば容易いでしょう。ぺぺの観客になったことが一度もない僕には、旨い鰻を食ってから美しい街並みを見て、それからぺぺのライブを見たら、どんな風になるのか、想像もつきません。まだ残席はあると思われます。お時間と経済的有余があったら、ですが、是非お越し下さい。それを逃すと、当面、公演の予定はありません。音楽を通じ、皆様の健康と長寿、生きる活力を取り戻す事を願っています。

浮気相手はいつでもポップス

2021年3月21日　午後6時記す（前回から1日経過）

今、坪口のトリオが演奏を始めたところだ。僕はピットインの控え室にいる。さっきまで、藤井さんと坪口と菊地雅晃くんと三人で旧交を温めていた。菊地（雅）くんと藤井さんは喫煙者なので、控え室がモクモクである。一昨日のオーチャードホールが実は今年最初のライブだったので、今日が2回目になる。開口一番、藤井さんは「猛烈に久しぶりだねえ」と笑った。

「藤井さん良く生きてましたね笑」

「オレも菊地がどうしてるかなあと思ってたよ」

「ポンタさんがねえ」

「あいつ、オレより一つ上だけなんだから」

「まあもう」

「誰が死んだっておかしくないよな笑」

「そうですね笑」

「オレ、ずっとスティックも握ってなかったから……叩けないよダッハハハハハ」

「オレもそうですよ笑」

「え。菊地、またタバコ始めたの？」

「はい笑」

「一本……」

藤井さんが手を伸ばしたので、箱から一本だけ飛び出させて渡し、藤井さんが咥えるタイミングで150円ライターで火をつける。

「おお、ありがとう」

「お元気そうで何よりです笑」

「お互いな笑」

すると菊地（雅）くんが寄ってきて、見たことがない銘柄のタバコにプラスティックのキセルをはめて火をつける。

「え？　さっき（サウンドチェックの時）、怒った？　藤井さん」

「怒ったよ」

「オレがシンセばっかいじってベース弾かなかったから？」

「そうだよ笑。人がリズムパターン叩いてんだから、サウンドの様子見るのにベース弾かなきゃダメだろ普通」

「すみませんでした。えーと、じゃあ、仲直りしましょう」

「ああ笑」

2人は烏龍茶が入った紙コップで乾杯した。

ここまで書くのに30分経ってしまった。演奏を聴きながら書いているので、音楽に流れる時間と、文章に流れる時間差が良くわかる。音楽に流れる時間のが、はるかに速い。演奏が猛スピードだというのではない。完全即興の演奏には、それ以外のあらゆる事柄よりも単位時間内の情報が多い（しつこいようだが、演奏が多音である訳ではない）。昭和の物書きは、ジャズのレコードをかけっぱなしにして文章を書いていた者が、今よりも遥かに多かった。彼らは、BGM用音楽と違い、自分の筆の力より速いものを選んだのであろう。

ジャズに関し、特に「新宿ピットイン」に関して書かれた文章の中で、最も優れたものは、山下洋輔の「ピットイン育ち」というエッセイである。僕が知る限り、ここまで適切に新宿ピットインという存在自体に肉薄した文章はない。山下は実演家でもあったので、文章のが「遅い」事を意識している。文章で綴られる歴史と、音楽で綴られる歴史の間には大きな隔たりがある。

リラキシンのミーティングは、やがて坪口も加わり、会話の軸は散逸した。公表できない部分が多すぎるので、記述不足は意識した上で書くが、これが、これこそがジャズメン同士の会話である。控え室には灰皿がなく、烏龍茶かコーヒーか選べるポットから紙コップにどっちかを少々注ぐわけだが、しゃべっている間に同じ紙コップは6つになり、結局その全てにタバコの灰が入った。

そして僕は、山下洋輔があの名エッセイを書く遥か後に（あれが書かれた時、僕は中学生だった）、ピットインに合流した、以後、あのエッセイに忠実な意味でピットイン育ちである。実家に帰郷した気分だ。菊地（雅）くんが置いていったタバコの箱を手に取ると「West（1ミリグラム）」と書いてあった、勝手に一本抜いて火をつける。

ロックにはロックの、ヒップホップにはヒップホップの実家があるのだろう。演奏が終わった。僅か35分間の演奏だったが、演奏前から演奏後までオールザットジャズといったところである。僕は適当に、タバコの灰が入った烏龍茶を飲んで、ここには書けない事をゲラゲラ笑いながら、そしてちょっとブルーになりながら楽しく話して帰途についた。ジャズは、ゲラゲラ笑う事と、ブルーになる事を一つにする。極言すれば、生と死を一つにする。生きるためのジャズも、死ぬためのジャズもない。生きるためのクラシックはある、死ぬためのクラシックも。「クラシック」のところには、ジャズ以外のものならなんでも入る。憂鬱と官能が一つになる場所。それは僕が知る限り、黒人の叡智と白人の叡智をハーフ&ハーフでミックスしたジャズにしかない。

まだやってる飲み屋があるのでそこに集合することにし、一時的に僕は事務所に着いた。着いた途端に外に出たくなる。帰郷して実家に戻った気分だったからだろう。流石にパンクロックに浮気したいとは思わないし、出来ない。でも僕の浮気相手はいつでもポップスである。ポップスという入れ物はものすごくデカイ。ジャズも、ある時代のものは全てこの器に入ってしまう。ロックンロールも。オペラも。

コロナに入ってから、僕は、市民たちが、部屋で慎ましやかに静かに生きるようになったらどうしよう?と思っていた。まだステイホームとも言われていないタイミングで、僕の脳裏に「キスの止め方」という言葉が浮かんだ。「ねえ、キスの止め方がわからないよ」という人々がいるはずだ。コロナがもっとひどいことになっても、おそらく、戦争が始まっても、大恐慌が来ても、そういう人はいるはずだ。いないと困る。

愛し合っている人々はキスが止まらなくなったりしない。愛はシンプルで深い、恋はチャラいからこそ、面白いことや切ないことが不断で起こる。幼児退行の喜びは、恋する人と分かち合うべきだ。その時まだ僕は「キスの止め方」というタイトルが、曲になるのか、エッセイになるのかわからなかった。いつかどっちかになるだろうと思っていた。何れにせよそれは、恋の下僕である、ポップスという入れ物に格納されるだろう。

「今週の1曲」を再開するにあたり、僕はオリジナルのポップソングを生まれたてのままで、あるいは出来損ないの習作のままアップし続けることにした。これが僕の、アクト・アゲインスト・コロナのポップサイドである。ぺぺも、DC/PRGも、生きるための音楽である。生きるため、というと話がシリアスになるが、生を、人生を肯定するには、錆び付いた生命力に着火するには、ベタベタのものは実は効かない。催眠術や手品みたいに、「え?　こんな音楽で、どうしてこんなにスッキリして、生きる活力が湧いてくるのだろう?」と思わせること。それが魔術師のスキルである。僕は幼少期に、夢で魔法使いに会った。その時、彼に教わった呪文を僕は今でもずっと探している。

ポップスはにべもない。難しい字で書くと「鰾膠も無い」となる。鰾膠も無い魔法使いには、思春期にディスコで鰾膠も無く出会った。彼は僕とだけ会ったのではない、フロアにいる全員にデカイ声をあげた。ポップスは可能な限りシンプルで、可能な限り懐かしくて、可能な限り新しくて、可能な限り胸が切なくなって、可能な限り可愛くて、可能な限り楽しくなって、演奏は3分から5分で終わる。それで充分なのである。「キスの止め方」は、こうしてチャラチャラのポップソングになった。コードを4つ弾ければイントロからエンディングまで歌える。

僕が歌い終わるとスキャットをするのは、長い間、ポップミュージックで、間奏のサックスを吹いてきたから、歌が終わったらサックスソロが出てくるように脳みそがそうなっているからである。簡単なコード進行に、シンプルでちょっとジャズっぽいアドリブを吹く。つまり僕のポップスとは、歌と歌の間に間奏がある時代のポップスだとも言える。

ポップスは懐かしさ、つまり「自分の世代」というものと、リアリティのリージョンで結ばれていないといけない。ジャズなんて、もう誰も世代と結びついていない。「カインドオブブルー」なんて僕が生まれる前の音楽だ。だからダメだなんて、いくら僕がバカでも、そこまでバカじゃない。あいみょん氏には何の文句もないが、あいみょんのPが、我らがナギラくんに「ジャズなんてとっくに死んでる音楽じゃないか」とパーティーの席上で言った事には一言言わせてもらう。青いの。お前が作ってる音楽のがジャズより早く死ぬ。意味がわからなくとも、そのうちわかる。

僕はモダンジャズの黄金期が終わってから生まれた。そして僕が生まれた年月日、ビルボードのトップ100の1位は坂本九の「SUKIYAKI」だった、なんて酷く適当なタイトル。ポップスはそれで良い。あの歌は一見、恋なんかしていない、傷ついた人の人生賛歌に聴こえなくもない。多くの人々がそう思っているに違いない。でも僕は最初からそう思わなかった。あれは、間違いなく恋の歌である。でないと「幸せは雲の上に　幸せは空の上に」だとか「泣きながら歩く　一人ぽっちの夜」なんていうか。

試しに、あれの、悪名高い米語訳を読んでみると良い。バラード型のカヴァーではなく、坂本九のオリジナルを聴いてみると良い。アメリカ人は、あの名曲をこう解釈した。というのがよくわかるし、永六輔の、あのいけ好かない深遠ぶったチャラさを僕は大きく評価している。ヘビメタと浮気しているジャズメンも、ロックと浮気しているジャズメンも、クラシックに浮気しているジャズメンも、僕は認める。ただ、ポップスと浮気しているジャズメンこそが、ジャズとポップスを液状化させずに、きちんと区分する能力を持っていると僕は思う。それは、恋に臆面もなく淫することができる能力であり、恋以外の物に臆面もなく集中できる能力であることに違いない。この国には、デカダンとエロティークを経由しないと生を肯定できない人も、キスの止め方がわからなくなってしまう人もいる。

「DC/PRG」ラストツアー梅田バナナホール公演

2021年3月27日　午後9時記す（前回から6日経過）

いよいよ最後のリハーサルだとばかりに準備をしていたら、しばらく黙っていた北朝鮮が花火を2発撃った。祝砲だ。東京公演までにイラクが北米に報復をしたら古くて新しい泥沼が始まるだろう。もう慣れっこだ。リハーサル会場に着いた。

「20年間の中で最もストレス値と欲求不満が強いフロアになる。奴らに火を放とう。放ちすぎて問題が生じかけたらオレが消すから笑」

と言うと、みんなが下を向いて笑った。まだ感傷が消えきっていない。特に若いメンバーは仕方がない。休憩中にいつもはクールで口数少ない小田さんが「解散やだあ！」と、聞いたことがない口調で言った。「まあまあ小田さん、何かを始めるには、何かを終わらせないといけない。終わりをしっかり見せるのも年寄りの大事な仕事なんですよ」。この運動体には、ほぼほぼ20代からほぼほぼ60代までが揃っている。「寂しいですよお」「じゃあ、小田さんが継いでください」「そんな……あたしじゃ」「良いじゃないですか笑、2代目高橋竹山みたいに笑」。

大阪に向かう最中、僕は興奮を抑えるのに大変だった。大阪に着くと、港湾と河川のバイブスが押し寄せてきて、沸ってきた。会場に着く。

内部に何が沸ろうとも、表面は平然としていなくてはならない。というか、もうそういう体質だ。クール、そしてホットとは、そういう事ではないかと思う。楽屋の弁当を食べて、他愛もない話をして（ケンタがユーチューブのボクシング動画にハマっているとか、類家くん、子供は幾つになったのかね？とか、いきなり千住くんが「菊地さん、トランポリン面白いですよ」「え？ トランポリン笑」とか）、誰もいない喫煙所で入念にストレッチをする。感傷ではないと言っても信じてもらえないかも知れないが、これは原理である。僕は「リーダーって孤独だわ〜」と小声で言いながら、タバコを咥えたまま1時間ストレッチを続けた。

マスクをつけてステージに上がると、観客にはもう火がついていた。演奏が始まる。顔面が汗でびしょびしょになったが、オルガンを弾き続けているのでマスクを外すタイミングが全くない。とうとう、「ヘイ・ジョー」の最中に、一瞬の隙を見て引きちぎってしまった。演奏が終わった。

「20年前の客は今よりずっと荒れててね。よく野次られたモンだ笑。つまんねえぞとか、踊れねえとか言われたよ。野次られたら野次り返してたんだ。いろんな制限があるらしいから、今日の客は静かだぞってスタッフに言われてたんだけど、なんだ元気良いじゃないか諸君笑」

というと、最前列の青年が「まだまだ騒ぎたいんじゃ！ 我慢してるんじゃあ!!」と叫んだので「おお楽しんでるねえ。我々のライブは何回目かね？」と聞いたら。一転して可愛い声で

「2回目です」と言ったので、「名前は？」と聞いたら、小さな声で「○○」と答えたのだが、耳鳴りで全く聴こえなかった。適当に唇を読んで「○○君へ拍手を」というと、大阪のフロアから最前列のビギナーへの温かい拍手が送られた。威勢の良いビギナー氏よ、名前が違っていたら申し訳ない。最近は時々、メンバーの名前も忘れるので赦してもらいたい。

最後から2番目の「ミラーボールズ」が終わり、控え室に戻ると、流石に足腰にきた。「ちょっと（足腰を）やっちゃったかなあ」と思いながら私服に着替え、体を引きずるようにしてホテルに向かうと、何と谷王がホテルの前に立っていた。缶チューハイの缶を握りしめて「わざわざ見にきたんだよ！」と、もうマジで酒乱10秒前になっていた。

大阪は感染者数が多いらしい、店はどこもやっていなかった。高井くんと小田さんが部屋呑みしたいとせがむので、「じゃあ小田さん、全員に僕の部屋で30分後に部屋呑みすると一斉送信してください。誰もこないと思うけど笑。ああ、〈必ず部屋着に着替えて〉と付け加えてください」。

部屋でホテルの部屋着（パジャマみたいなやつ）に着替えてタオルを頭に巻き、タバコを吸っていると（僕とケンタだけ喫煙室で、全員と階が違う）予想外に、坪口、ケンタ、秋元、近藤、谷王、小田が集まった（高井くんは朝方、「昨日のメール読んでなかった！　痛恨！」というメールが送られてきた笑）、ケンタだけが、僕と全く同じ格好だった。小田さんは床に座り、坪口は僕のベッドの上に乗って、酒とつまみを並べ、このつまみはどういう風に旨いとか、このワインは安物だけど悪くないとか講釈を始めた。ケンタと秋元と近藤はチェストに座り、谷王は驚くべきことに、最後までずっと立ったままだった。「近藤くん、そんな板の上じゃ腰が痛むよ。えーと……これをクッションにしなさい」と、ベッドに載っている枕を渡すと、「え、いやそんな。それは」とためらった。

コンビニの酒とつまみは20年前よりも遥かに進化している。「まあ、ホテルから苦情が来たら謝るしかないな」と思いながら、窓を開け放ったまま、28時ぐらいまで大いに盛り上がった。「メンバーと部屋呑みって、いつぐらいぶりかな」と思いながら、僕は窓の外の大阪の景色を思い浮かべて、昔話に耽った。宴会は、ケンタと坪口が昔話に止まらなくなり、谷王が「もうその話は全部知ってるよ！　ここで若いメンバーの意見を聞こう!!」と周期的に叫ぶことを何度も繰り返した。

ケンタと小田さんは積極的解散反対派だ。ケンタは何度も何度も「いやー。近藤くん、本当に良くなったね。ねえそう思わない菊地さん？」と嘆願するように言った。全員がそうだそうだと言い、秋元と近藤は苦笑していた。暗さが抜けない。とうとうケンタは「ねえ菊地さん、ぺぺだけは解散しないでね。オレあれ、もう大好きなんだから」と言った。どれだけ情に厚い男だ。

苦情は来なかった。大阪もこういうことには寛容になっているのだろう。全員が部屋に戻り、風呂に入った。筋疲労は自分でマッサージとストレッチで戻せるので、関節への損傷をチェックする。無駄に興奮して暴れたりはしていないから重いものではないが、ここ数年で、演奏後の肉体的な負担がめっきり増えた。僕はそのことに実は満足している。身体各部の痛みが、主にコンビニ飲酒（すげえチャンポン。タバコ吸いっぱなしで喋りっぱなし）のせいだとチェックし終え、ストレッチと整体で体を整え、頭の熱を逃し、寝る。

轟音の様な耳鳴りと共に起きる。全裸で鏡の前に立つ。体は重いが、整っている。体重が落ち、締まっているのが自覚できる。みんなは散り散りで帰り、レイトチェックアウトした僕は一人で駅に向かい、赤福を10個買い、新幹線に乗って、花粉症の薬を飲んで、窓の外を見続けた。景色がどんどん東京駅に近づく。春だなあ。どんなに抑圧的でも、どんなに苛烈でも、どんなに平和でも、春は春だ。タクシー乗り場には並ばない、30メートルぐらい左に歩いて、路上を走っているのを止めた方が遥かに早い事をミュージシャンは全員知っている。ヴィトンの広告に大坂なおみが使われていて、僕は「うわ大坂なおみ！　タクシーちゃん！」と言いながら一台止めた。

皇居周辺から靖国通りへ、出ると、見渡す限りの桜だ。素晴らしく右翼的な光景。すると後方から、街宣スピーカーからの音声で「オマ〇〇　舐めたい　オマ〇〇　舐めたい」という、明らかにＡＩではなく、ちょっと前の電話案内のような女性の合成音が連呼してきた。その声はだんだん僕の乗っているタクシーに近づき、音量は最大に、車種と運転手の顔は明確になった。

ペンキで真っ黒に塗った改造車の小型バンは、窓も塗り潰してあったが、運転席のウインドウは開けていて、ホリケンを狂人にして（ホリケン氏は狂人ではない）、汚して砂だらけにした、マッドマックスの小物のような奴が、ヨダレを垂らしながら運転していた。高い可能性でキマっている。

しかもそのバンは単体ではなかった、3台でつるんで「オマ○○　舐めたい」のループが合唱している。市ヶ谷の先で信号待ちになると、ダーティーホリケンと僕は綺麗に並んだ。テープのループが「チン○○　しゃぶって」に変わった。僕が客席のウインドウを全開にしたら運転手さんは「え？　ちょ」みたいな表情になった。僕はポケットに入っていた、「脂肪や糖の吸収を抑える　リベラ／ビター」というキューブ型のチョコレートの小袋を取り出し、顔をウインドウから出して、ダーティーホリケン氏にでかい声で「君たち、左翼か？　だったらこれをやろう。〈リベラ〉だから左翼にピッタリだろ」と言いながら、リベラの小袋を投げ込んだ。ダーティーホリケン氏はニヤニヤ笑いながらそれをキャッチし、笑い続けながらそれを食べ始めた。

その小袋に入っているのは厳密にはチョコレートだけではない、半分はチョコレートだが、半分はタバコの吸殻である。昨夜の部屋呑みで、灰皿がわりに使った物だ。ダーティーホリケン氏はバクバク食っている。「全部食ったら、腹壊すぞ」と僕は言い、ウインドウを閉めて「ウヒャヒャヒャヒャヒャ！」と笑った。タクシーの運転手さんは不安の極みのような表情になったままだが、桜は満開だ。これこそが春の景色というものであろう。

「DC/PRG」ラストツアー新木場 USEN STUDIO COAST 公演MC

２０２１年４月４日　午前４時記す（前回から８日経過）

もう解散したので、バックヤードの話を少々しても良いだろうと思う。バックヤードの話のが演奏よりも、時間換算して数千倍あるのは言うまでもない。僕はステージ上でオルガン弾いたり、指揮したり、最近はカウベル叩いたりしているけれども、最も細心の注意を払っているのは実はタイムキープだ（因みにぺぺでも）。

コロナ以前の世界でも「もう、やりたいだけやっちゃいましょうよ」なんていう粋な計らいをするクラブはなかった。全ての楽団は充てがわれたランニングタイムを遵守しないといけない。

増してやコロナ禍の中では、完全撤収時間が厳格に決められるようになり、「やりたいだけやり切って、尚且つ時間は守る」というライブショー・ビジネスの基本が、さらに厳しいものになった。〈会場を借り切って、無観客配信〉というのは、僕はやらないが、アレだってさすがに家飲みみたいにはいかないだろう。

増してや、DC/PRGの楽曲は、ランニングタイムの伸縮性が高く、誰かのソロが盛り上がったら、次のソロも盛り上がる、というドミノ理論によって、あっという間に全体のランニングタイムが30分単位で増えてゆく。

プレイヤーのソロの内容、伴奏に回るプレイヤーの演奏の内容、のグレードに、常に耳を澄まさないといけない。「これは冗長だ」という状態になったら切り上げるし、「盛り上がって止まらなくなった」という状態も、結局は切り上げる。プレイヤーのコンディションも関係してくる。

極端な話、「キャッチ22」が異様に盛り上がり、終演時間まであと15分しかないのに、「サークル／ライン」を突っ込まないといけない。ということになると、ソロが（どんなに良くても）ダイジェスティヴになって、早回しみたいになる時もある。

大阪では「ハノイ」と「キャッチ22」がドミノセオリーによって、本編ラストの予定だった「ヘイ・ジョー」が演奏できない状態になった。プレーヤー全員がハイになった結果で、音楽的には良いが、コンテンツビジネス的には悪い。非常に難しい。

「サークル／ライン」の後の拍手が爆音で鳴っている間に、全員に小声で、腕時計を見せながら「ヘイ・ジョー、カットで。ヘイ・ジョー、カット」と言って袖に下がると、スタッフが「アンコールでヘイ・ジョーもミラーボールズもやっちゃいましょう！」と言った。もう最後だから、クラブ側に延長料金を支払ってでもやってしまえ。という事であって、結果的には大変な赤字が出たが、音楽的には良かった。僕は常に（株）ビュロー菊地の代表取締役というエグゼクティヴの自分と、バンドの主幹であり、クリエーターである自分に引き裂かれている。

業界用語でいうところの「巻く（予定時間より早く進行している）」という事は、この21年間の中で一度もなかった。結局「押し」との闘いが待っている。「押さない」ようにするには、楽曲単位でのまとめ上げ、その連続が必要となる。しかし、頻繁に腕時計を見たり、これ見よがしにデジタル時計を置いたりするのは絶対に良くない。なにせあの松田聖子も「何故、あなたが時計をちらっと見るたび泣きそうな気分になるの？」と、切々と訴えているのだからして。なので、結局直感になる。時間にはクロノス（計測）、カイロス（主観）、イーオン（発生）と、3つのリージョンがあるが、DC/PRGは第3のイーオン、つまり発生時間が、他の音楽より大量に含まれている。大体、最初期のローリング・ストーンズと同じぐらいだ。

しかし、僕の時間感覚は我ながら正確で、「気がついたら、こんなに演奏していたのか」と青ざめたことは、実は一回もない。時間感覚は、クロノスに集中してドキドキするよりも、トランスしてしまった方がより正確になる。

さて問題なのは（経験則的に）、MCになる。これぱかりは、時間感覚を失う。みんなと一緒に演奏している感覚と、一人で喋っている感覚は別だ。MCが予想よりも長くなってしまい、アンコールの「ミラーボールズ」の、特にソロの部分が早回しになってしまったり、もうヤケクソになって、後でクラブに謝罪したことは一度や二度ではない（50や100でもないが）。

一番良いのは、喋らないことだ。信じてもらえないかも知れないが、僕は、極論的に、メンバー紹介すらしないで済めば一番良いと思っている。ライブに来てくださっている人なら知っている筈だ。僕は、J-POPみたいに、曲間でちょっと喋る。という事をしない。僕の音楽はワンステージで1曲だ。

ただ今回は、必要にも迫られたし、何せ状況が状況だから、アジテーションとマニフェストとさよならの挨拶を混ぜたものを喋る事にした。以下、内容を読んでいただければ、どういう意味かはお分かりになるだろうが。

大統領や首相には、これを書く秘書官や専門のマニフェストライターがいる。彼らは完全なプロフェッショナルで、台本には表情や抑揚の指示までついている。もちろん、そんな人は雇っていないし、そもそもそんな職能がある人は、今の日本では内閣と宮内庁にしかいない。キング牧師やマルカムX、カストロやゲバラだって草稿を読み上げていた。あれがマニフェストライターによるものか、本人が熱狂的に書き上げたものかは、不勉強ながら知らない（因みに、だが、僕の目視の限り、アドルフ・ヒトラーはフリースタイルだ。彼には時間制限がなかったんだろう）。

とにかく僕は、ショー全体のタイムキーパーとして、フリースタイルでMCが長引いてしまう、というリスクをヘッジしないといけなかった。なので、草稿を予め書き、声を出して読み上げ、時間を計測しないといけなかった。許されたMC時間は15分弱だ。それを超えると「MCなんかしてないで、その時間でもう1曲やれ」とか、文句たれに言われてしまう。

何度も書き直し、何度も読み直し、その都度ストップウォッチで時間を計測した。草稿1が5分ジャスト、草稿2が10分ジャストで収まって来た頃には、もう、ほぼほぼ暗記していた。しかし暗記は怖い。飛んだら終わりだ。大統領には彼にしか見えない透明の樹脂でできた特製のプロンプター（書見台）があるが、そんなモンは持ってないし、まあ、クラシック奏者における楽譜のようなもので、お守りに置いておく事にした。

恐らく、だが、今頃はSNSなどで、パンチラインだけをウロ覚えで引用している人々がいっぱい出ている筈だ。別にそれは構わない。旧約聖書の遥か前から伝言ゲームが止まった事はない。ただ、以下が公式である。引用、転用には一切の制限はない。その際は、「暗記するまで読んだ」という点を強調してもらいたい笑。

〈草稿1〉※試しに音読してみて下さい。僕がどれだけ早口だったか体感できるんで。

（登壇してすぐに）

いやあ、聞きしに勝る異様な光景だね。マスクに椅子かあ。さぞや窮屈な事だろう。マスクはともかく、椅子があるんじゃクラブカルチャーとは言えないな。

ただ、今日、椅子を出さざるを得なかったのは、大人の事情としか言いようがないんだ。最初にそのことだけ説明させて欲しい。

椅子さえ入れれば、観客収容数が８００から１０００に増員できる。逆に言うと８００までなら制限付きだがオールスタンディングでできた。

これは、スタジオコースト側と、コンサート制作会社側と、バンドをマネージしてる（株）ビュロー菊地の代表取締役であるエグゼクティブのオレ、そしてバンド代表であるバンドリーダーのオレと、という4者の討議によるギリギリの結果なんで、どうか理解して貰いたい。

どのセクションもクラスターという事態をリスクヘッジしたいし、利益は得たい。そこで第二に重要になったのは、初動のチケットがプラチナ化によって、死ぬほど行きたいのにチケットが手に入らない。というヘッズが数多く出てしまった事だ、彼らを1人でも多く救出しないといけない。

だけど、この際ぶっちゃけるが、増員分のチケット代は、純利益にはならない。なぜか。今、国から課せられているイベントへの制限上、ここで2時間以上演奏するには、ぶっちゃけ金がかかるんだ。

違約金とかいう名目だが、ま、一種の罰金だ。なので最後のパーティーを行うに際し、オレは演奏時間の2時間超えをトッププライオリティに置いた。つまり、罰金を払い、コンサートがよしんば赤字になっても、椅子が出る事になっても、最優先事項として、バンドのランニングタイムは削らない、という判断で会議に臨み、各セクションを最終的に調停した。政治家にでもなった気分だったよ。

つまり、椅子と観客増員は演奏時間の代償だ。要するにこうやってダラダラ喋ってる間も、まあ罰金は課金されてく、チャリンチャリンとね。まあ、罰金とか慰謝料とかはそんなに嫌いじゃないけど。オレの人生に親しみがあるから笑。

赤字って言っても、もちろん、彼らにギャラは払うよ。ギャランティというのは、演奏料という意味ではない、「あらかじめ約束された数値」という意味だ。だから、ライブハウスのチャージバックを分配して、「はい、これ今日のギャラ」というのは、厳密に言えば、間違ってる。またひとつ勉強になったろ。役にも立たないことが。

そして知っての通り、諸君らが今夜、この、異形のフロアで、どう振る舞うかは、オレには見えない。フロアに背中を向けて20年間やってきたからな。ただ、諸君らの動物的な衝動と、社会的、知的な、そうだなあ上半身的、というかな、理性、そのせめぎ合いに対し、我々がどう振る舞ってきたか、今更言うまでもないだろ。

大阪は椅子がなかったからフロアには火がついたよ。ボーボーだ。感染者が増えているというのに。その事に、苦言ではないが、クラスターの理由になったらもったいない、東京では叫んだりしないよう、菊地さんから言ってください。と御注進してくれたありがたいファンもいたほどだ。その人に言いたい、オレが黙れと言って誰かがその通り黙るなんて不健康だ。

ただ、今日、東京のフロアに、もし火がつかなくても、だ、諸君らは腰抜けだ、なんてことは口が裂けても言わない。今は時代の大転換期だ。転換期には異様な光景や動きが現れるに決まってる。

大学紛争によって勉強が出来たのに入試が受けられなかった世代もいる。勉強はできないけど、野球を死ぬほど頑張って、甲子園まで行って、球場からそのまま予科練に入って特攻に回された世代もいる。彼らは概ね、アメリカの文化全般を敵性として6年間も禁圧された世代でもある。

震災によって、人生の全てが無に帰した人々もいる。空襲の焼け跡からヒロポンとともに這い上がった世代も、客席に白人しかいなかった世代の黒人音楽家達もいた。バブルの頃なんてね、もう金が使いきれなくて、クラブのVIP席に座っては、一晩中シャンパンとコカインで、音楽なんか聴きたくても聴ける状態じゃなかった、なんて奴らもいた。

時代には逆らえない。あらゆる信じがたい混乱は楽しむしかない。だから、今夜は、たった今の、東京のリアルなフロアを我々に見せて欲しい。オレは欲張りじゃない。今日、オレが欲しいもんはそれ一つだけだ。

そして、再び知っての通りだ。オレは、20年間もよく頑張ったね、お疲れ様、今までありがとう、シクシク。では、懐かしのメンバーが1曲参加します。みたいな、学校の卒業式はやらない、厳密にはやりたくてもできないんだ。ちゃんと卒業した学校が中学までだからね。その卒業式もぶっちゃけ行ってないよ。

つまりだ。終わるとしても、活動中に前進してる状態のまま前のめりに終わりたい。舞の海じゃないよ。前のめりだ。舞の海は昔は我々と同じ、技のデパートだったが、今はグルコサミンだ。なので、今日、新メンバーを入れることにした。どのバンドでもそうだろうけど、特に我々のようなバンドは、優秀な新人選手が一人入るだけで音楽が飛躍的に進化する。スポーツのチームみたいなもんだ。

だから、今から最後のゲームを始める前に、新しいメンバーの入団を諸君らと共に喜びたい。まだ若く、持て余すほどの高いスキルとタフなハートを持っている、驚異的なプレーヤーだ。我々の最新にして最後のメンバーの入団を発表します。彼に歓迎の拍手を。テナー、ソプラノサックス。メルロー。

日本中のバンドが彼を欲しがってるから、ドラフトでは裏金とか色仕掛けとか、暗殺とか、色々苦労したぜ。

さて我々がだ、いよいよ最後のリハーサルだと準備に勤しんでいる間に、しばらく黙ってた北朝鮮が花火を2つ上げたろ。あれは祝砲だ。そして今後イラクがアメリカに何らかの報復を行ったりしたら、今更アイアンマウンテン報告からの、お膳の立て直しだぜ合衆国。香港のデモは中国共産党に力でねじ伏せられた。ミャンマーではエグいことが起こってる。あすこが第二のベトナムになる可能性はゼロじゃない。

そして東京はご存知の通りだ。

それでは諸君、早速ここ東京で最後のパーティーを始めようじゃないか。我々のチューンナップは万全だ。見てくれ。大儀見が立ってる!!（観客爆笑）さすればだ、諸君らのコンディションはどうかね？

よしもう一回だ。我々のチューンナップは万全だが、諸君らのコンディションはどうかね？

（※カウント4で「構造Ⅰ」へ）

＊

〈草稿2〉

（本編終了後）

どうしたやけに興奮してるみたいだが、なんか変なモンでも喰ったか？　推しのアイドルが外ロケしてるのと偶然出くわしたような顔だな。

申し訳ないがしばし座って聞いてくれ。チルアウトとコマーシャルの時間を持たせて貰いたい。

「コロナ禍が収束して、クラブシーンが元に戻ってから、野音でもココでも良いから、本当の解散ライブをしてくれ」と1000人ぐらいから言われた。「今から今年のフジロックにエントリーして、それで解散してくれ」ともね。

やろうと思えばできるよ。しかし、オレはそんな快気祝いみたいな事はしたくないし、今まででもしないで来た。

そもそもオレは閉店セールはしない。だから、前に一回解散した時は、ツアーラストの、アンコールまで緘口令を引いた。解散特需によるあぶく銭なんて摑んだら、絶対にツケが回ってくるからね。

今回、最初に解散を宣言してからパーティーの告知をしたのは、コロナによって制限が加えられるから特需はない。と読んだからだし、実際にそうなった。オレは水商売の子で、博打打ちだ。だからヤバい金には手を出さない。この国で、そんなヤバい金に手を出していいのは、テリーファンクと大西順子さんとYMOだけだ。

オレは水商売の子として、ストリートと時代にゴロゴロゴロゴロ転がされながら博打を打ち続けてきた、おかげで、今日のオレがいる。それはもう変えられない。危ない遊びを続けてきたんだ。わかるか？

こないだ、とある通信社のインタビューを受けた。向こうがオレに言わせたかったことは、この夏のオリンピックはどうせグダグダになる。っていうボヤキだった。そういう本を出したばっかりだったしね。

だが、オレはこういったんだ。「オレが大負けに全額をベットしたオリンピックは行われずに終わった。この夏のオリンピックは次のオリンピックで、大成功する可能性を持ってる。だから自分の掛け金は全額をそっちに置く」。

「びっくりしたあ」って言われたよ。通信社の記者の言葉かね。「びっくりしたあ」。

長いインタビューだから、気が向いたら後でゆっくり読んでくれ。でも論旨はシンプルだ。

今年のオリンピックは、近代オリンピック史上、最大の混乱と無秩序の中で実験的、前衛的、そして熱狂的に行われる。コロナは世界大戦に等しい。選手たちも関係団体も、観客も、あらゆる奴がトランスするしかないだろ。

通信社はこう言ったよ。「でも我々は、学生運動にも頓挫したし、原発もなくせなかった。シールズもあのザマだった。予め大きな夢を見ることにくじけてはいないでしょうか」。通信社らしくなってきたねえ。

だから俺は言った、「これはフロイドですけどね〈チェスは2人でやるゲームじゃない。4人でやってんだ。勝ちたいプレーヤーAと、負けたいプレーヤーA、勝ちたいプレーヤーBと、負けたいプレーヤーBの4人で戦ってる。勝利するプレーヤーは、勝ちたい対戦相手に立ち向かって打ち破ったのではなく、負けたい対戦相手を呼び寄せたやつだ〉」と。

つまり、人々の、特に上半身、知的、社会的、意識的な希望が一点に過集中する時、それは予め挫折が決定している。負けたいプレーヤーが集団で引きずり出されるからな。戦争が終わると、人々は平和を願う。だから戦争も紛争もテロも無くならない。原発もそうだ。なくならない。拉致被害者には誰もが帰ってきて欲しいと願う。なので帰らない。

今はSNSにコメンテーターさせられた奴らがみんな揃って「オリンピックはグダグダになる」なんつって、オレが10年前から言ってたことを、今頃になって良い気分でコメントしてる。みんながだ。みんなの上半身がそういってるんだ。だからこそ、そんなことには絶対にならない。次のオリンピックは感動的で近代オリンピック史上に残るものになる可能性を秘めてる。

いいか？　だからこれは我々が音楽によってずっと伝え続けたことだから今更罰金まで払いながら言うまでもない事だが、混乱と無秩序を恐れてはいけない。くじける必要もない。混乱と無秩序のフィールドに於いては、意識的、知的、社会的、投機的な上半身の判断が全て無効化し、無意識的で衝動的で、反射的な、全身の判断しか残らないからだ。こんな楽しいことがあるか。俺は混乱に対してワクワクしかしない。頭がおかしいのかも知れないね。

演奏やMCだけではなく、更にその物的証拠を出そう。我々の最後のプロダクツは、20周年ツアーを完全パッケージしたCD7枚組ボックスだが、オマケがついてる。それを買った人だけが、あれ、印鑑みたいのなんていうの？　オレあれずっとネット実印だと思ってたんだけど、まあまあまあ、それによって、先週の大阪PARTY2と、今日のライブPARTY1がストリーミングできる。最新技術の、360度、天球儀式で録画された、キャッチ22が収録されているとか、いないとか。

しかしそんなもんじゃ混乱とか無秩序なんてとても言えないね。最大のおまけを見せよう。(※ポケットの中で、指に指人形を4つはめて）ジャジャーン!!　これだ。「DC/PRG元老院指人形セット」（※しばらく説明。箱も見せる）!!　あまりの混乱と無秩序に、ワクワクするしかないでしょ！

これが1000セット売れると、うちの会社は首がつながる。今はどこの音楽事務所も首の皮一枚なんだ。でもオレはクラウドファウンディングとかああいうのは絶対にしない、あれはコジキか株屋のやる事だ。コジキも株屋も立派な仕事だけれども、オレは水商売の子だ。最高の素材を集めて、調理して、お客さんに旨いもんを出して、それを喜んでもらって、もらった金はどんどん、水に流れてゆく。水はけがいいからね、調理場ってのは。詳しくは情報解禁を待って欲しい。１箱税込２万５千円でご提供いたします!!

さて、混沌が生じさせる、集団的な無意識の集積場、行き場は一つしかない。それは、名付けるのが非常に難しいが、高い確率で、愛と呼ばれるものだ。今我々は、愛を、即物的に摑める、あるいはすでにしっかり摑んだ状態にいる。つまりこういうことだ。諸君、ワイルドに生きよう。人生は短い。他人からの反感なんか恐れて守りに回って生きてても、チンケな想定より良いことは何もないぞ。

そして歌うことと踊ることとは、人類が言語より遥か先に手にした、最初の教養だ。プリミティヴな教養は学校では教えてくれない。ワイルドになる事でしか、我々は祖先の姿に戻れない。音楽と完全に同化して踊っている間、人類は他の何事もできない。読書も食事も、投資もツイートも、セックスも、妄想すらできない。そのことを知ってから、オレの人生は決定したんだ。４つか５つの時だったと思うよ。

ちょっと数を数えてみてくれ。諸君らは今幾つで、20年前、幾つだった？　簡単な計算だろ。君らはこの20年間で解放されたかね、それとも拘束されたかね？　我々は解放戦線に立ち続けた。

そうやって20年もブランドを維持してれば、多くのプレーヤーが入っては去って行くのは避けられない。キューバ移民も、カンザス出身のユダヤ系も、ミックスブラッドの若いラッパー達もいた。大友が辞めた時は、「あいつらはもう終わりだ」と言われたよ。笑ったぜ。舐められたら、笑うべきだ。笑ってから、余裕で倍返しだ。俺は生まれてからずっとそうしてきた。つまり、もうこんなことは、今日の演奏を聴いて嫌っちゅうほどわかっているとは思うが、改めて言わせて貰う。

こんなセリフは、Gラッパーかプロレスラーのビッグマウスみたいだと思われるかも知れない、だが事実だから仕方がない。DC/PRGは、いま、ここにいる最後のオレたちが最新で最強だ。もう一度言うぞ。デートコース・ペンタゴン・ロイヤル・ガーデンは、ここにいる俺たちが最新で最強だ。諸君らのジャッジはいかがかな?

客席に若い音楽家がいたら、特に君達に言いたい。オレみたいなのがこんな凄い奴らを束ねてたなんて、自分でも信じられない。でもイマジネーションをしっかり持ち、原理を知り、チームワークというものさえ知れば、きっと誰だってできることなんだ。オレにできたんだから、諸君らにも必ずできる。それも知ってほしい。別に頑張らなくたっていいけど、諦めるな。

我々はカオスの中からしか生じ得ないミュージカルやオペラを21年間上演し続けた、やろうと思えばまだできるが、博打はやめ時が肝心なのは言うまでもない。諸君らが我々の最後のフロアだ。旅路の果てに合流してくれた諸君ら全員に、シェイクハンドとキスを送りたい。この仕事をしてると、キスの止め方がわからなくなる時が多々あるんで困るよ。感傷的になる気はさらさらないが、オレは今夜のことを一生忘れないから、諸君らにもそうして貰えると気分がいいぜ。

つまらない話は以上だ。罰金も上限を超えた。と言うわけで、パーティーの締めに、今から、ここにいる全員の、無意識と衝動が生み出す、つまり愛と呼ばれる力で、最後のミラーボールを一緒に回そう。念力みたいで面白いでしょ？　賛成者はご起立をお願いします！

最終で最強の、最後のメンバーたちをコールするのも、これで最後だ。彼らと演奏してきた事を誇りに思うよ。もちろん、誇りを独り占めしようなんて思わないぞ。オレは欲張りじゃない。このプライドは、オレと諸君ら全員のもんだから、好きなだけ持って帰ってくれ。今日はありがとう。我々の音量に負けないアプローズを願いたいもんだが、演奏の上で拍手をするのは手が痛いぞ。健闘を祈る（敬礼）。

（※カウント4で「ミラーボールズ」。演奏に乗せてメンバー紹介）
ベース　近藤佑太
ドラムス　秋元修
キーボード　坪口昌恭　小田朋美

パーカッション　大儀見元
ギター　大村孝佳
サックス　津上研太、高井汐人、メルロー
トランペット　類家心平
ドラムス　千住宗臣
以上が、任務を終えた最終DC/PRGだ。再び諸君らの健闘を祈る。自分の神に背くな。アディオス。

（追記）
小田さんが会場で「私、ミラーボールズの途中で泣いちゃいます」と言った。女の涙に持ってゆかれたらチームワークもフェミニズムもコロナもヘッタクレもない。なので、もしそうなった場合の草稿もちゃんと用意を怠らなかった。それは非常にユーモラスかつ短いものだったので暗記出来たし、実際にそうなったので、その通りに言った。これは会場に来た人々だけへの秘密としたい。

優香は素晴らしい。そして矢沢をもっと好きになった

2021年4月11日　午前5時記す（前回から7日経過）

DC/PRGの活動も終了し、Re：アセンションも終わったので、これでしばらくライブもないし、音楽家としてはやや呆けている。とまれ5月上旬からは畳み込むようにライブがあるし、特に「菊地成孔クインテット」と、名前は地味だが、トオイ（※註）、林、秋元、宮嶋との共演はセッションではなく、パーマネントなグループとして、「クインテット内に〈アンダーカレント〉を持つジャズのヴォーカル物」という、古くて新しい形を打ち出したいと思う。

当ブロマガでは何度もテストランしているので聴いている方も多いと思うが、僕がジャズのソロを全部スキャットで歌うアレだ。もう、踊らせることは我ながら結構な量やってきたので、しばらく、敢えて、だが「座って聴く」音楽をやりたい。

ただ、困ったことも起こっていて、これは嬉しい困りではあるのだが、声を使うと、声経由で（変な言葉だけれども、そうとしか言いようがない）、結局ポップスの新曲ができてしまう（ここ最近の「今週の1曲」みたいな。あれ、まだ続きます）。同じバンドで結構ハイブラウなジャズだけやるのと、ポップスをやるのはクソミソの類だから、「菊地成孔クインテット」と別に、

ポップス用のセットとして「菊地成孔ソロ」というものを用意しないといけない。今時、緊縮ではなく、拡大路線に出ているミュージシャンなんているのだろうか。

なにせ、まだオフレコにしていただきたいのだけれども、ラッパーN／Kとしてアルバムの制作に着手した（要するにドミュニスターズの新譜ではなく）。ビートは全てペン大のビートメイカークラスの生徒の作品にフィクスする。彼らの恐るべきクオリティを、どういう形で世に出すか、非常に悩みどころなのだが、取り急ぎこの方法を採ることにした。

レジェンダリーなバンドの解散の後に、ソロを発表して、すぐに成功した音楽家は少ない。ポール・サイモンですら苦闘したし、細野晴臣に至っては苦闘どころではない。勿論「成功したい」訳ではないが、やっと「大恐慌へのラジオディズ」も、「粋な夜電波の代用食」から脱却しつつあると感じている（「脱却せねば」と必死こくとロクなことがないので、自然に変わるに任せた）、つまり強烈なマナーを持ったコンテンツの後にやるべきことは、「しがみつきの人々の欲望（それには自分も含まれている）と闘う」事で、「始めても誰も理解しない」という闘争形態と比べた時、僕がどちらが得意かは——いくらまだ「え？　菊地秀行さんの弟さんなんですか」とか「なんか、ミラーボールズって、スライの曲に似てません？」とかいう、石器時代に氷河に落ちて凍結し、現代に解凍されたかのような人々が存在する。という驚異的な事実があろうとも——明確であろう。「キスの止め方」に対して「何しているのかさっぱりわからない（ので無性に苛だたしい）」という人はいないだろう。僕は、「出せば即通じる」という事に本能的な恐怖と快楽がある。

もっと滅茶苦茶にぶっちゃけてしまえば、僕はここ数年、引退に向けてのロングスパンをイメージしている。老人は最後にはソロになる。ポール・ウェラーもジョー・ザヴィヌルも加藤和彦もトム・ウェイツも、流れ流れたが最後はソロになった。ソロになれば有効期限が切れることがない。しかし実感として、僕はまだ、ソロアーティストとして、ある種の長い孤独という苦さと甘美さに手を出すより、チーム作りという、若々しくアクティヴな事が好きなようだ。そろそろ58という年齢を考えたら、全てが遅いが、僕は自分のキャリアのスピードが遅いのに対し、作品のスピードが速い事でバランスして来た。

話は変わるが、「志村友達」がとうとう終わった。「最後は優香しかいねえだろ絶対」という、志村けんと優香のファンの誰もが思った通りになった。断言するが優香は、少なくとも顔に関してはー切のオペをしていない。化粧っけのない、極めてナチュラルな優香は、自分が10代の頃のコントを見て、ワイプの中で落涙した。

それは、病院コントで、志村が老人の患者、優香が可愛い看護婦、という、もう200本ぐらいやってるようなやつだ。芸人として脂がのりきっていた志村演ずるヨレヨレの患者は、まだコントロールできないほどのフェロモンを放っていた頃の優香演ずる看護婦に、尿瓶で小便をさせて貰うのが唯一の楽しみだ。優香はニコニコしながら「はい、志村さん」と言い、でっかい尿瓶を志村の布団の中に入れて、股間にあてがい、志村は最低に下品な名人芸をこれでもかと見せる。

この辺りで、もう優香の涙腺は緩んでいた。そしてこのコントのオチは「尿瓶に入った大量の尿を、急なナースコールに応えようとして（電話を取る形で）、優香は全部、志村の顔面にぶっかけてしまう」という、下ネタと小便ネタを合わせた、最高に下劣なものである。志村が残酷にも優香から、自分の尿を顔面にジャバーとばかりにかけられるパンチラインの直前に、優香はとうとう落涙した。

目が潤みだしてからすぐ優香はキッとした顔になり、画面からは見切れているマネージャーに対し、唇だけ動かして「ティッシュ」「だから、ティッシュ」と二度、恐ろしい顔で言った。無論涙を拭くためのものだ。もう40になった優香は崩落はせず、表情だけは必死に笑って、溢れ出る涙だけをティッシュで拭き続けた。カメラが引くとMCである大悟の目は真っ赤に潤んでおり、アンタッチャブル柴田の表情は、崩落を抑えるのと、性的興奮が入り混じってヤバいことになっていた。

僕はこの瞬間を見て「ああ、やっとこれで、志村けんの追悼番組もしっかり終えれた」と、心に区切りがついた。優香は素晴らしい。

DC/PRGの解散に際し、僕は「スケの涙に持っていかれてたら、僕の人生はない」と書いたが、この優香の涙は、志村けんの偉大な芸歴を讃える番組のフィナーレを全て持っていって良い。

極めてナチュラルメイクで、体の線も若干崩れて、そこらを歩いている、ちょっとおしゃれなお母さんぐらいにライフサイズとルックスを落ち着かせながら、気丈であろうという強い意志（優香が極端に気が強い事を、僕はさまぁ～ずの番組で思い知った。なんか、簡易サッカー？みたいなゲームで、優香の得点を三村が反則ギリギリでカットした。その時の、鬼神のように切れて、ものすごい勢いでゲームコート内を脱兎のごとく走って三村を追いかけた優香の姿は、今でも忘れられない。あの時、追われた三村は本当に怯えていた）によってベタベタに退行しない。優香は志村を一貫して「優しいが芸道に厳しかった、偉大な先輩」として語っていた。しかしそこには大量のバックヤードがある筈だ。この「持ちこたえる感」に於いて、優香は、石野陽子とも研ナオコとも違う、志村との関係性を無言のうちに僕に訴え続けてきた。

別の番組では、矢沢永吉が、若いバンドマンに人生を語り、若いバンドマンからの質問に答える。というのをやっていた。僕は、矢沢永吉と似ている、というより、全く同じ人格が、違う肉体に入っている例として、バレエの熊川哲也を挙げたい。両者は同一人物ぐらいハードウエアもソフトウエアも同じである。遠距離だが同一人物である両者をつなげるミッシングリンクは、きっとミック・ジャギュアだろう。

肉体管理から、独特な手癖のある作詞、作曲から、気さくで天才型な人格から、何から何まで僕が大好きな矢沢永吉は、当然ながら、どんな質問にも、ちゃんとコミュニケートせず、とんでもない遠方からの、とんでもない入射角の回答で、我々が、彼からしか（厳密には、彼と熊川哲也からしか。熊川は、NHKの生放送バラエティで、「5つの質問に答える」というコーナーで、第一問に答えている間に高揚し、立ち上がって、身振り手振りで回答している間に「熊川さん、ありがとうございました」とタイムアウトされた唯一の人物である。無論、このコーナーでは、誰が出ても、回答は必ず5つ行われ、綺麗にコーナータイムを締める）味わえない、「あの感覚」を、余裕綽々で振りまいていた。「矢沢さんみたいなスーパーヒーローって、全てを手に入れて、満足しちゃうってことはないんですか？」と言う質問に対し、

「矢沢はね、もし矢沢にテーマがあるかって言えば、〈カッコよくいたい〉の1つだけなんです。いいですか？（大幅に中略）だから、海外のアスリートがよく言うでしょ〈一生分の金を稼いで、早く静かな暮らしをしたい〉とかって。あれ、何なんだよ？って、ええ？何言っちゃってんの？って思うんですよ。全く意味がわからない」

と回答し、若いバンドマン達を感服させていた。しかし矢沢は1つ前の質問「お金の管理は音楽家に必要ですか？」で、こう答えている。

「あのね、権利っていうものは、金が欲しくて管理するんじゃないんです。安全が欲しくて管理するんだよね。上に上り詰めた。するとみんなが言うんですよ〈気をつけろよ〉って、それって危険だ。って言う意味なんですよ。そんなの耳貸さない。目をつぶって、耳も塞いで、もうグアーっとね、走り続けたんですよ。でも、走り続けるには、安全じゃなきゃ。危険な道を俺は敢えて走り続けるぜ。なんて、本当はカッコ悪いことなんですよ。だって、海外のアスリー

トが言うでしょ。〈俺の腕一本をいくらで買うんだ?〉って、〈俺の両足をいくらで買うの?〉ロックだってそれでいいと思うんだよね」

一個前の質問でアスリート褒めたばっかりじゃねえか笑、と一瞬笑わせるけれども、これは矢沢が、アスリートという存在を強く意識している結果であり、深く納得する。

全体がこういったマナーだ。そして質問はとうとう（番組側がお望みの通り）「いま、コロナで、音楽界は厳しいですよね。矢沢さんはコロナをどう思いますか?」に至った。僕は矢沢が、彼のマナーでいられるかどうか、一瞬だが、結構緊張した。結果は以下のようなものだ。

矢沢は、ビールのCMで最高に旨い一杯、を飲み干した時のような、感極まった表情になり、「うん。それはねえ……大変でしょ皆さん。ね。うーん……これはね。うーん……」と言った。僕は年甲斐もなく手に汗握った。そして、回答は驚くべきものだった。

「まあ、あの……（顔にシワを寄せながら、笑顔になって）、いつか終わるし……終わるからさ……終わったらまた、ライブハウスも、コンサートホールも元に戻ってね、戻ったらまたみんな思いっきりぶっ飛ばそうぜ。としか言えないですよ。ね?」

あの矢沢永吉をして「ごくごく普通の回答」をさせてしまうほど、コロナ禍は強烈なものだ。

僕は矢沢を、もっと好きになった。

僕は先だっての日記に書いたように、博徒として、「あぶく銭までむしろう」とは思わない。なので、解散特需が生じないように周到に事に及んだ。平然と、「お陰で」とするが、大阪公演も東京公演もタッチの差でやり逃げることができた。危ないところだった。思えば、２０１９年の「20周年記念ツアー」も、もうギリギリだった。あのタイミングでないと、全公演を全うできなかったのである。

最初は「コロナ特措法（特別措置法）」という名前で、のちに「まん延防止法」と、実に微妙に名を変えた締め付けそのものについて、自分の考えを述べるつもりはない。ただ、ガバメントに対してどうやって対応するのか?というのは常にインタラクチュアルでサイコロジックなゲームである。博徒はすぐに決断しないといけない。すぐに決断すれば、修正も早い。次にやる音楽と、それをどう運営するか。音楽と関係なく、市民としてどう毎日を過ごすか、僕にはもう決まっている。道を歩き、人と会い、いろんな店に入ってみる事だ。それはソリッドでワイルドでいる事だ。矢沢永吉が「それってロックって事ですよ」と言ったら、僕はロッカーでもいい。

（※註）トオイダイスケは翌年プレイヤーを引退し、当時21歳だった小西佑果を登用。第一には腕だが、第二にはもちろん「優香」が好きだから。である。

ラ・ボエムに溢れる性欲と食欲

2021年6月3日　午前4時記す（前回から53日経過）

浜松でのペペ・トルメント・アスカラール公演も終わり——そもそも馬体の大きさから動きの悪いオルケスタは、東名阪という業界のプライムサーキット以外では高崎しか公演経験がないので、地方公演には格別の味わいがある。静岡県はまん延防止法も緊急事態宣言も適応されておらず、国道沿いのファミレスなどが22時を過ぎても普通に客を入れていて、ＳＦ小説の様だったし、ホールいっぱいの観客が全員マスクをして、叫べずに静かにしている光景にも、雅やかに見える程度には慣れた。お越し頂いた皆様に於かれましては温かいご声援に感謝します——6月になった。高い確率で、「人前に一回も出ない6月」はプロになって初めてだと思う。短いトークイベントすらない。

演奏という天職一筋で暮らしているジャズミュージシャン達がどれほどダメージを受けているか、現在の状況が、鬱的な素質を持つ人々にどれだけ辛いものかは、僕なりにはわかっているつもりだが、何か、夏休みの様な気分しかない。

懐具合を話すのは個人情報とかいう以前に無粋なものなので、変な誤解を受けぬためだけに言うが、僕の純粋な個人資産はゼロだし、不動産も持たない。我が社は長沼の献身的な働きぶりと、僕が躁病質の面白がりで、メンタルダウンや体調劣化しないという、一種の病理によって（他に被雇用者はいない）、年甲斐もなくクリエイティヴィティや性欲が落ちていない（これも念のため。実際に新曲をどんどん書いたり、性行為をどんどんしている、というわけではない）事で、辛うじて赤字を脱しているだけで、異常な状況下にありがちな一発逆転的なヒット商品があるわけでもないし、何か隠し副業の様なものでちゃっかり潤っているわけでもないが、スケジュール帳に赤丸（人前に出る業務の日には赤丸をつけている）が無い月、というのは壮観としか言いようがない。上京して、ピットインなどに出始める前のアマチュア時代の気分に戻って、潑剌とする。

潑剌としたまま、シネマヴェーラ（渋谷）と、現代の英雄になるかならないかのボーダーラインに立つグローバルダイニング社の統括による「ラ・ボエム」に行ったが、どちらもとても楽しかった。

シネマヴェーラは現在、小林信彦の『日本の喜劇人』の最新版の発売に際してのフェアをやっており、わが愛する「社長シリーズ」の前身となった、源氏鶏太原作の「三等重役」を観に行った。気がついたらすっかり東宝小僧（と実質の連結会社である「東京映画」「宝塚映画←※宝塚歌劇の映画化をする会社ではない。念のため。と、東宝とは絶妙な関係にある「新東宝」）、否、東宝おやじと化している。今まで未ソフト化だった50〜60年代の作品がどんどんＤＶＤになったり劇場に掛かることが増えたからだ。劇場で観た事こそないが、鬼滅とエヴァと宝塚歌劇に大感謝である（東宝は規模がでかいので、他にも東宝財源に色々感謝しないといけないのだが）。

僕は、「80年代の浅草東宝のオールナイト」で20代にクレージーキャッツ映画に再会した世代である。子供の頃は劇場やテレビのズタズタ放映で観ていたが、クレージーも若大将も、大人になってからの方が圧倒的に面白い（世界の黒澤も東宝の監督である。こちらも見狂っている。「虎の尾を踏む男達」「姿三四郎」「生きものの記録」は、現代人が全員観るべき映画だ。3作とも全く方向性が違い、3作とも本当に凄い）。だが、20代の頃の未熟な輝きから人は逃れられない。58近くになって、元・勤務地であり（「映画美学校」。のちに神田の本校と合流）、大衆名画座としては渋谷で唯一のシネマヴェーラに行くと、浅草東宝で徹夜していた時代と、大音楽理論の教師として、せっせと地下試写室に通っていたころを嫌でも思い出す。浅草には上智大学ジャズ研の友人がいたし、美学校にはキラースメルズがいた。

映画館というのは観客の後頭部を見る場所だ。今、如何なる根拠でも「三等重役」を劇場に観に来る人々、の後頭部は禿頭か全白髪ばかりで、とまれ、僕より年少の紳士はほとんどいないだろうと思う。ごくごく稀に、ものすごくお洒落な20代と思しき女性がいて、小林信彦の読者なのか、どこかの映画大学の娯楽映画専攻なのか、60年代の女性服マニアなのか、森繁目当てか、小林桂樹目当てか、ひょっとして若き千石規子目当てか？などと夢想するのも楽しいし、前列の男性が、「うっわあ、本物いたあ……」という感じで、僕を見て、鳩が豆鉄砲を食らった様な目をしているのを見るのも楽しい（然るべき場所で僕に偶然、直面した。という方々へ。もしあなたが、僕を気難しい人物だと思い、声をかけるのを躊躇っているとしたら、それは杞憂の類である）。

しかし、初老は初老である。別の日に、エノケン引退リスペクト映画である（劇中では「復帰応援」のストーリーだが、映画自体は）「雲の上団五郎一座」（62）と、エノケンと同様、生涯を1秒の妥協もゆるさず、アチャラカ喜劇人として生きた由利徹唯一の主演作である「東海道弥次喜多珍道中」（59）を観たが、劇場で観るより、DVDで自宅鑑賞のが良い。なにせ酒とタバコをやりながら観れる。基本的にアウトドアである僕を、インドアに縛り付ける最強の装置がDVDプレーヤーである。

「ラ・ボエム」は、プッチーニの名作オペラから採られているか、そもそもこのオペラのタイトル自体である「ボヘミアン」の意味だけ抽出しているのかわからないが、オペラは19世紀前半のパリを舞台にした「芸術家や哲学者たちの恋と死」を描いた、全幕観ても1時間半弱の作品で、確かに恋と酒が描かれるが、それよりも現代日本での「ラ・ボエーム」は、ストレートにボヘミアンの集合場所である（あれで喫煙が可能になったら、もっと凄くなる）。とにかくヤバいパリピの、毎夜の酒池肉林で、ものすごい元気が出る。全員が、喰って呑んで、なんとかセックスに持ち込もうと、ギラギラになっている。80年代の様だ。

15卓までだったら、どのテーブルにどんな客がいて、どんな状態であるか、僕は2分間で（キョロったりせずに）把握する超能力がある。その日は8卓だったが、僕のテーブルの後方にいる背広姿の男性は完全に変態で、マッチングアプリで待ち合わせた清楚系の女性にＧＭＴの安ワインを飲ませながら、ここには到底書けない様なえぐい質問で、遠回しに遠回しに延々と粘着しており、テーブルにはシャルキュトリーの盛り合わせとフレンチフライだけが載っている。女性は生理的嫌悪に震えている。斜め右前の卓は、赤銅色に焼け、頭にタオルを巻いて、剪定師の服を着た、どう観ても庭の剪定師であるゴツい人物が、呵々大笑しながら、スカート着用の小柄な女性2人を連れてシャンパンを飲んでいる。彼の体力なら3Ｐは容易かろう。テーブルには、ピッツァとタリアータ（ビフテキ）とカラマリのフリットと、あと何やかんやで、乗り切らないほどだ。

カウンターには、3代目ｓｂ、というよりも、ちょっと前の総合の選手の様な、グレーのタンクトップの、ゴツい男性が、キャバクラ嬢と思しき頭の回転が速そうな女性を、モヒートを一口飲んでは笑、思いっきり抱きしめ右手から離れ、またモヒートを飲んで笑って抱きしめる。という往復をもう7回も8回も繰り返している。

ここには、性欲と食欲しかない。ＢＧＭのクラブジャズはそこそこの音量で鳴らされているが、客全員の嬌声の大波が来ると、何も聞こえなくなってしまうほどだ。グローバルダイニングはこうして、１００年後の地下酒場を完成させたのである。僕は23時にテキーラサンライズを飲み、加水麺のペペロンチーノにベーコンをトッピングしたやつをフォークで巻き取りながら「こいつら今から全員殴り合えば良い。西部劇の騎兵隊喧嘩シーンみたいに。せっかく全員ゴツいんだから」と思いつつ、彼らの波長に合わせて呵々大笑した。実際におっぱじまったら僕はフォークとエプロンだけ持ってテーブルの下に隠れる。

一番ワクワクしたのは、直右のテーブルである。3人なのだが、1人は服が派手すぎるロック評論家の様なハイな男性で、金髪に金髭で変わった帽子を被り、表面にダチョウのリアルスキンが使われ、赤地に黒いドットに着色されていて、かつ光沢剤でピカピカに光るジャケットと革パンツを履いて、ニルヴァーナのツアーTがインナーの、要するに90年代からタイムスリップしてきた症人で、ユニクロ固めの、ガリガリに痩せた白人男性と1人の女性をギリギリで取り合っている。

女性はどう観てもプロフェッショナルである。なんのプロかは知らないが、とにかくアマチュアではない。ダンサーでもモデルでもインストラクターでも通用するスタイルで、腰まで伸びたロングヘアを時折、両手でばさっと後方へ捌くのだが、その時に、胸の谷間と脇と腹を見せつけている筈だ。彼女はコート丈のサマーニットを膝にかけているが、その下には、矯正下着めいたダンスレッスン用のウエアを着ている、令和セクシーの定番である。

ロック評論家氏も、アングロサクソン氏も瞳孔が開いているが、喋るのは女性だけだ。赤ワインのボトルは女性の前に置いてあり、女性はこまめに、着実に飲み進めているが、露出の多い肌の、どこも赤くなっていない。男性は両名とも、顔面がすでに真っ赤である。解放されっぱなしの僕の左の耳管が、さらに開く。女性がはっきりと「コロナなんて私には関係ないから。あはははははは」と言い放った。

僕は全て食べ終え、シーズンスイーツであるマンゴーのパルフェみたいなやつをスプーンでかき混ぜながら、全卓の行方を同時に見守っていた。そして最初に退席したのがこのテーブルだった。ロック評論家氏がカードを取り出し、女性が長いサマーニットを羽織り、全員が立ち上がると、ホールスタッフの女性が、何か長いものを持ってきた。驚くべきことにそれは松葉杖で、再び驚くべきことには、その松葉杖はアングロサクソン氏の物だった。隣席だと足元が見えない。アングロサクソン氏は、左足を派手に骨折していて、見るも無残なほど包帯と石膏で固められていたのだ。僕はマンゴーのマッシュを飲み込みながら、片手で口を押さえ「階段でこけろ外人」と小声で言いながら上機嫌で笑った。一ヶ月、厳密には二ヶ月弱人前に立たない6月が始まった。

ウルフギャング青山店で派手に金を使う

2021年7月13日　午後3時記す（前回から40日経過）

石森管楽器から連絡が入り、ソプラノ、アルト、テナーの3本ともリペアとチューンナップが完了したので受け取りに行った。僕は石森ブランドの広告塔の1人でもあるので、リペアの代金は無料だが、こうした状態に快感を覚えるタイプの奏者は多く、それはそれで音楽家の自我のあり方として健全ではあると思うのだが、あっちこっちの楽器店で無料サーヴィスを受け、あまつさえ、楽器の提供も受け（エンドースメントとかエンパワーメントとかパワードバイとか色々言う）、店員に「よっ、元気?」とか言いながら、適当に試奏して、「じゃ、また」とか言って、という回遊を、つまり、馴染みの上客として金を使わずに偉そうに振る舞うわけではあるが、こうした懐かしいマッチョによるブイブイ言わせは、似合う者以外は似合わない。少なくとも僕には無理だ。

なので、リペア職人が酒好きなのを（そもそも顔が酒焼けしている）踏まえ、シングルモルトを必ず4本持ってゆくことにしている。こういう仁義はマキノ雅弘の「次郎長三国志」で学んだ。3本に3本ではダメなのである。要するに、盛って返す、その時は腰を落として渡す。

とはいえ、買っているわけではないので（僕の包みを購入額に換算すると相当な金額になる）、やや後ろめたい。かなり昔、タワーレコードとサントリーのコラボ広告があり（ノーミュージック、ノーウイスキーとかいうやつ）、それにジャズ代表として（矢野沙織さんと一緒に）出て、そのギャラが「ウイスキー一生分」だった。国内外のシングルモルトが一挙に8本とか届く。ロックンロールからは「勝手にしやがれ」の人とか、J-POPからは藤井フミヤとかが出ていて、コメントで「まあ、日本人のハイボール復権には、ぶっちゃけ自分が大きく貢献している自覚、はっきりとありますよ」などといったインフルエンサー自称的なコメントが並び（こんなオラオラなのは藤井フミヤだけだったが、まあ音楽界にここまで調子の良いバカがいるのはおめでたくて良い）分割写真で一斉に並んでいた。まあ、そういった時期だからして、かなり前だ。

「一生分てまさか笑、3年ぐらいで自然にフェードアウトでしょ」とタカをくっていたら、どうやらサントリーはガチで、今のところ、まだ届き続けている。国産シングルモルトの質の向上は僕のようなウイスキーがメインでない者からしても圧倒的で、知多なんかは一時期品薄になったぐらいであるし（僕はハイボールで飲むなら響が一番好きだけれども）、ラフロイグの12年とかでも、ハイボールは極上に美味く、少なくとも僕は死ぬまでシングルモルトには困らないのだが、それほど部屋飲みはしないので、勢い中元や歳暮になる。藤井フミヤはどうしているのか？　まあ、ホームバーに飾ってあるだろうけれども。

一番美味い酒は、バーやレストランで、自腹で飲む酒である。奢られ酒も、歳暮の酒も決して不味くはないが、自分で選んで、自分で金を払って飲むのは何物にも代え難い。バーテンやソムリエと酒について意見交換したりするのは、奢られてやるのは厚かましい。この間、QNとJUMAとDyPRIDEと一緒にウルフギャング青山に行って、最近、派手に金を使う機会も全くないし（本当に全くない。おしゃれな大学生やインスタグラムが充実しているOLより地味な生活である）、ちょっとした祝い事&再会パーティーでもあったので（祝い事は僕に関することではない、念のため）クリュッグ（シャンパン）とシュヴァルブラン（赤ワイン）とマルゴーのパヴィヨンルージュ（赤ワイン）をボトルで入れ、食後にレミーの13世（ブランデー）をグラスでやったら、酒に弱いQNが途中で気を失いそうになっていた。

DyPRIDEが勘定書きを見て「オレの家賃3年分ですよ笑」とゲラゲラ笑った。笑顔に全く卑屈さや屈折がない。彼らは音楽家としてはいうまでもなく、飲み友達としても非常に楽だ。ラッパーは高額を高額として柔らかく受け止める。ヒップホップがサクセスカルチャーであり続けている、という側面も大きいだろう。ジャズメンはついつい、高額に萎縮したり、逆に全く無視して泥酔したりする。貧乏臭い業界になったものである。

なのでこうして奢り酒も大変に美味いが、相手による。

「なんか懐かしいよね。インパルスと契約するとか言っちゃって」

「成孔さん、オレ、あのあと、インパルスについて自分で調べたんですけど、ビビりました笑」

「まあまあ、それは済んだことだ。それよりみんなとまた会えて、みんな元気でオレ嬉しいよ。

それだけだよ笑」

「俺たちも嬉しいです笑」

「オムスと翔くん（Hi'Spec）が、DC/PRGの解散ライブに行ったら、菊地さんがまた若返ったって言ってましたよ笑」

「勘弁してくれ笑。もうガタガタだよ笑、チンコも勃たないよ」

「オレはまだ勃ちます！」

「っていうか成孔さん嘘ですよそれは笑」

途中で店外の喫煙ブースに行くと、みんなが「ジャズ界の上下関係」について聞きたがった。そういう世界に彼らは住んでいる。オレのボスの山下は、オレを一回も怒ったり説教したりしなかった。オレは伸び伸び育てられてこうなったんだ。昭和のバンマスは怖くて、若手を責め潰してしまう人もいっぱいいたが、そういう人は自分も潰れた。だからオレがメンバーを伸び伸びさせてる、っていう話じゃ無いけどね。オレはどんなに若くても尊敬してる奴としかやらないから。

自分が次郎長とは口が裂けても言わないが、単純に年齢とキャラクターで、僕が次郎長だとした場合、石松がJUMAで、大政がQNで、DyPRIDEは法印大五郎だろう。元simi-lab勢を役者に使って、次郎長三国志をリメイクしたら、かなりコンセプチュアルで面白い。単純にJUMA（石松役）の殺陣が見たい。

マキノ雅弘版の石松役、森繁久彌は、柄に手をかけ、抜くのと同時に飛び上がり、着地する際に振り下ろして斬る、それを凄い速さでぴょんぴょん飛びながら何度も繰り返す、という乱暴者の所作を生み出して、戦前から鉄の団結力を誇るマキノ組に革新をもたらし、それによって作品全体のバランスも多少崩している。刀を振り回す時に、柔術家のタックル前のように、思いっきり前傾姿勢になる、というのも新しかった。大きく出れば、エヴァンゲリオンの使徒の動き方にまで影響を与えていると思う。東宝の遺伝子である。

給仕氏は大変有能で、全員タトゥー入りで、僕以外はブラックスキン(QNは純日本だが、瓦職人をしているのでナチュラルタンニングで真っ黒である)であるテーブルに対して、細心の注意と敬意、そして喜びを持って接した。「シュヴァルブランにペアリングするには、Tボーンかリブアイのどちらが良いか? 焼き加減はどうすべきか?」という、ビフテキと赤ワインに関する僕の問いかけに対して、星付きと全く変わらない水準のデキャンタージュ作業を行いつつ、興奮しながら的確に回答をくれた。

通常デキャンタージュは細心の注意がいる仕事だが、彼は、

「今の当店のコンディションでしたら、リブアイのミディアムで、最後にかけるロースターの時間を30秒、30秒だけ長くして、脂を少しだけ落とすのがシュヴァルブランには最高です。でも、ロブスターとは喧嘩するので、ロブスターマックンチーズ(サイドディッシュのエビグラタン)用に、シャルドネで良いので、グラスでお持ちするのがお勧めですが」

「やっぱウルフギャングだとオパス1ばっか動くんじゃないんですか？　フランスのグランメゾンも動きます？」

「いや、動きます。菊地様のように、カリフォルニアは召し上がらない方も多々、いらっしゃるので」

「いや、召し上がらないわけじゃなくて笑、知らないんですよ単純に。僕のワインの先生が伊仏しかいなかったんで」

「これは笑……あくまで私個人の考えですが笑……それが一番よろしいかと思います笑」

などと旺盛に話しながら、1滴もこぼさなかったし、1ミリも水位を誤らなかった。

7月から緊事宣が出て、オリンピックが無観客になった。そこに全額を置いていたので取り敢えず勝った。次の賭けは「反対派」の動きについてだが、これは予想と希望が相反しているので、持ち金は置かない。希望として、ネットでリベラリストになった者は、とにかく全員キ○ガイぐらいに極化してほしい。ネットリベラリストがブレブレのユルユルになったら、政府以前に国民がこの国をダメにすると思う。がんばれよ、にわかリベよ笑。

取り敢えず、一度でも「オリンピック死ね」とか「中止だ中止」と入力した者は、中継を1秒も見ないというボイコット運動（彼らは、やろうと思えば中継視聴率を史上最低にできる）をして、体制にアクションすることが望ましい。「いや、選手に罪はなく、選手の立場に立てば応援は」といった論法は腰抜けの合理化である。彼らは全選手のボイコットを促し、ボイコットしない選手を糾弾すべきだったと思うが、頭を使わず、指とメンタルだけで動いているのでできなかった。というか、彼らは「ネット内でリベラリストでいる事」以外、ほとんど何もできない。こんな不自由があるか。

緊事宣は予想していたし、僕は国の公式発表は半分しか信じていないので世の中がどうなろうと構わない、なのだが、街自体が波打ってしまっているので、単純に生活リズムのキープが難しい。この歳になると規則的な生活の有り難みが一層強くなる。今はとにかく必ず正午に起きてベランダで太陽に当たる事だけを実行している。太陽は凄い。殺人も治療もできる。太陽をがっつり礼賛しない宗教は、僕が知る限りキリスト教だけだ。クラシック音楽からはソーラーパワーをあんまり感じない。自我のエネルギーばかりを感じて少々もたれるが、あれはあれでイケていると思う。キモいし、何せエロい。

実に久しぶりで石森楽器でサックスを吹いたら、10分でヘトヘトになり、30分で下唇を切ってしまった。生活用の筋肉は保っているが、演奏用の筋肉が全て萎縮してしまった。これからリハビリに入る。区民ジムのプール内をゆっくり歩いている老人達のように。「応援用のフラッグにコメントとサインを……」と言われて近づく。渡辺貞夫のサインは既に四方を取り囲まれていて、ハートマークやサックスのイラストがバスキンロビンズのアイスクリームのように散りばめられた、きらびやかなサインの書き手は、誰だか1人もわからなかった。わかることといえば、そのサインには畏れが全く無い。という事だけだった。

伊勢丹6階子供用品売り場でベビーカーを買う

2021年10月2日　午後4時記す（前回から28日経過）

今、スタジオでセイゲン・オノ氏の「COMME des GARÇONS（SACD2枚組）」を聞いている。来週の対談イベントは、僕からではなく、なぜかオノ氏からオファー賜ったものだが、このCDに収められている、オノ氏と川久保玲による、モードと音楽のペアリングは、少なくとも我が国のモード界においては、これを超える事は起こっていないと僕は思う。僕も死ぬまでにいつか残しておきたい仕事の一つだ（もう、モード批評はやっていないので、いつでもショー音楽のオファーは受け入れ態勢でいるが、今の所どのラベルからもオファーがない）。

録音は87年と88年の2年間に行われており、一時期は（キップ・ハンラハン等と同じく）悪友、ぐらいの関係でいたジョン（・ゾーン）のサックス、DC/PRGのインパルス盤に参加してくれ、いつでもペペ・トルメント・アスカラールに入りたいと言ってくれたアート（・リンゼイ）のギター、以下、ビル・フリゼールや、ラウンジリザーズやマテリアルのメンバー達、つまり、「あの時代のニューヨーク・インプロ・シーン」の英雄達の演奏である。

久しぶりに伊勢丹に行った。どのフロアに行くにもエスカレーターに乗るので、「スムースエスカレーター」を撮影した時の記憶が蘇る。あの曲の再生回数はまだ7万回程度で、大恩ある伊勢丹に恩返しができたとはまだまだ言えない。

6階の子供用品売り場で降りた。ジュマにベビーカーを買うためだ。今、伊勢丹には客が少なく、女性店員の接客はコロナ前より喜びに満ちているように感じられた。

「あのう、友人に1台プレゼントするんですが……」

「そうですか有難うございます。どういったタイプをお探しでしょうか」

「新生児の女の子で、そうだなあ、4歳ぐらいまで使えるやつが良いんですが」

店員は、展示されている全てのタイプについて、かなり詳細に説明してくれたが、よくある話で、多すぎて迷ってしまった。特に、機能性が重要視されるので、デザインだけでは決められない。

「すみません笑、僕、子供がいないんで笑、機能性についてよくわからないんですよね」

「ええと、差し支えなければ、お母様とお父様はどんな職業ですか？」

「母親は〇〇の〇〇〇です」

「それでしたら、お母様はお車を運転なさいますか？」

「それは、どういう……」

「あのですね、日常的に運転される方で、お車にベビーカーを積んで、降りたら組み立てて、遊園地やモールに行くようなライフスタイルか、電車移動が多くて、近所の公園とかの散歩がメインかどうかで、衝撃吸収力が決め手になるので。道がスムーズか、結構ガタガタしているか、という」

「……ちょっと、電話してみます笑」

「はい、どんなリクエストも承りますので」

「もしもし。あ、ジュマ」

「はいジュマです。あー菊地さんお久しぶりです。いきなりなんすか?笑」

「いきなりだけど笑、奥様は車を運転するかね?」

「あー、免許は持ってるんですけど、今、ウチ、車がないんですよ」

「なんか、ベビーカー、近所の公園を走らすか、車に積んで、行き先のバリアフリーな環境で走らせるかによって、ショックアブソービングとかステアリングのメカニズムが違うらしいんだよ」

「あそうすか。そしたら〜。あれっすね、タイヤが樹脂みたいんじゃなくて、ちゃんとゴムタイヤに空気入ってるみたいな、なんつうかランクルみたいなガッツリしたのが良いですね」

「お前好き放題言うな笑」

「スンマセン笑、自分の子なんで笑」

「違うけどな笑」

「いや、正真正銘っす笑」

「とにかく店の人に聞いてみるわ。いきなり電話してすまん」

「いや全然。今度また音楽やりましょう」

「ああ勿論。……あのう、タイヤが自動車みたいに空気の入るゴムチューブになってるのってありますか？」

「いえ、それはありません。ベビーカーは自家用車みたいにタイヤとサスペンションでショック吸収するんではなくて、というのは、そもそも乗せる重量が極端に軽いので、こういう風に（一台を下ろして手で動かしながら）スポークの組み方と、スポークに埋め込まれているスプリングで、赤ちゃんを衝撃から守るので、タイヤ自体は、丈夫で軽くて、回転が円滑で壊れにくい専用樹脂のもの、というのが一般的です。こちらなんか、一番売れ筋です」

「そうですか、じゃあデザインかな」

「お父様のお仕事は何ですか？　お洒落なお仕事ですか？」

「あの、ラッパーなんですよね」

「それでしたら！　こちらがお勧めです間違い無いです！」

「ラッパー」と聞くや彼女は、デザインが一時期のSupremeやAPEみたいな、ミドルスクーラー風のテキスタイルの幌がついた、ゴツいのを運んできて、値札を見せた。値段はまあ、いくらでも良いのだが、スポーツブランドとハイメゾンの融合、というか、端的にAPEのベビーカーか、ヴィトンの、ヴァージル・アブローデザインのベビーカーみたいで、クールはクールなんだけど、ちょっとベタすぎる。

「そうだな、これも大変素敵なんですが、そしたらそうだなあ（デザインを見て）、やっぱこれが結局一番お洒落ですかねえ」

「はい、これは当店で一番売れ筋です。お勧めできます」

「じゃあ、これを一台ください」

「カラーはいかがいたしましょう？」

「えーと、黒で」

「承知いたしました。そうしますとですねえ、これはお買い上げいただいた方のほとんどがあらためてお買い上げいただく形になるオプションなんですが、えっと……この、ドリンクホルダーと、デザインと大きさを本体と揃えた、涎掛け兼、お漏らししちゃった時なんかの笑……これ1枚あると、そのまま外してお洗濯できますので大変便利です」

「そうですね。そうかあ、そりゃあ要りますね。そうかあ、そんな話、今まで買った時、教えてくれなかったなあ笑」

「何台かお送りになってるんですか？」

「はい、趣味みたいなもんで笑、前は、友人が○○の販促やってて、社販で買えたんですけど、今そいつ辞めちゃって笑」

「なるほど。では、オプションはお付けして、で」

「はい笑」

「配送で結構ですか？」

「はい」

「ではヤマト運輸になりますが」

「どこでも良いです笑」

「ですよね笑。それではこちらで少々お待ちください」

ジュマの住所を記入して、支払いを済ますと、彼女はややハイになって、

「ラッパーのご主人と、〇〇の〇〇をされている奥様でしたら、もうコチラが最適です。小型車でも積めますし、どの街でも、どのシチュエーションでも、ルックスも機能も最高です」

「あの、こちらのブランド、名前だけじゃ国が分からなかったんですが、どちらなんですか？」

「オランダです」

「おお。あんな国民がみんなでっかい国で、こんな可愛いサイズのベビーカー作ってるんですか？」

「はい、世界中に販売網がございますので笑」

「なるほど、こちらは日本支社というか」

「店頭販売は現在はこちら伊勢丹本店さんだけになっております」

「なるほど。今はもうみんなネットで品定めして、ネットで買っちゃうから」

「そうですね。でもやはりこうしてお客様のように、店舗で直接選んでいただくのがベストかと笑」

「ですね笑、ありがとうございました笑」

「あのう、おめでとうございます笑」

「伝えときますよ笑」

とても良い気分だ。僕はやはり、接客するのが好きだし、されるのが好きで、接客し合うために買い物をしたり、飲食店に行ったり、演奏したりしているのだ。僕は気分が悪くなることは基本的にできない。巷間言われるように、できないことも才能の一つであろう。

地下に降りた。こんな光景は初めて見たのだが、ジャンポールエヴァンのショコラティエに、いつもの長蛇の列がない。僕は飛び込むようにしてアトリエの中に入り、プラリネは何個入りがあるのか聞き（もう、忘れてしまっていたので）、12個の箱を選んで、僕が知る限りのエヴァンの傑作を全部選んで詰めてもらい、更にヌガの傑作を14粒包んで貰い、中型（プラリネ以上のプロダクツ）の傑作を「贈答用に」と言って8個包んで貰った。

耳が悪くなるにつれて滑舌も悪くなるので、商品名をフランス語で言っても、何度か聞き返されたが、お任せアソートではなく、ピンポイントで傑作をみんな買った事で、最初はタトゥーを見て硬化していた、かなり若い（20代前半）と思しき女店員も、会計時には手厚くサーヴィスをした。彼女は、この秋の新作について丁寧に説明し、あまつさえ「よろしかったら御試食なさいますか?」と言った。いやいや笑、今は大丈夫です。それでは。

その後、グランカーヴ(丁度、はす向かいにある)に向かい、グレンファークラスの12年の中瓶を1本手に持って支払いカウンターに行き「包まなくて良いです。この袋に入るんで」と言った。基本的に接客がマニアックなグランカーヴの店員は、目ざとく僕の紙袋を見て、

「ジャンポールエヴァンですね。コニャックやアルマニャックよりも、シングルモルトのが相性良いですよね笑」

「はい笑。日本人はほとんどやらないけど笑」

「私、自宅でやりますよ笑。ショコラだけですよね」

「そう、ブランマンジェとかモンブランとか弱いの系はダメですよね。そこ(振り返って、バウムクーヘンの店を指差し)のツィトローネンクーヘンとの相性も最高ですよね。ドイツ菓子は、あっまくってしっかりしててね笑。ぎゅっと固まったケーキを、シングルモルトで溶かすわけですよね笑」

「最高です笑」

これは、ショコラ込みで、別の友人のご夫婦に送るものだ。表現が煩雑になるが、更に別の友人がそのご夫婦と小旅行に行くと言っていて、奥様がショコラ中毒で、特にエヴァンがお好きだと聞いていたからである。「更に別の友人」とは仕事で会うので、翌日スタジオで渡しておいた。

後日メールが来て、〈佳恵（仮名）が喜びすぎて、食べながら一人ミュージカルを上演しました笑、ご主人はお酒を嗜まないんですが「こんな美味いものがあるのか」と、チョコと一緒に飲みすぎて寝てしまいました。楽しい夜になりました。ありがとうございます〉というメールが来て、〈一人ミュージカルを上演〉のくだりで、僕は爆笑して灰皿を倒してしまい、ベッドを汚して、タバコを咥えたまま、慌ててベッドを掃除する羽目になった。

謙遜ではなく、大した額ではない。僕は自分の〈楽しい暮らし〉は、まあまあ、実現している。本当にいろんなことがあったけれど、そして、人生に良いも悪いもないけれども、僕は自分の人生は「まあ、我ながら良かったよな」と先祖に感謝しているし、「先が見えない」禁圧の生活にも適応してきた。今日から緊事宣が解けるが、一挙に3年前に戻る、ということはないだろう。あらゆる「逼迫」に対する不謹慎を承知で言うが、僕はせっかくの禁圧生活をまだ楽しみたい。

こんなことを言えるのも、僕の人生に音楽と踊りと、美味い酒と美味い料理があったからだ。人生からはいろんなものが途絶え、失われたけれども、これらの守護天使が、僕のまわりからいなくなったことは一度もない。たった今も、89年のコムデギャルソンのショー用の、カリビアン的なミクスチュア音楽が爆音で鳴っている。ノイズとフェイクカリビアンミュージックのミクスチュアだ。ノイズと中米音楽の、良い意味で溶け合っていないミクスチュアは、もう作られないだろう「あの時代」の遺物である。

そして、この歳になると、（ちょっと前の流行語だが）「おもたせ」が、自分でも驚くほど楽しくなる。危機に瀕しているか、安定と安らぎに満ちているのか知らない友人の家庭に、ちょっとした愉しみを与える時、どちらがより、ほんの少しだけ幸福かといえば、間違いなく、送った方、つまり僕の方だ。そしてその幸せは、非常にささやかなもので、だからこその幸せの質感がある。

フジロックでの常田氏の発言にケチをつけるつもりは全くないけれども、「大切な人の命を守ってゆこう」というのは、現場のエモさに流されなければ、入力するだにすごいメッセージだ。「クールな態度で（相方が号泣しているし）、珍しくマイクをとって、ニュートラルかつ重い発言をした」という総括になっていると思われるが、その後、結果としてフジが「感染者ゼロ」という爆笑ものの爆弾発表をした事と合わせると、仮想戦時が偽装戦時だったような話でもある。せっかくのカリスマからの「有り難いお言葉」が台無しも良い所だ笑。沖合でボートが転覆し、自らの命を賭しても子供は助けようと必死になっている父親がいる、というシーンで、キャメラが引くと、沖合ではなく、海岸線近くだった。というような、コメディに見えてしまう。

それはそれで大変結構だが、ジュマの家庭も、友人のご夫婦も、僕にとって「大切な人」というほどのものではない。ご夫婦のご主人に至っては、面識すらない。「あそうだ」と、小さな話を思い出しただけだ。

僕は歌舞伎町がまだオリンピックに向けて浄化される前に、マンションの入り口周辺に居住していたホームレスの人々に、ファンの方から頂いたヴァレンタインズデイのチョコレートの余りとか、ハズレだったんで見なくなったAVとか、もう着ない服だとか、貰い物のワインだとかを適当に配ってから「行ってきます」と言ってスタジオやクラブに向かっていた。あの時のささやかな質感の幸福は、今の新宿ではもう味わえないだろう。

勿論、ブッダじゃあるまいし、〈施し〉、みたいなお偉い善行ではない、ポトラッチじゃないけれど、見返りはいつか必ずある。ジュマが、なんかのライブに来てくれて（特にアコースティックだと良いと思っているけれども）、1曲で良いからラップしてくれたら、もう最高に十分だし、〈一人ミュージカルを上演しました〉という友人からの報告も、もうそれだけで最高に十分である。ホームレスの人々は、僕がマンションに帰ると、ごくごく普通のトーンで「お帰りなさい」と言った。僕は最初の妻と別居して歌舞伎町に来たので、当時「お帰りなさい」と迎えてくれたのは、名前も知らないホームレスの人々だけだった。

ネットでものを買うことを否定はしない。しかし、少なくとも、店員と相談しながらおもたせの買い物をするのは、ネットではできない（「ズームを使ってできます」と言われると思うけれども）。そして、ここまで書いた通り、ものを買う楽しみに、商品知識は、あってもなくても、ゼロから100まで、なんだって良いのだ。あなたは誰かに、小さな贈り物をしているだろうか？　それはタバコ一本でも良いし、なんなら笑顔ひとつでも良い、無愛想な挨拶だけでも良い。

根本にあるのは「自分だけが生活をしているわけではない」という、ありきたりな実感である。エモいことや、立派な事ですらない。自分の身の回りに生活があることの実感は、かき集めて規模からいったら、スクエアやハイツのレベルである。地球のことなんか考えなくて良い。地球や世界のことを考えすぎて、自分のスクエアやハイツに対する共生感覚を失うのは、マスメディアを発明した人類の愚行、その典型で、結局は自分の首を絞める。

自分であれ他人であれ、首を締めれば、当然苦しくなる。自分で自分の首を絞めて、苦しい苦しいと言って嘆いたり、他者を攻撃するおびただしい数の人々を、あなたは笑うだろうか？　哀れむだろうか？　怒るだろうか？　救助しようとするだろうか？　絶滅するが良いと呪詛するだろうか？　勝手にやってろと突き放すだろうか？　傍観者効果を使って見なかった事にするだろうか？　頭で考えれば考えるほど正解はない。ささやかな楽しみを見つけて実行する事に、思考は必要ない。それほど現代の「思考」は自己拘束の道具に成り下がっている。まずはきっと、何も考えずに行動することの抵抗値を減らすために、路上に出るしかない。路上はあなたに、緊張と恐怖を与えるかも知れない。そして実はそこにしか、思考転倒への脱出路はないのである。

高島忠夫ファミリーコンサート

2021年11月8日 午前5時記す（前回から37日経過）

緊事宣と眞子さんの結婚会見と選挙と「岸辺露伴は動かない」の音楽制作（納品まで完了）と東京ザヴィヌルバッハのライブが終わった。三丁目の371バーで、とりあえず無事済んでめでたいということで、懐かしの「自分へのご褒美」にシャンパンを飲むことにした。

最初は演奏家5人だけで打ち上がるものと思っていたのだが、当たり前だが、みんな機材が多く、ローディーくんがいる。最終的には坪口の奥様（昔、僕に帽子を提供してくれていた方）も含め、9人になった。店は満席で、新入りの店員くんに「7〜8人です」と言ったら「すみません、今、満席で」と言われ、諦めて出ようと思った瞬間、奥から店長がダッシュしてきて、黙って奥の個室を指差し「失礼致しました。お久しぶりです」と言った。

シャンパンを飲みつけてない友人とシャンパンを飲む時は、ドン・ペリニョンが一番良い。どんな人物が飲んでも掛け値無しに美味いからである。歌舞伎町を愛しているが、ホストクラブのシャンパンタワーはモエかペリエぐらいにしておきなさいよ、でも無理だろうな。アレは蕩尽の塔だから。と思っている。出来れば星付きのレストランで、ちゃんとソムリエがドン・

ペリニョンを勧めてくれて飲むのが一番良いシチュエーションだ。彼らの多くはドン・ペリニョンを「星の輝きをそのまま味にしていると言われております」と言う。

恐らくこの店の開店以来、僕が一番、食堂の少年ジャンプのように、いつでも手にして、食事中ずっとページをめくって、暗記しかけている、この店の、分厚い革表紙のワインリストを久しぶりで手に取ると、アンリオのブラン・ドゥ・ブラン、2000年、しかもアンシャンテルールがあったので、堪らずに入れてしまう。9人だから2本入れないといけないな、と思ったが、ローディー（車の運転をする）が4人、飲酒しない者が1名いたので、1本だけ入れ、テイスティングすると、気を失うかと思った。

瓶熟成が21年かかっていて、黄色くなりかけているそれは、シェリー感と蜂蜜感と樽感が完璧なコンディションで揃っていて、アロマを嗅ぐだけでのけぞった。随分とシャンパンを飲んでいなかった事に気付く。

五十嵐一生は一つ年下だが、日本のジャズ界では、僕よりも坪口よりも先にシーンの中核に進出し、90年代には名盤「ゴールデンリップス」を出している。彼は自分でも自覚しているのだが、はっきりと現代とはマッチしなくなっている。全てがだ。そのことが今回のリユニオンで、一番僕に感動を与えた。彼には覚醒剤による逮捕経験も、心筋梗塞による臨死経験もある。

彼とは、一部では伝説の「高島忠夫ファミリーコンサート」の、三男坊のバックバンドのメンバーとして90年代に出会った。そこには本田珠也もいた。高島忠夫さんは、新東宝で、ジャズシンガー&俳優としてデビュウし（「非情のライセンス」や「江戸川乱歩シリーズ」の天知茂と同期である）、東宝への移籍よりもテレビを主戦場に移した人物だが、僕にとっては、テレビタレントや映画解説者と言うよりも遥かに、50年代中盤の新東宝の映画スターであり、長男を痛ましい事故で失っているが、持ち前の陽気さで次男と三男を音楽家にしようとした。次男はファザコンからヘヴィメタに耽溺したが、三男は恐らくアンチオイデプスから、父と同じジャズシンガーを目指した。

一昨年に88の天寿を全うしたが、時は90年代である。僕らバンドメンのスーツは全部、高島さんが用意してくれた。リハーサルは奥方である寿美花代さんとつきっきりで、四小節おきにダメ出しを続けた。僕らにではない。息子にである。

「おい政伸、お前、今、〈your sky〉んとこでフラットしたやろ。やり直せ」と言う具合で、三男坊は、呪いのような目つきで父親のダメ出しに従った。高島さんはその都度「バンドの皆さん、えろうスンマセン。こんなインチキな歌い手のバックさせて。ほんとありがとうございます（息子を振り返り）政伸！　お前みたいな丁稚歌手にプロのバンドの皆さんが伴奏してくれてんのやで！　感謝して歌え！」と言い、驚くべき事に、歌詞だけではなく、コードネームも暗記していて、「じゃあ、皆さん、サビ前3小節の、アーフラット7のところから返して下さい」と指示した。次男坊がまたフラットすると「政伸！　しょうもない！　またフラットや！　ここは〈your sky〜（自分で歌ってみせる）〉やろ？」「……すみません」「オレちゃう！　バンドの皆さんに謝れ！　ええか？　お前が輝けるのはな、みんなバンドさんのお陰なんや！　ちゃんと皆さんの演奏の音を聴け！　良いスイング出してくれはってるのを歌手がしっかり聴いて、気分上げとればフラットなんかせん！」と言って、また僕らに振り返り「皆さん、いつも有名な歌手の皆さんと一緒にやってまっしゃろ。こんな、七光りの素人のバックさせて、えろうスンマセン、僕が親バカでね。どうか、僕の顔に免じて、ど素人支えてやって下さい」と、嘆願するように言った。

ある時、ランチブレイクが入った。僕らにはケータリングの（かなり豪華な）ランチが配膳されたが、高島さんは、黙々と食べている僕らのテーブルまでやってきて、内ポケットを弄って財布を出し「……こんなん、成金みたいでケチくさいですけど」と言いながら、1人に1万円ずつ渡し「食後のタバコ銭にして下さい」と言った。「い、いや、これは……」「ギャラは受け取ってますんで」とたじろぐ僕らに、高島さんは、「いや、もう本当に、つまらん仕事ですから、せめてこれだけはどうか受け取って下さい」と嘆願した。

出会ったばかりの五十嵐は、「じゃあ、せっかくのお父様のご厚意だからな。ありがたく頂戴します」と言い、僕は「お父さん、ご子息は素人なんかじゃないですよ。しっかり勉強されてるし、なあ？」とみんなに目配せした。高島さんは、泣かんばかりの表情になって「うわあそないな、そないな事、一番嬉しいわ。ありがとうございます。でも言うたらいけませんそんな事、倅がつけあがります」と言いながら、僕らのジャケットの胸ポケットに、きれいに折りたたんだ1万円札を、見事な手さばきで差し込んで行った。

帝劇で行われた「高島忠夫・寿美花代ファミリーコンサート」は3部制で、4時間のコンサートだった。全てが終わると、高島さんは、奥様（寿美花代さん）に、小声と目線で「先帰って、政宏と政伸に風呂沸かせ。オレは皆さんをアレするから」と言って、タクシーを3台呼んで、僕らは銀座の高級クラブに通された。バックバンドのジャズメンの接待を、自分でしようというのだな。と僕は感動した。

蝶ネクタイのマネージャーにテキパキ指示を出し、ナポレオンとビールとシングルモルトを複数本テーブルに（ご本人が）並べ「どうか、お好きなやつを」と言いながら、グラスも並べた。「やらん方おります?笑、やらん方は手えあげて下さい笑、ソーダ、ウーロン茶、アイスティー、コーヒー、コブ茶、ミネラルウォーター、なんでもありますさかいに笑」

僕らは、高島さんの指示で、1人おきに座らされた。プロとはいえ、まだ駆け出しのジャズメンたちの中で、これから何が起こるかをわかっていたのは僕だけだったと思う。

うっわこれは相当ハイクラスでしょう。としか言いようがない接客の女性たちが、奥から一斉に現れ、1人おきに座り始めた。僕の隣の女性は、紫色のハーフショルダーに、ネイルは黒だった。

「何にしますか?」

「えと、ブランデーと水で」

「ジャズって全然知らないんですよ。教えて下さいね（微笑）」

「いやあ、すぐに酔っちゃうから。僕、弱いんで。だから無理だなあ」

ポケットからゴロワーズの両切りを出すと同時に、目の前にライターの火が灯され、露わになった鎖骨が近づいた。

今でも徐々に寡黙さ加減をあげ続けている珠也は、当時から寡黙で、リハ中に一言も発さなかったが、あんなに早口で喋った珠也を、僕は未だに見ていない。彼は完全にパニクっており、下を向いたまま、僕のセーターの袖を思いっきり引っ張りながら、小声で「成孔さん、オレ、こういうの初めてで、オレ、オレ、成孔さん、こういうのどうやってやればいいんですか。オレ初めてでこういうの」

僕は、遥か15年後には自分のバンドのメンバーにする、少年時代からジャズ一辺倒だった珠也のウブさに爆笑を堪えられなかったが、嘲笑と間違えられるといけないと思い、軽くにやけながら「大丈夫だ珠也、いつも通りにしてろ。いつも通りにしてればお前モテるぞ笑」と言った。「いつも通りにって言ったって！」と珠也は全く自信がなかった。「成孔さん教えて下さいよ。成孔さんオレ」

僕は、珠也の横に座った女性に「すいませんこいつ、音楽ばっかやってて、女性に接待された事、ないんで、よろしくお願いします笑」と言った。髪を見事に結い上げた女性は、僕と目を合わせたまま、口では「うそよ〜。こんなにダンディでかっこいいのに〜？」と言いながら、目では〈承知しました〉と言っていた。

　ナポレオンとゴロワーズは一緒に口にできない。大ゲンカになる。僕はブランデーグラスを揺らして、香りながらゴロワーズを吸っていた。

「葉巻ならいくつかございますわよ」

「いいですいいです。本当にほとんど飲めないの」

「絶対嘘ですよ。飲める顔してますもの。それに……おモテになりますわよね」

「実家がね、飲み屋でね、歓楽街にあったんですよ。それで酒飲みの顔になっちゃった笑」

「そう言って女性に飲ませて酔っ払わせるんでしょう？　やっぱプロじゃないですか笑」

「いやあ銀座勤務の方と、僕の田舎の話とじゃ、全然釣り合わないですよ、メジャーリーグと田舎のアマチュア球団ですよ笑」

「あらあ、だったらジャズの話も釣り合わないし、私たち何も釣り合わないのかしら笑」

「高島さんって、上客でしょ」

「いやあ本当に、昔、映画スターだったんですってね。全然、遊び方が派手で、上品で」

彼女がマルボロを口に咥えようとしたので、僕はすぐに自分のジッポを出した。

「銀座で女性にジッポ差し出したら釣り合わないかな。髪やアクセサリー焦がしたら弁償もんですよねコレ笑」

「あら、お上手ねえ。釣り合わないお話が笑」

煙が吹きかけられる。

「いや、楽しいです笑」

「もう楽しいんですか？」

「だってほら」

高島さんは、バンド全員に固く握手をして周り、「倅がお世話になりました」と言って回っていた。五十嵐があの店でどうしていたかは、全く記憶がない。

「アレからほんと色々あったよなイガちゃん」

「そうだよ〜。ナルちゃんとはさ、あんまりつるみなかったけど」

「あのコンサート終わってからさあ、銀座連れて行かれたじゃん？　覚えてる？」

「違うよ！　だっからあ、オレ、終わって帰ったじゃん」

「あ帰ったの？」

「帰るよ〜。銀座の女になめられるだけなんてファックだろ。そんなのつまんないよ」

「イガちゃんはなめられないよ笑」

「そんな事、どうだっていいよ。それよりさ」

五十嵐の話は、リハーサルの喫煙ブース（メンバーで喫煙者は僕と五十嵐だけだ）から、ブルーノート東京の裏にあるスタッフ用の喫煙スペース、このバーの中庭にある喫煙ブースを経て、サーガのように続いていた。坪口と喧嘩して、レコーディング前に出ていった話、先輩たちの破天荒さから比べると、いかに自分たちがヘタレであるか。をとうとうと演説しながら、同時に、自分がどれぐらい音楽を愛しているかを、とうとうと演説した。

「今日、足引きずってたけど、どうした？　マイルスの真似か笑？」

「違うんだよ。最近、左足が痺れるの。心臓と関係あるかなあ」

「そうか。イガちゃん、体育座りできるか？」

「ここで？」

「そう」

「こんでいいのナルちゃん」

「うん。それで、上半身は寝せちゃってくれ」

五十嵐に、覚醒剤を覚醒剤だと教えたのは僕だ。リハの帰りにＢＭＷで送ってくれた時があって、

「ナルちゃんこれ、すげえ便利なんだよ。やるとギンギンになるんだぜ。寝なくても平気なんだ。○○さんがくれたんだけど、ハッパともコークとも違うんだ。スピードっていうんだよ」

「イガちゃん、コレ持ってたらダメだ。これ覚醒剤だぞ」

「ええええ？」

「イガちゃん、運転中に駐車して寝るだろ？」

「うん」

「それを起こして、ダッシュボードからコレ見つけてガッチャンすんのがポリスの仕事だぞ」

「マジか？　〇〇さんが、コレは大丈夫だって言ったよ」

「〇〇さん最悪だな笑。とにかく捨てろ。いま捨てろ。もらっただけなんでしょ？」

「うん」

「だったら惜しくないだろ？　捨てろ」

五十嵐は捨てなかった。そして運転中に寝て（彼は睡眠障害持ちで、1日数時間しか寝ない）、警官に起こされ、ダッシュボードを開けられ、逮捕された。

「あん時はナルちゃんのいうこと聞いてりゃ良かったよ。ナルちゃんが嘘ついてオレをからかってると思ったんだ。ごめん」

「まあ、終わったことだよ」

「今はやってないよ」

「当たり前だろ。心筋梗塞持ちがキメたら即死だぞ。ここ痛い？」

「痛い痛い痛い痛い!!」

「ここは？」

「痛い痛い痛い！！！」

「股関節だな。腱がガチガチだ。今、ワイフいたっけ？」

「いるよ」

「家帰ったら、風呂入って、うつ伏せに寝そべって、ワイフにケツ揉んで貰え。少なくとも痺れは収まるよ」

「心臓関係ない？」

「無いと思う。腱や筋肉が固まってないのに痺れたら危ないけど。もう少しほぐすから我慢しろよ」

「痛い痛い痛い痛い！！！！」

「我慢しろ、後でスッキリするから」

「酒飲んでんのにこんなに痛いの？」

「温泉で、宴会やって風呂入ってから按摩呼ぶでしょ？　アレは理にかなってんだ」

「そうか」

「膝の裏触るぞ」

「痛い痛い痛い！！！」

「エフェクトペダルの踏みすぎだな」

「オレ、ナルちゃんを信じてないわけじゃ無いんだよ」

「そんなことどうだっていいよ笑。一回、整体師にチェックしてもらえ」

「オレ、いつでも、今夜死んだって良いって思って吹いてるんだよ」

「知ってるよ」

「ナルちゃんはたまに、ダメだと思ったら投げちゃうよね笑？」

「でも、今日はナルちゃん大切に吹いてたよ」

「そりゃ光栄だ。でもそれってイガちゃんの折伏だよ。かかとも酷いな。どう？　立って見て」

「よいしょ……ああ、少し楽になった」

「イガちゃん医者を信じて無いでしょ？」

「あったりまえだよ！」

「イガちゃん一緒にやるプレーヤーしか信じてないでしょ笑？」

「……まあ……そうだね。でも、誰でもいいわけじゃ無いんだよ」

「それでトラブルんだろ笑」

「わかってるよ。そんなこと」

「イガちゃんは愛に溢れすぎてんだよ。オレは愛に飢えてるからちょうどいいんだけどさ、大抵のやつはさ、イガちゃんの愛がさ笑」

「めんどくさいんだよ！！！笑」

「でも、どうしようもないもんな」

「どうしようもないんだよ!!笑」

　コレは、膨大なやり取りの、ほんの一部で、しかも「書けるところ」だけの抜粋にすぎない。

痺れが収まった五十嵐は、僕にハグして、

「そうだね笑」

「オレたち、ひょっとしたら今日で最後かもね」

「そうだね」

「オレそれでも良いんだ」

「オレはさ、高島忠夫ファミリーコンサートでイガちゃんに最初に会った時から、〈生きてる間に、こいつと何回できるんだろう？〉って思ってたよ笑」

「最初から笑？」

「うん、最初から笑」

「だからあんまりやらないことにしたの？」

「そう笑」

「それは嘘だ笑」

「そう笑」

「部屋戻ろうぜ」

「ああ」

「ねえ？　ところでさ」

「何よ?笑」

「さっきナルちゃんが言ってた〈ゴールデンリップス〉の原盤って、いくらぐらいで買い戻せると思う？」

「もっと負けて。すごくすごく素敵」

２０２１年11月19日　午前４時記す（前回から11日経過）

前回の日記の最後に、「風邪の予感」を書いた。それはとてもとても甘いもので、きっちりと２年ぶりだ。このことを文章で的確に表現することが僕にはできない。

「あ。風邪引いた」という強い実感は「コロナかも知れない」という余計なフェンスさえ超えれば、こんなにも甘美で、ノスタルジーとしては一番カジュアルで安全なやつだ。

僕は「いやあもう、むちゃくちゃ嬉しいよ」と優しく安らかな気持ちになることは滅多にない。育ちが悪く、爽快感の中にも、一種の暴力性が、安堵や快哉の中にも、別種の暴力性が含まれている。良い調子の時なんかやばい。「ああ、調子良いね。このまま交番ぶっ壊しにゆこうか。逆にぶっ壊されるけど笑」ぐらいは自我の底が思っている。

この手強い暴力性が完全に武装解除されるのは、風邪を引いた時だけだ。去る11月１日に、僕はパリで小説家が女優に言った台詞を心の中で口にする衝動から逃げられなかった。「やっと逢えたね」。すごい台詞と、全くすごくない現実が小説家と女優を襲った。

２年間があっという間だということは、どなたでもご存知だろう。２年間というのは、例えば2011年から2013年までの間だし、2001年から2003年の間だし、1943年から1945年の間だし、2008年から2010年の間だ。8歳から10歳の間で、32歳から34歳の間だ。気がつかない人には、気がつかないぐらいの間だ。

来年の1月6&7日に、ブルーノート東京でペペ・トルメント・アスカラールの公演がある。まだ「正月明け平日」は正直「コロナ特需」であるが（話はスリップするが、全盛期のハナ肇とクレージーキャッツは、毎年、正月の三が日に新宿コマ劇場で公演を行なっていた。後年、草笛光子は「もう、コマの入り口の扉が破裂するかっていうぐらいお客様が押し寄せたのよ」と語っている。当時の市民は、元日からクレージーの公演を見て、その帰りに初詣に行っていたのである。何と豊かな時代であろうか）、同じくコロナ特需によって我々は、昨年の今頃、サントリーホールで公演を行なったが、その段階で、あの楽団の東京でのホール公演は2年ぶりどころではなかった気がする。ある年の3月か4月に公演をして、もうその年はそれが最初で最後だった年もある。「GREAT HOLIDAY」の時で、最初に出演した後、「良いお年を」と楽団員と言い合って苦笑した。あれは何年前だろうか。2年どころではない。

僕は、自分の整体師である片山洋次郎が、野口晴哉の整体理論に多くを依拠してるから、というわけではないが、野口の『風邪の効用』は名著であると思うし、コロナ以前は風邪をよく引いた。「粋な夜電波」ですら、一度だけ穴を開けた（インフルエンザによって）。要するに、風邪が好きなのである。風邪との合一感は凄い。かなり上手くいったセックスをはるかに凌ぐものがある。なにせ、具体的に、一体となるのだから。

11月1日に突如、2年ぶりで再会を果たした風邪は、しばらく僕の中にいて、僕の多忙さを見守っていた。岸辺露伴の作曲、録音、納品の過程、ザヴィヌルバッハの打ち合わせ、リハーサル、二度の本番の過程を、彼女は家事でもしているか、自分の仕事でもしているかのように、同居しながら静かに見守っていた。

そして、風邪は、「お疲れ様。頑張ったね」といって、僕に抱きついてきた。それが11月12日の深夜である。体温は37・3度という、スムースとしか言いようがない数値、2年ぶりの抱き心地。

「コロナの間、君、どうしてたの？」

「自分でもわからないわ」

「久しぶりじゃん」

「嬉しい？」

「ああ、もちろんだ笑」

味嗅覚をチェックする必要もなかった（もちろん、失われていなかったが）。抱き心地を記憶できない人物は悲しい人物である。しかし、緊急会議は開かれた。翌日がライブだったのである。発熱は37・8まで上がり、36・6との間をゆっくり移動していたが、僕は身体が動かなくなった。僕の風邪は、ほとんどが過労と結びついている。風邪は、蓄積された過労を解放し、過労を過労と感じないままに積み上げられた身体の歪みを、一挙にほぐす。

「今どきかよ〜。今かよ〜」と呻きながら、神田にある小さなクリニックで「3時間で判別できる」ＰＣＲ検査を受けた。若い女性が2人いるだけで、彼女のアイメイクは濃く、睫毛の一本一本の先にビーズのような小さな玉があしらわれ、カラーコンタクトをしていた。僕は彼女に言われるがままに、小さな容器に唾を吐き、彼女は機械的な対応と動きでそれを格納する。

2年前に受けたＰＣＲ検査では、宇宙服を着た4人の医師が、隔離された4つのコンテナに別々に入ってきた。

「コロナってＳＦね、結局」

「そうだね。ずっとそうかもね」

時間は正午過ぎだった。

絶対にないとは思っていたが、もし陽性の判断があったら、今から突貫で公演中止の情報を出し、各セクションは大騒ぎになって、僕は、今だったら逼迫もしていないだろう隔離病棟もしくはホテルで過ごす。

「あなたは1人になんかならないわよ」

「そうだ。君と一緒にステージに上がる」

「邪魔だったかな？」

「まさか。初めてのことだけどね。演奏の時に君と一緒なのは。楽しみだよ」

「私も。さあ、力を抜いて」

「抜いてるよ」

「抜けてないわ。ここが。あと、ここも」

3時10分には陰性証明書が届いた。僕はグッタリしたまま行きつけの耳鼻科医（花粉症の薬を出してくれる先生）に事の次第を話し、風邪薬をワンセット貰って、デパ地下で買った鰻重と栗蒸し羊羹を食べて、錠剤を飲み、睡眠導入剤を飲んで、11月12日を、丸一日、寝て過ごした。それは飛び込んでゆくような感覚。

蜘蛛女は夢の中で僕を柔らかく抱きかかえ、僕の顔をさすりながら、時折、自分の唇に自分の指を当て、その指を僕の唇に当てながら質問を始めた。

「明日、何をするの？」

「テナーサックスを1曲、ソプラノサックスを1曲、スキャットが3曲、歌詞があるヴォーカルが3曲、ピアノもちょっと」

「素敵ね。伴奏は誰がしてくれるの？」

「宮嶋くんと永見くんだ」

「素晴らしいわ。ピアノがいないのね。ねえ、湖に行かない？　もっと誰もいないの」

「でも、動けないよ」

「若い頃は、このぐらいの熱だったら、どこにでも連れて行ってくれたでしょう？」

「そうだね。色々な間違いを犯していたよ」

「どういう事？」

「あれもこれも、ただ疲れていただけだったんだ。全部に理由があると思っていたのに」

「そう。かわいそうに。歳をとったのね」

「そうだ。かわいそうだろ笑」

「世の中と合わなくなってきたのね」

「ああ」

「何かを憎んでいる？」

「いや」

「どうして？」

「君とまた逢えたからね」

「あなたが好きよ」

「例えばどこが？」

「負けたがってるから」

「…………」

「私と逢う時はね」

「ははは」

「私、中川ヨウっていう女性、嫌い」

「どうして？　良い人だよ」

「あなたを何も知らないから」

「知らなくてもいいじゃないか。本当に良い人なんだ」

「わかったわ。でも、明日は、もっと知らなくなるわ」

蜘蛛女が僕の耳にキスをしようとした瞬間、夢は真っ暗になった。

ザヴィヌルバッハにやられたか、年末の3デイズにやられたか、翌日のライブは、少なくともこの2年間の中、東京で行われたライブの中で、唯一、完売しなかった。そのことに僕はうっとりした。１００名弱の人だけが、発熱しているままの演奏を聴くのである。ステージに上がると、体の芯から力が抜けているのがわかる。テナーサックスが鉛の塊のように重く、ピアノの打鍵は、押し込むだけで息が上がりそうだった。

「今、オレってリラックスしてるのかな？　これがリラックス？」

「そうよ。湖に行きましょう。小舟に乗って、湖の真ん中まで出るの。月の光があなたと私を照らすわ」

「まだ昼だよ」

「もう夜明けよ」

「まだ歌の真ん中だよ」

「あっという間に終わってしまうわ」

「最初に会った時のこと、覚えてる？」

「ええ、あなたのお母様は、あなたにたくさん布団をかけて、お店に戻った」

「ああ」

「お父様は、あなたが熱を出してることも知らなかった」

「ああ。そうだ」

「あなたは、好きな女の子さえいなかったわね」

「ああ」

「あたしの姿はいつ決めたの？」

「わからない。多分、映画館の中だと思う」

「そう。あたしね、あなたに初めて会った時に思ったの」

「何を？」

「音楽って、とても不自然なものだって」

「そうか笑」

「あなたが、それを愛し始めてるって笑」

「へえ笑」

「ねえ、今、あなたがしてることは何？」

「スキャット」

「今、負けたい?」

「ああ勿論ね」

「もっと負けて。すごくすごく素敵」

打楽器を買う時が、僕の人生が変わる時だ

２０２１年11月30日　午前4時記す（前回から11日経過）

　セネガル人のママドゥは、ルノアール渋谷店のソファに座り、スマホをいじっていた。色々な手配が必要だからだ。ミリ単位で綺麗にシェイヴされた髭、アフリカ人の特権である、どれだけ宝石を身につけても下品にならない茶褐色の肌、痩せ型でとても静かに話す。北米だったらゲイピープルと目されるだろう。ママドゥは足元の大きな袋を指差し、在日アフリカ人独特の無表情で「あ、この中にあるから」と言った。

　元ＤＭＲ、現在はＨＭＶヴァイナルシブヤの上にあるルノアール渋谷店は、他の多くのルノアールと同じ、壁面ウインドウを誇っていた。僕は基本的に渋谷は使わないが、ヴィロン（パン屋がやっているブラッセリー）とプラザ（水槽型の巨大なプールが設置されているラブホテル）といくつかの映画館をごくごくたまに使うので、道玄坂より東へはストリート１本でも全く通らない。

　ドミューンに出るためにパルコに行くが、ドア・トゥ・ドアなので、東急ハンズがまだあるのかどうかも知らなかったし、若い頃はよく使った（学校が池尻大橋にあったので、遊び場は

渋谷だったが、全く自分にフィットせず、学友とルノアールでジャズ談義をした記憶しかない）この店がまだあるとも思っていなかった。

１９８０年代には何度も座ったウインドウ前のテーブルとソファ。しかし、懐かしいという感慨に耽る余裕は全くなかった。

僕と大儀見元は同い年で、もう30年以上の付き合いになるが、２人っきりになった事は一度もないし、数人で話していて、僕と大儀見が会話になっても、２分以上になる事は一度もなかった。１分だってなかったかも知れない。今日、僕は、大儀見と一番長く話したかも知れない。それはなんと、５分弱にも及んだ。

その代わりに、僕と大儀見は、演奏がお互いの体の中にまで染み付いている。もう無理だ。何が無理かといえば、この人生に関しては、僕の体から大儀見の演奏は引きはがせない。ある時、大儀見がリハーサル後に弁当を食っている時、鼻歌を歌っていて、どっかで聞いたことあるなこの曲、と思ったら、それが、その日僕が吹いたソロのフレーズだったことがある。よく吹くやつだった。僕は、生活上に多発する、数学的、幾何学的な発想（お金をいくら払うと、いくらお釣りがくるとか、何時にどこを出ると、何時に着くとか）が全て大儀見の演奏と結びついていることを理解し、受け入れながら生きている。大儀見は、ぺぺでもDC/PRGでも、僕が書いた曲の構造確認を一度もしたことがない。何が書いてあるかわかるからだ。

もう、それが良いことか悪いことかもわからない。とにかく、引き剝がす事は無理だ。刺青のように。

音楽のことを「音楽とは、言葉を使わない会話だ」という奴を、僕はあまり尊敬しない。構造的にではなく、統計的にだが、これをはっきりと（多く「良いことを言った」という満足感に耽りながら）口にする奴らのほとんどは、音楽を言葉で説明するし、その理由は、演奏が大したことがないからである。奴らの言葉は薄っぺらで、演奏は、互いの音に集中しているとは思えなかった。

ただとにかく、理由はいまだにわからないのだが、単体では比較的おしゃべりな僕と大儀見（オルケスタ・デ・ラ・ルスのリーダーが大儀見だった頃、彼の軽妙なMCは、まだサルサを理解していないクラウドの人気の的だった。ティポグラフィカに於ける、僕のMCのように）には奇妙な相互抑圧があって、とにかく言葉は交わさない。「交わせない」と言った方が正しい。

メールのやり取りは、もっとずっと少ない。僕がある夜、ホノルルのブールバードを歩いていて「あ、ブルーノートのホノルル店がある」と驚き、後ろから僕をスケボーで追い越した女性の水着が極端なまで露出的で二度驚いた瞬間、ガラケーにメールが届いた。

〈菊地君、明日クロコダイルでスインゴサのライブがあるから、見に来ませんか？〉

〈すまん大儀見。すごく行きたいんだけど、今オレ、ハワイにいるんで無理だ笑〉

〈OK、じゃあ大丈夫です。旅行楽しんでください〉

〈大儀見、どうでもいいけど、オレに敬語を使うな笑〉

〈わかった笑〉

これが一番長い往復で、これだけなのですべて記憶しているのである。

この往復以来だから、少なくとも10年以上は経っているが、大儀見にメールを送った。

「サバールを買いたいんだけど、どうしたらいいかな？（ペペで叩きまくったりしないから安心してくれ笑）」

新倉タケオ君と共演した時、ワガン・ンジャエ・ローズに同じ質問をしたら「ちゃんとした物は日本では買えないよ」と言われたからだ。

3～4回の往復で、大儀見は、セネガル人であるママドゥを紹介してくれた。

「インチキなものを騙して高く売るような奴じゃない。信用できるよ」

「わかった。そいつから買う」

「とりあえず写メ送るよ（※写真付き）」

「素晴らしい。これで良い。これを買う。いくら？」

「本当は〇〇万円だけど、友達価格で〇万円にしてくれるって」

「買う買う」

「じゃあ、明後日の4時半に渋谷のルノアールで紹介する」

メールの往復記録が更新された。

ジンベはインチキトライバルがみんな持ってるし、トーキングドラムは叩ける自信が全くない、ジュンジュンやバタドラムもだ。だからサバールを買うことにしたのである。サバールを舐めている訳が無い、サバールはセネガルの神器のうちの、重要な一つである。

ルノアールの、あの制服を着た店員がママドゥに注文を聞いた。

「ご注文は何にいたしますか？」

「カフェラテありますか？」

「カフェオレならございます」

「カフェオレうーん……うん、じゃあカフェオレください」

「アイスかホットかは？」

「ホットで」

「あの……こちらがママドゥさん」

「初めまして、ママドゥです」

「初めまして、キクチです（握手）」

「キクチさんはサバール叩いたことある？」

「いや、ビギナー。イグザクトリー笑」

「良いね笑」

「（大儀見を指差し）ゲンに習うから笑」

「いやいやいやいやいや！　オレ、サバール叩けねえから。なんかあれだよね。片方がスティックでしょ？」

「スティックも2本入ってる。僕が作ったね。あ、サバールもね笑」

「ありがとう笑」

「音は、叩けば自然に出るよ。ずっとそのまま、自然に出し続ければ変わるから。習わなくて良い」

クラーベの叩き方を、僕は大儀見から教わった。リハで無邪気にカンカン叩いていたら、いつの間にか僕の背後にいて、

「あのさ、握る時にさ、こう、ゆったり持って、ね、ここんとこに、空間を作んの、その方が良く鳴るから」

「お、おお。（鳴らす）あ、本当だ」

大儀見は、僕の肩をポンと叩いて、サムズアップし、自分のセットに戻った。

僕は教育拒否者だ。教師を尊敬していない。小学生の時から、自分の先生が客として飲みに来たからだ。そのまま教育者まがいになった。だが、大儀見からクラーベの叩き方を教わった（ステージの上で）という事実は、僕のプライドの一角を堅牢に支えている。本物の先生というのは、10秒で解らせる。10秒で教えられないものは10年教えてくれる。

「だから、サバールはどんな音楽の中でやっても、自分の音が鳴るし、それがどんどん広がってゆくから。どんな音楽とも溶け合うね」

「チューニングが狂ったらどうするのこれ？」

「大丈夫。5年は狂わないね。狂ったら、この棒を抜いて」

「皮を引っ張って紐を締め直すんだよね？」

「そう。それで棒を挿し直すのです」

「なんかさあ、石とかで叩いてるよね、みんな」

「そう、ハンマーはないね。石で叩く。道に落ちてるね」

「石ね。わかった笑」

大儀見が、本当に珍しく、ワクワクした表情になった。

「なんか、使うの？　これ？」

「いや、まあ、新しいバンド作ったんだよね」

「良いね笑」

「そのバンドのライブはいつですか？」

「いやまだ来年だけど、ママドゥさんも叩きに来てよ」

「いや、聴くよ。まずは楽しませてよ笑。先に楽しまないと笑。先に楽しんで、それでそれから始まるから。そのまま始まるから。なんだって」

「そうだね笑」

ママドゥは、大儀見としばし旧交を温めてから、今から歯医者に行かなくてはいけないと言って席を立った。「この中に入ってるから」と、もう一度言い、イケアのデカいヴァイナルの袋を指差した。僕はそれを肩に担ぎ、ママドゥと握手して、互いの胸を叩いた。

支払いの時、僕がここは支払うというと、大儀見は不自然なほど恐縮して、いや、それは、ごめん、車に財布を、とか言った後、「わかったそれじゃあ笑」と言って階段を降りた。僕は肩からサバールを下げて、通りに面した台湾の「炎旨大鶏排（EN SHI DA JI PAI）」という、薄くて馬鹿でかい鳥の唐揚げをテイクアウトし、齧りながらタクシーを拾った。

「構造と力」は、パリのスタジオで録音する予定だった。タイトルがフランス語と英語と日本語の3重表記になっているのはその名残だ。あの大人数を、パリのホテルの部屋表までマネージした段階で、僕はパニック障害を発症し、パリのレコーディングは中止になった。メンバー全員に直接謝らなければならないのに、僕にはできなかった。部屋にいることができず、マンションのエントランスに毛布を敷いて寝ていたし、誰かと会話をすると、過換気の発作が起こって、会話を中断してしゃがみこむ有様だったから。

でも、演奏だけは出来たし、精神分析医とだけは長時間話せた。六本木ピットインで、大儀見と演奏し、終わり、僕は普通の演奏家から治療中の患者に戻り、そのまま、楽器をパッキングしている大儀見に謝りに行った。僕は全身全霊を奮い立たせて、「あの…………すまん」と言うのが精一杯だった。

大儀見は、僕の肩をポンポンと叩いた。その時、僕の体から鳴った音は、本当に惨めだった。

おそらく、だが、大儀見が叩いた全てのものの中で、一番しょぼい音だったと思う。大儀見が去って、僕は泣いた。泣くと過換気は訪れない。しかし、症状がある間は、泣くことができないのだ。僕は地面に突っ伏して泣きじゃくった。泣き止んでから、マンションのエントランスに戻り、すでに組んでおいた1番目から6番目までの構造を楽曲にして、東京でのレコーディングに臨んだのだ。

「本当に色々あったよなあ」とか、大儀見も僕も絶対に言わない。本当に色々なことがあったというのに。「年末、DJの時よろしく」とか「年明けのぺぺでね。じゃあ」とか、きっと僕らは言わないな、と思っていたら、その通りになった。

帰りのタクシーに乗ると、運転手が「お客さん、なんか大事なもんですかそりゃあ？」と言った。僕は一瞬、齧り付いている唐揚げのことをからかわれたのかと思ったが、ここは銚子ではない。僕は気を取り直し「これ？　かなり大事」と言って、唐揚げを齧り続けた。指先で軽く打面を叩いたら、カーンという予想を超えたデカい音がして、運転手が「ありゃあタイコかねそりゃあ」と言って笑った。

禿鷹が飛んできて、僕の肩にとまった気がした。「お前の友達を喰ってるぞ。良いのか？」と、僕は見えない禿鷹に言った。打楽器を買う時が、僕の人生が変わる時だ。厳密には、先に打楽器が欲しくなり、結果人生が変わる。

〈追記〉

ヴァージル・アブローが極めて珍しい癌との闘いを終えた。2007年に僕がパリコレに取材に行った時、ランウエイを挟んだ真向かいにカニエ・ウエストがいて、僕は腰を抜かした。ヒップホップのアーティストがパリコレにいたからではない。当時のファッションジャーナリズムが、誰一人としてカニエを知らず、「なんだこの黒人？」みたいな感じで、誰一人としてマイクもカメラも向けなかったことに対してである。僕は4人のショーＤＪに、カニエとヒップホップのことを質問し、本に収録した。「ハイモードがヒップホップと関わるのは当然だ」と答えたＤＪは1人だけだった。

「やがて、こんな事は当たり前になる。もうガスは充満してるんだ。お前らみんな、鼻がバカか？」と、僕は今まで、何度思ったか知れない。そして必ず、そのガスは爆発した。インタビューで「ハイモードとヒップホップが関わるなんて有り得ねえ」と言ったＤＪが担当していたデザイナーも、「ヒップホップとハイモードが関わるのは当然だ」と言ったＤＪが担当していたデザイナーも死んでしまった。イギリス人のジョン・ゴスリンとモロッコ人のアリエル・ウィズマンは今、どこで何を考えているだろうか。

オフホワイトは言うまでもなく、ルイ・ヴィトンが、まだ41の若さであるヴァージルをレガシーとしてきちんと扱ってくれたのは素晴らしい事であり、同時に、モード界という伏魔殿が一斉に動き出した事も意味する。変わるのはヒップホップの方だ。ヴァージル、結局1着も買わなかったよ。でも君のような人物の才能と勇気が世界を変える事は知っていたし、イエローの僕も誇りに思ってる。R.I.P.

追悼・神田沙也加

2021年12月22日　午前7時記す（前回から22日経過）

何か全てが遠い過去のようだ。僕は神田沙也加氏とスパンクハッピーをやろうとして動いたことがある。まだマネージャーが長沼ですらなかった頃だ。

全てがもう時効という感じがするので、そして今、夜明けの一番日差しの強い時間なので、とても自然に書いてしまうけれども、僕は1998年に大病して入院し、退院したら原みどりさんがスパンクハッピーを辞めて（河野伸君はその前に辞めていた）、1人になってしまった。

以下、初めて書くことが続くが、僕はファーストスパンクハッピーと全く別に、セカンドスパンクハッピーの構想を練っていて、最初はポップな作曲のパンクバンドだった。角川春樹さんの娘さんはケイティと言って、当時、ケイティ＆ダイナマイツというバンドも解散し、行方が分からなかった（ダイナマイツの「WILDルビイ」は本当の名曲だと思う。「フロイドと夜桜」は、この曲とhitomiの「SAMURAI DRIVE」とバグルズの「ラジオスターの悲劇」を足して、トニックディミニッシュを2小節目に入れた世界で唯一のロックナンバーである）。「ケイティとバンドをやったら死んじゃうかもな。自分かケイティが」と思っていた。

まだSNSはおろか、インターネットの普及もままならぬ頃で、僕は彼女がアメリカにいるという噂を聞き、フロリダまで長距離電話をかけたりした。相手はものすごくワイルドで賢明な女性だ。なにせソロアルバムのタイトルが「頭が割れそう」というのだった。

僕はケイティの代理人まで辿り着いたが、英語が今の半分ぐらいしか話せなかったし、彼女を諦めた（後にお会いする機会があった。もうすっかり憑き物は取れて、爽やかでユーモラスな女性ライターになっていた）。

その時、自分からエントリーしてくれたのが宍戸留美さんだった。宍戸さんはファーストスパンクハッピーの曲が好きで、大変意欲的だったが、僕は、既に完成していた（元祖）地下アイドル／インディーアイドルだった彼女に対し、スタイリングも、音楽も全く浮かばず、大変意欲的だった宍戸さんに何も浮かばないとは言えず、いたずらに時間を稼いでいて、半年ほどで宍戸さんに振られてしまった（交際していたという意味ではない）。マネージもスタイリングもメイクも全部自分でやっていた宍戸さんからは、死の臭いは全くなかった。それがイマジネーションの停滞を生んだかどうか、今でもわからない。

宍戸さんが去り、突如として現れたのが岩澤瞳さんだった。人生、得れば失うし、失えば得る。岩澤さんは宍戸さんと真逆で、1分話せば1曲浮かぶような、無自覚なミューズの才能がずば抜けていて、僕は、ほとんど5分ほどで、後に崇拝者まで出る事になるあの音楽スタイルを着想し、協力者も気がついたら全員集まっていた。

岩澤さんは、最初から精神病で、クイックジャパンの表紙撮影の時、メイクが終わったら（帰りの電車賃が出るとか出ないとか、そういう理由で）スタジオのトイレを半壊させて立て籠もった。「大変なことになるな」と僕は思いながら、岩澤さんを使って人形遊びを始めた。生きてれば43歳になるのね、私のH／I。

岩澤さんが入院し、同時に結婚するという話になって、バンドを去った。岩澤さんが一番ひどい時は、手首を切ってビルの屋上の極に立っている動画が送りつけられてきたりしていた。もちろんガラケーである。

「岩澤さん、死んでも構いませんが、死んだらライブができなくなりますよ」と言うと、岩澤さんはトランス状態から元に戻り「手首が痛あい」と泣きながら実家に帰って、ベッドから電話をかけてきたりした。僕は当時結婚していたので、岩澤さんが庭の木に頭を打ち付けて死のうとしている動画を見ながら、妻に夕食を作ったりしていた。「瞳ちゃんがまた暴れているの？」「うん、顔に傷がつかないと良いんだけどね」。

岩澤さんがチャイナドレスにオーガンジーのグラブをしているのは手首の傷を隠すためだし、メガネをかけているのは、目尻の擦過傷を隠すためだった。ハイネックのドレスの時は、首元に残っているロープの跡を隠すためだ。岩澤さんは具合が良い時はいつもニヤニヤ笑っていて、笑いすぎて取材の時、椅子から落ち、頭を打って失神したこともある。

岩澤さんが入院するからもう音楽は出来ない。ごめんなさいと言って、僕らは横浜の公園でサヨナラをした。岩澤さんは結婚相手の車に乗り、窓を開けて「さようなら菊地さん、ごめんなさい。でも私、ちょっとでも歌手になれて嬉しかった」と言いながら、手を大きく振って去っていった。僕も大きく手を振った。それは、岩澤さんが最も長く、まともに話した時間になった。

岩澤さんの後釜はいない。しかしブッキングがいくつかあったし、後に10人ほど現れる、口パクでマネキン役をやってくれる歌の歌えない女性たちとは知り合っていなかった。

ある日、テレビを見ていたら、藤井隆が、ブレイク前の椿鬼奴らと、「熱海に舞い降りた宇宙人」という設定の、奇妙な番組をやっていた。あれは伝説の番組だと思うのだが、月に一度ぐらい、ワンカメノーカットの屋外ロケミュージカルを熱海市のそこかしこでやるようになっていた。

大変な芸達者、かつ80年代音楽ラヴァーの中に、突如レギュラー入りしたのが神田沙也加である。まだミュージカルはやっておらず、アイドルをやりつつ、テクノポップのバンドみたいなのをやっていた。

僕は彼女の、ギリギリで管理できてる才能の渦に飲まれ、当時のマネージャーに、コンタクトを取るように言った。彼女の才能もスキルもとてつもなく、繰り返すが、岩澤さんとは全く逆に、彼女はそれを自己管理できていた。僕にはそれが恐ろしいほどだった。

僕は自己模倣はしない。僕が次に考えていたのはコレオグラフがかっつり入った、今でいうアリアナ・グランデみたいなもので、僕はそこまでは踊れないので電動で運転する車椅子（ホーキングが乗っているような）に乗ってステージの上を適当に移動するつもりだった。

虹彩の広がり方までコントロールできるような彼女は、僕に途轍もない新しい着想を与えてくれた。今では大抵のアイドルが現実化していることも、当時は斬新だったと思うが、結局実現はしなかった。マネージャーは「ダメです。向こうのマネージャーがガチガチの芸能ノリで」といって眉間にしわを寄せた。僕は諦めた。当時から僕は、彼女が生きているだけでキツイだろうな、とは思っていた。彼女以上に突き抜けてダークサイドを感じた女性は、後に仕事で御一緒する宇多田ヒカルさんだけだ。

僕は自分にしては珍しく自己模倣に戻った。僕はセカンドスパンクハッピーの音源を持って1人で上海に飛び、上海オペラの経営者である人物の招きにあった。娘が歌手として日本でデビューしたがっている。あの時晩餐で出た北京ダックを超える北京ダックを、まだ僕は食べたことがない。

それがドミニク・ツァイさんだった。彼女にはステージママがいて、精神的には健康そのものだったが、僕が彼女のための新曲を作らない、という理由で、バンコク公演をすっ飛ばした。パッポンストリートでストリップしているバンコクの女の子を買って、セックスせずに音楽を聴かせ、服を買いに行って、一夜漬けのバンコク公演は済ませた。

それからスパンクハッピーは、岩澤さんの声のオリジナルCDを流し、マネキンの女性と口パクでステージをやる、という奇妙なスタイルに落ち着き、そこそこ楽しく活動してから、ピチカートVを辞めた野宮真貴さんのソロ公演の音楽監督をやり、そのまま野宮さんがヴォーカルトラックを全部入れなおしてくれて、数公演やってから解散した。最後は京都の西部講堂でスパークスのフロントアクトだった。あの2人は、僕らに異常なまでの興味を示していた。

これこの通り、のちにODを川崎で発見し、ファイナルズが岩澤さんのサステインを消してくれるまで、岩澤さんとのために作ったスタイルは残り続けた。音楽が停止したのだ。

その間僕はずっと「神田沙也加とやっていたら、どんなことになったろう」と思っていた。厳密には「神田沙也加にメガネをかけさせたら、何が見えてくるだろう」と思っていたのだった。それはうっすらと、数年間も続いていたと思う。

ピカピカに輝いて、元気いっぱいで、とてつもないスキルを完全にコントロールしていても、「この人は生きていて辛いだろうな」というメッセージをキャッチするアンテナが僕にあるのは確かだ。宇多田さんは全く辛そうではなかった。宇多田さんの悲しみは結晶化していて、憂いに血が通っていなかった。フェンダーローズの前に2人で座り、曲のコードをああでもないこうでもないと探っている時、熱が入って、ちょっとだけ太腿と手の甲が触れた。その時、僕は三半規管がおかしくなって、床に崩れそうになった。ものすごい磁力が出ていたのだろうと思う。宇多田さんは、僕が滑ってこけたのかと思い、低く暗い声で「大丈夫ですか?笑」と言った。宇多田さんはそのレコーディングが終わってから、一時的な引退に入った。

僕は女性ヴォーカリスト（女性。ではなく）に何を求めているのか、実のところまだわかっていない。精神分析のセッションでも、そこまでは肉薄できなかった。「正直僕にも全くわからないんですよね」と、分析医は言った。カヒミさんとパリで「恋の面影」をレコーディングし、撮影に入ったときのこと、キャメラマンがゲイで、撮影が終わってからカヒミさんが、あの微音声で「今の人、完全におかまちゃん言葉でしたよね笑」と言い、僕はのけぞった。「菊地さんのことが、気に入っていたみたい笑」

はっきりしているのは、僕が女性と音楽をする能力があるということだけだ。いや、男性音楽家と女性音楽家がいるんだったら、そんな能力、誰にだってあるはずだ。この秋、UAとは打ち合わせのレストランでジビエを食べた。あれが今年一番リラックスした時間かも知れない。「衝撃的なニュース」に、僕は全く衝撃を受けなかった。自死には様々な方法があるけれども、屋上からのダイブがどれほど開放的かは、戦慄とともに、わからないでもない。神田さん（と呼ぶのは妥当ではないけれども）は楽になったのだとしか思えない。だから良いとか、そういう話ではない。今、6千文字ぐらい書いたが、1文字も書いていないとしか感じない。呆然としている、とかでもない、何かが僕を、真綿で包むように縛り付けている。それは安心感と不安感が完璧に一つになった、様々な記憶を蘇らせる力だとしか言いようがない。陽光がさらに強まってきて、やっと睡魔が襲ってきた。

あなたは今日、誰とどんなクリスマスを過ごされるのだろうか？

2021年12月24日　午前2時記す（前回から2日経過）

僕が一番日常的に信仰の勤めを行なっているのは神道と祖霊崇拝である。毎朝神棚に柏手を打っているし、毎晩亡くなった血族と交信している（トイレで。名前と顔を思い浮かべて数分間集中するだけだが）。しかし僕は、宗教はすべて信じている。腕に入っているのはヒンドゥー教の神像だし、最初の結婚式はパイプオルガンが有名な教会で行なった。キリスト教の勉強会に3週間通った。多くの音楽は宗教と関係している。汎神論とも実質的な無神論とも違う、すべての宗教は同じものだと思う。

キリスト教は中でもかなりエグい方だ。でないと特定宗教行事がここまで世界中には広がらない。というか、クリスマスの世界的な（もちろん例外もある。僕はモロッコ人がいかにクリスマスと正月を杜撰に扱っているかを調べるためにモロッコで年末年始を過ごしたことがある。その時の元日の写真が「野生の思考」のジャケットになった）行事化は、熱心なキリスト教徒には頭の痛い現象ですらあるのではないか？と思う。

和式クリスマスに対して、今更文句がある人間はいないだろう。もちろん、僕も文句はない。

大きな行事にはリターンもリスクも大きい。神田沙也加さんのことを引っ張るつもりはないが、恐るべきことに、クリスマス前に自死する人が多いのは、クリスマスに一緒に過ごせない、という状況がある人々が多いという説がある。

僕は歌舞伎町と二丁目を15年間ほど凝視してきたが、確かにクリスマス直前にダイヴィングする人々はいた。彼らの自死は一切報道されなかった。ただ、あの街はダイヴィングスポットさえあり、クリスマス周辺に異常値が出たかどうかはまだわからない。違いがあるとすれば、屋外での自死があり、僕を含む地域住民が騒ぎを聞きつけ、現場まで行ってから自宅に帰ってテレビをつけると、クリスマス特番が賑々しく放映されているかどうか、それだけだ。

エビデンスもクソもない単なる想起として考えていただきたいのだが、バレンタインデーに一緒に過ごせないとか、節分に一緒に過ごせないとかいって苦悩する恋人たちはいるだろうか？　断言するが、いないと思う。誕生日ですら、どうにだってなる。

ここに、和式のクリスマスが、ロマンティークと深く結びつきを持ち、然るに、自死がロマンティークと深く結びついているという仮説を立てることも可能だが、リスクについて深く考えるのは時間の無駄だ（各レストランの「クリスマスディナー」が雑な仕事になってしまうという件について深く考えるのと一緒だ）。

和式のクリスマスが本当に素晴らしいと思うのは、多くの人々が、世界中に愛が溢れ、人類がみな幸せであるように、と、一瞬でも、心から思うことだ。これは物凄いことだと思う。言葉忠実ではないが、これこそがカソリシズムによる「ホワイト・マジック」だと思う。和式クリスマスだけでなく、あらゆるものへの拒否の感情は欲望の裏返しだ。クリスマスに全く関心もなく、気にもならない人々で、過去にクリスマスの苦い思い出という元手がない人々こそが、和式クリスマスの本当の否定者である。

ここに、宗教心がロマンティークと深く結びつきを持ち、然るに、信仰心がロマンティークと深く結びついているという仮説を立てることも可能だが、リターンについても、リスクと同様、深く考えるのは時間の無駄だ。単なる男性ホルモン剤であるステロイドがなぜ僕の奇病を完治させ、命を救ったのか、僕は根拠まで考えたことがないし、考える気もない。神に感謝するだけの案件であり、それは健康に恵まれている毎日と変わらない。

音楽がなぜここまで人の心を動かすのかも、考える気もしない（何せフロイドですらギブアップしたのだ）。僕は、音楽の基礎的なルールを、初心者にもわかるように丁寧に解説して報酬を得ているだけで、明治時代の英会話塾の教師のようなものだ。

魔法を解こうという意欲などない。だから魔法を解ける、解きたい、という欲望を持った人々が僕にすり寄ってきても、長くは続かない。魔法を解きたいのは父を殺したいだけの話だ、とも言わない。何かもっと別の理由もありそうだし。これではフロイディアン失格だろう。

今僕はスタジオにいて、目の前にはサキソフォンがある。16時間後にはピットインに入って山下洋輔とのデュオの演奏があるので、走りこまないといけない。「岸辺露伴は動かない」の初回放送の日に、あるサイトを立ち上げる。その立ち上げ業務稼働のために、初めてLINEというものをPCに搭載して（もちろん、自分ではできない。関係者にやってもらった）参加したのだが、関係者は今、火の車である（彼ら全員にとって、２０２１年のクリスマスは、コロナ禍が一段落し、サイト立ち上げに奔走したクリスマスとして記憶されるか、忘却されるだろう）。僕はコロナをバカンスとして大いに楽しんでしまった派閥にいる、と、忙殺の喜びの中ではっきり感じる。命を落とした人々もいるというのに。

あなたは今日、誰とどんなクリスマスを過ごされるのだろうか？　愛し、愛されているという実感を体の奥底から感じるチャンスの日だ。こんな愚かなことがあるか。愛し、愛されるという実感にチャンスデーやハッピータイムがあるなんて。愛は、無私無欲の中に、一生の間、ひと時の休みもなくチャンスが継続する。

岩澤さんの話をするとネットが騒がしいですよ。と言われた。にわかには信じられないのだが、騒がれようと騒がれまいともう少しだけ話す。彼女はクリスチャンの家に生まれ、クリスチャンとして少女期を過ごした。聖歌隊にも参加していた。「ヴァンドーム・ラ・シック・カイセキ」は、あらゆる意味で臨界のアルバムで、精神病患者が2人、深く関わっていた（僕ではない。僕はありきたりな神経症持ちで、あのアルバム――と併走的に制作された「構造と力」――は精神分析治療中に制作されたが、音楽に大きな影響はないと自己分析している）。結果、収録されない楽曲が出た。それが「普通の恋」であり、当時はシングルCDがプロダクトだったので、カップリング曲が必要になった。

「フロイドと夜桜」は、僕がオリジナルソングとして唯一、作詞作曲したクリスマスソングである。そこには宗教ミックスがあり、故郷のストリートの記憶があり、何よりも、恋人たちの愚かさと喜びを、洋楽80'sマナーとお座敷ソングのような陽気さに溶かし込んである。「カップリング要るよね？」という話になってから、僕はあの曲を約30分で一気に書いた。クリスマスの魔法としか言いようがない。岩澤さんはマライア・キャリーのファンで、クリスマスソングを歌いたいと言っていたからだ。

岩澤さん名曲ができましたよ、クリスマスソングです、と言ってあの曲のデモを聴かせたら「全く意味がわかりません。おもしろーい」とニタニタ笑ったので、僕は満足した。臨界の「ヴァンドーム」の、トーンとマナーからの呪縛から逃れた開放感と、クリスマスの魔法が、あの曲を聴くたびに思い出される。

ヴォーカルトラックは、2時間で録り終えないといけなかった。岩澤さんは、歌録りの最中に、録音マイクに向かって「菊地さーん、ジグムントってなんですかー。虫ですかー、ジグムントー」と言ってゲラゲラ笑い出してしまうような人で、僕は立ち上がってキュースイッチを入れ「人の名前です。あとで説明するんで、とにかく今は歌ってください」と言った。もちろん、説明の機会はなかった。

あなたは今日、誰とどんなクリスマスを過ごされるのだろうか？　愛し、愛されているという実感を体の奥底から感じるチャンスの日だ。こんな愚かなことがあるか。愛し、愛されるという実感にチャンスデーやハッピータイムがあるなんて。愛は、無私無欲の中に、一生の間、ひと時の休みもなくチャンスが継続するのである。チャンスは到来するものなので、継続のイメージが持てないだろうが。

僕の務めは音楽をすることだ。この理由も、リターンもリスクも、深く考えたことはない。何十年もかかることも、一瞬でできることもある。あの曲が生まれて20年以上が過ぎたが、世界は、エゲツなくなっただけで、実際は何も変わっていない。そのことになんの文句もない。58年間で、1曲だけクリスマスソングを作った、という事実があるだけだ。

あの時、務めは果たした、これを書き終えたら、再び果たし続ける。務めなのだからして当然である。そこには全ての宗教ミックスがあり、故郷のストリートの記憶があり、何よりも、恋人たちの愚かさと喜びを、痛みと苦しみを、バカバカしい陽気さと、輝かしい朝の日差しを、魔術と数学を全て込めて。人類がもし今、音楽よりも神の媒介者を必要とするなら、音楽で闘争するしかない。これほどトートロジカルなことがあるだろうか。メリー・クリスマス。読者全員に神の加護を。

追悼・瀬川昌久先生

2021年12月29日　23時記す（前回から5日経過）

親の因果が子に報い、と言うが、僕は何度も繰り返したように生みの母と育ての母が姉妹で、育ての母が統合失調（昔日は「精神分裂病」と呼ばれていた）なので、要するに母像が分裂している。そして、そのラインでかどうかわからないが、父親は1人だけであるにもかかわらず、父像も分裂している。

菊地徳太郎はもし生きていれば99だし、知可子（実母）は97である。要するに僕は、彼らがもの凄い恥かきっ子（両親が老いてからの子供。の意）として僕を産んだお陰で（というか、彼らは若くして長男秀行を産み——世代的な常識で——多産を計画していたが、死産が4人続き、6男である成孔をやっと生きて世に出したので、疲れ果てて倒れたのである。僕が死産していたら彼らは妄執に突き動かされて、60代になってもトライしたはずだ）、僕は小学生の頃から、クラスメートたちの誰よりも早く両親を失うな。と思っていた。

もし穏当に30歳で両親が僕を生んでいたら現在88歳であり、20代の若きにして僕を生んでいたら現在78歳である。彼ら（2つ違い）は40過ぎで僕を生んだので、どちらも100近くなってしまう。とっくに2人とも亡くなった。静子（育母）は存命中だが、精神病者、身体障害者の属性である開放性と生命力によって93にして未だに元気である。

僕は今の70代と馬が合わない。兄の世代である。兄のことは弟として愛しているが、馬は合わない。要するに、兄よりちょっと年上が、一般的には僕の父親の世代で、今、90過ぎの世代は、平均的には僕の祖父の世代になるので、つまり僕は何か、一段飛ばしに屈折した、異形の「お爺ちゃん子」であり、現在90代の人々に、どう言うわけだかメチャクチャ可愛がられるし、こういうのを阿吽と言うのだろうか、僕の方も現在90代の、特に男性、そして、ジャズ評論家に対し、単なるファンであるとか、リスペクトとかいった水準を超えた、過剰なほどの、父親への愛情に似たものがある。

それが、実父にはとうとう持てなかった何かの分裂的な幻想で、父に対して健康的なオイデプスコンプレックスを回避できるという構造的な利点もある、と考えるべきなのかどうか、自分のことなので分析は難しい、ただ、清水俊彦先生にも、相倉久人先生にも、本当に可愛がって頂いた。

世に「勝手に可愛がろうとする暴力」は枚挙にいとまがない。母性の押し売りのような気持ちの悪い女性（年齢は20代から60代の広範に及んだが）から「菊地くんって可愛いとこ、あるじゃん、うふふ」みたいな小賢しい真似をされることが昔はよくあった。僕はそこそこ可愛いのだろう。しかし僕は「そんなチャラい仕草で喜ぶとでも思うかブサイク。鏡見直して出直せ」

と一発入れてから、向こうが「そんな、強がっちゃって、うふふ」などと倒れなかった場合、どこにも書けないような手酷い言葉で相手を立ち上がれないほどノックアウトした。頭を撫でようと伸ばしてきた手の小指を摑んで極め、床に倒して「何しようとした今？　面白いじゃねえか。続けろよほら」と凄んだこともある。オレを可愛がれるのはお前らなんかじゃない。

僕のような扱いの難しい、油断のならないジャズミュージシャンを「まるで息子のように」可愛がるのは、全共闘世代のジャズ評論家のようなバカ達にも無理だ（平岡正明先生にも大変可愛がって頂いたが、平岡先生は存命していれば今年80なので、世代的には微妙で、むしろ僕が平岡先生を可愛がっていたとしか言いようがないほどの「売るほどの可愛さ」が平岡先生には満ちていた。亡くなられる直前まで、赤ちゃんのような御尊顔だった）。奴らが日本のジャズ批評を滅茶苦茶にしてしまった。こっちにも内心にそういう思いがあるから、馬が合うわけがない。

清水先生は、ピットインで僕のクインテットライブダブ（ダブセクステットの原型）を聴いたあと、杖をつき、牛歩のような速度でステージ袖にいる僕に近づき、両手を差し出して、「菊地さん、僕、こんな凄い音楽聴いて、びっくりした。ありがとう。すごく感動しちゃった。本当のオルタナティヴですねこれは。ありがとう。本当に良かった。ありがとう」と、御著書での詩的なエクリからは想像もできないシンプルさで仰り、満面に紅潮した笑みを浮かべ、握手した手のひらをなかなか放さなかった時、僕は自分でも驚くぐらいストレートに嬉しかった。

それは、息子の喜びとしか言いようがないものだったからだ。気難しいが素直な父親に、「よくやった」と頭を撫でられたような気分。頭を撫でられるというのはこういう事だ。それから半年を待たずして清水先生は亡くなられた。

相倉先生は、息子と張り合おうとする負けず嫌いな父親のように振る舞い続けて下さった。一緒に日比谷野音のステージで2MCで山下洋輔トリオの話をした時は、巷で腐る程よく見る、「親子共演」のような気分だった。相倉先生が何かを言い間違えると僕が突っ込む。先生はニコニコされながらも、倍返しで何かを言おうとする。目立ちたがりの相倉先生は、ご自分が言った事で会場が受けるとニコニコされ、僕に「どうだ?」といった目つきをした。それからピットイン50周年コンサートの直前に先生が亡くなって、僕は代わりに司会を買って出た。「買って出る」というのはニュアンス的に全然違う。僕は「息子なのだから父親の代役をするのは当然だ」といった、心理的な既得権を行使したとしか、つまり側からみたら頭が狂っていたようにしか見えなかったとしか言いようがない。僕の靴棚には先生の遺品であるコンバースのスニーカーがあって、出かける時と帰宅する時は、必ず視界に入れる。

今、本当に胸が痛い。泣くこともできない。この年末は、たくさんのものを得た。だから失うものがあるのは仕方がない。大往生だ、生き切った、というクリシェを自分で自分に言い聞かせても全く響かない。僕の分裂した父達の中でも、最も愛情と敬意と畏怖を抱いた、つまり、最も父親という像に相応しかった、瀬川昌久先生がさっき亡くなった。冒頭に伏線を引いたが、瀬川先生は僕の実母と同い年である。

先生との出会いから今日までの思い出を書こうと思って書き始めたのだが、胸痛が酷くて、指が動かない。指さえ動けば、それは何万字になるか分からない。1冊になるかも知れない。脳裏は走馬灯のような思い出でめまいを起こしそうだ。でも指が全く動かない。ちゃんと、本当の父親が亡くなった時、空洞化した実父に喪の作業が僕にはできなかった。だからこんなリスクを背負うのだ。と、フロイドの定式に則った正解を導いても、それでも指が動かない。厳密には、指は動くが思い出を文字にできないのである。

僕は弱音を吐くのが嫌いだ。厳密に言えば、弱音が吐けないのである。だが、今だけは吐かせて貰いたい。こんなに胸の痛い年の瀬は初めてだ。今年は年末年始がないほど忙しい、新音楽制作工房もやっと立ち上げ、「岸辺露伴は動かない」のオンエアも無事終わり、大晦日の「ホセ」のＤＪで大儀見と共演して今年の仕事を納めても、3月まで一瞬たりとも気が抜けない。正月三が日の間も、ペペの新曲を書く。ペペのブルーノートが終わったら、新しいバンドの曲を書く、大きな案件は、さらに2つある。

葬儀は、忙しければ忙しいほど良いと言われる。忙しくて本当に良かった。僕はいつもこうしてギリギリで救われる。なんとか務めを果たしているからだと思いたい。瀬川先生は蓮實先生と一緒に『アメリカから遠く離れて』という、夢のような素晴らしい本を出版された。「文學界」から書評の依頼が来て、僕は柄にもなく緊張して襟を正し、書評を書いた。2年前の話だ。そして両先生にメールを送った。瀬川先生には「先生にはお見通しだと思われますが、ディック・ミネの戦前期の曲の焼き直しをしておりますのでご笑納ください」と書いて「戦前と戦後」のＣＤをお送りしたが、返事は頂けなかった。編集部からは両先生とも、コロナ禍によって外出を一切されないという事だった。瀬川先生は自宅で骨折され、療養中だと後に聞いた。それでも僕は、瀬川先生は死なないと思っていた。小学生の頃から、クラスメートたちよりも早く両親を失うな。と思っていて、実際にそうなったというのに。

元旦に再会した真っ黒い生き物

2022年1月1日元旦　午前7時記す（前回から3日経過）

〈21年12月31日　午後3時〉

結局僕は、悩みに悩んだ末、サバールを持って行く事にした。「親しい人が死んだり、憎い奴を殺したくなったら、太鼓を叩け。自殺したい時も。1日中だ。倒れるまでだ」と、ほとんどのアフリカ音楽のヒーラーは言う。

僕は訃報を聞いてから1秒も眠らず、1食も食べなかった。冷たいエビアンしか体が受け付けなかった。

「コレ3日以上続いたらまずいな」と思っていたら、コメント欄に、韓国からの留学生だった方からのコメントがあり、それが僕の気をいきなり通し、涙腺を緩めて涙を出し、食欲と睡魔を一瞬にして取り戻してくれた。

僕は12時間眠り、目覚め、伊勢丹で買ったバゲット1個と、プロシュート150グラムとカマンベール4個でサンドウィッチを作り、6等分に切り分けて、聞いたことがないカリフォルニアのビオ（白）を飲みながら全部食べて、再び眠った。DJの選曲は既に終わっている。

ただ、ＤＪしながらサバールを叩けるかどうか。大儀見と、ＤＪなら兎も角、パーカッションのデュオで演奏するのは、ちょっとどうだろうか。普通の判断ならばやらない。しかし僕は、サバールの入った袋を担ぎ、そこにカウベルとクラーベを投げ込んで、大量のＣＤと共にクラブに持ち込んだ。

〈21年12月31日　午後6時〉

会場に着いて、フロアとＤＪ台をチェックする。青山ベルコモンズ跡に最近できたクラブは中箱で、「JOSE（ホセ＝このイベントの名前）」のクラウドは、サルサを中心に、ヒスパニック音楽を愛する、お洒落で美しい男女とアフリカ系からヒップホップまで貫通している、トライバルで、でもやっぱり（別種の）お洒落で、ちょっとワイルドな子たち。どちらも悪そうだ。悪くてセクシーでエレガントな、ブードゥーが必要な子ら。

まだまだ本調子じゃないが、コロナで最も強い禁圧を食らったクラブカルチャーは蘇生しつつある。よく泣き、よく寝て、よく食べた僕は、なんとか元気を取り戻し、瀬川先生のご加護を感じていた。瀬川先生。お優しい先生が、どの御著書でも強い怒りの声を以て訴え続けておられた戦争に向かう事への警鐘を、僕は今までの人生でも、この後の人生でも忘れません。あらゆるナチズムによる快楽の禁圧に反逆し、フロアにダンスの力を全開放して、遊ぶことを取り戻します。見守っていてください。

この2年間で、夜遊びは失われた。「遊ぶ」ということは神々と戯れることだ。民が遊ばない社会は、民が神々と戯れない社会だ。だがドミューンの尽力もあり、遊戯の快楽を知っている人々の欲望によって、クラブカルチャーは瀕死から急激に蘇生しつつある。僕は興奮のスイッチが入り、音楽をする直前に訪れる、全能感に似たドラッギーな気分が湧き始めるのを感じていた。少なくともオレが回す盤は全部最高級だよ。

BAKUが前のＤＪで、パーティーはノンストップスタイルではなく、ＤＪが終わるたびにダーリンサエコさんのＭＣが入る、キャバレースタイルだった。BAKUはダブルＰＣで外付けのエフェクターも多用していたが、僕はダブルCD-Jで、ヘッドフォンもあらゆるエフェクトも使わない。僕は要するに、CD-Jを、ターンテーブルの末裔と捉えていない。CD-Jは、いろんな音の出るパーカッションで、二本のコンガを演奏するようにＤＪプレイをしてきたのだなあと、今更ながらにして思う。逆に言えばコンガは、CD-Jみたいなものだ。

機材スタッフに「えとあの、ミキサーの両脇にCD-Jセッティングしてください。あと、これとこれ叩くんで、それ用のマイク下さい」と早口で言うと、更に興奮してきた。大儀見のサウンドチェックが始まった。大儀見のセットはミクスチャーで、今はキックとスネアとハイハットまで搭載している。そして、僕もそうだ。パイオニアのCD-J2台とミキサー、カウベルとクラーベとサバールである。そこそこ立派なパーカッションセットと言えるだろう。〈スケルトンクルー・ラティーノ〉のライブが始まろうとしていた。

〈21年12月31日　午後6時15分〉

BAKUと握手して、旧交を温めた。僕はBAKUのＤＪはオールドスクールへの愛とリスペクトが深く、生真面目で素晴らしいと思うが、僕は、BAKUの2倍の音量で、１万倍の魔術がかけられると信じ切っていて、余裕綽々で、虎のような気持ちになっていた。

ＰＡが、サバール用のマイクを立てたのでチェックしてくださいと言う。左手に握ったスティックを打面の30度の辺りに打ち付けたら「カーン」という木と革によって発生する金属音が鳴り響き、遠くにいる大儀見が「鳴るねえ笑」と唇を動かし、ニヤニヤしたんで、僕は完全にリラックスし、完全にトランスしていた。これから1時間、僕らは媒介者になる。

フリースタイルとドゥドゥ・ニジャエ・ローズのパーカッションオーケストラを同時にスピンする。９人ラッパーたちは、皆アカペラフリースタイルで、全員のＢＰＭが別だが、どんなＢＰＭの音楽にもフロウではめ込まれてしまう。比較的ファッショで凱歌的なトライバルであるドゥドゥの偉大なオーケストラは、９人全員を綺麗に受け止めた。僕はフロアより一瞬早く、完全に興奮し切って、視力も上がり、脳がクールになった。

ラップを低速再生で残し、そこに「orin」を乗せた。この音源はすごい。１９５０年代の演奏だが、アフリカンパーカッションアンサンブルと、アフリカンコーラスの混声合唱団と、恐らくアフリカンジャズのラージコンボが、きっちりとアレンジされている。こんなヒスパニック寄りのアフリカ音楽は他にない。

これが終わり、友達であるヨスヴァニーの代表作であり、モダンキューバジャズの極点である「メタモルフォジス」と「トゥデイズ・オピニオン」を交互にプレイした。どちらもキューバン、プログレッシヴ・ジャズであり、サルサの遠い原型、と言うより、シンプルにサルサ表現の極左プログレッシヴである。サルサのダンサーにも、アフリカンダンスのダンサーにも、ヒップホップやレゲトンのダンサーにも踊れる。

だが、フロアは沼を作って踊らなかった。我々の演奏はライブと解釈され、全員が最前列まで来て、僕と大儀見の、主に打点と周期性を巡る、複雑で極端に快楽的な会話に、うおーとかいえーとか言いながら、多くの者は目を大きく開いて、驚きと喜びを表現していた。

大儀見は苗字に「儀」が入っているせいなのかどうか、演奏前には必ず何らかの、手を使った挨拶をする。時勢柄、それは拳と拳を合わせる、アレだった。内心で〈アメリカでコレやると、特に女性がいやがるんだけどな笑〉と思いながら、同時に、この挨拶は、ボクシングの試合前のグラブの当てあいと同じことに、その瞬間気がついた。

大儀見は、体こそ大柄だが、掌は薄くて小さい。僕はそれよりはるかに薄くて小さい。ペドロ・マルチネスがヘヴィー級ならば、大儀見はウエルター、僕はフェザーに階級されるだろう。

だが、パーカッションの打面は、ボクシングのパンチを打つように打つのではない。〈拳で打たないから〉という話ではなく、体重のかけ方と体の捻り方が根本的に違う。そもそもステップによる移動がない。タブラ奏者など、胡座をかいたまま何時間も演奏する。そもそも手首の返しがボクシングにはない。

その上で、僕らは階級と経験値を超えて、1ラウンド60分で無数に打ち合った。6000打点は打ったと思う。キューバン・プログレッシヴ・ジャズが終わってからは、世界中のエレクトロニカを繋ぎながら打ち合った。すでにこの路線のオールドスクーラーであるJUKUから、最新の――それはポルトガルのリスボンのゲトーの中から生まれた――トライバル・エレクトロニックに繋がっていく。

この日の音楽的な白眉は、CD-Jのシミュレイト機能をヴァイナルからCDに変え、プレイを一回停止することによって起こる音源の静止状態を起こした時だ。「静止」というと無音に聞こえるかも知れないがそうではない。この操作をすると、音源はデジタル針飛びの状態になって、ボタンプッシュの状態で、BPM150ぐらいの16分音符を最小のチップとして機械的＝ミニマルな連打になる。「デデデデデデデデデデデデデデデデデデデデデデデデデデデ」という感じだ。

僕が仕掛けたのは、クリックにあたるこのミニマルな連打を、インド音楽の作法で、あらゆる積み枚数で周期を変えてゆくことだった。まず、左手に持ったスティックでデデデデデデデデデデデデデデに合わせて連打をする。それから、7拍子、5拍子、と奇数拍子のパターンを打つと、大儀見が一瞬、泡を食いながら、4周目ぐらいで完璧に合わせてくる。僕は自分が仕掛けてラッシュしている事に気狂いじみた快楽が発生し、連打からの5拍子、連打からの7拍子、そして連打からの4拍子を提示し、4拍子は自然発生的にあらゆる拍子に分割され、複雑で美しいマンデルブロー集合のような幾何学模様を描いた。

構造的に一番似ているのはインド音楽だが、中国の京劇の伴奏にも似たものがある。しかしサウンドは全く違う。なにせクリックになっているのは南アフリカのエレクトロミュージックの断面なのである。マンデルブロー集合の渦の中で僕は、瀬川先生の魂に出会った気がした。

喪が明けた。全身が軽くなり、舞い上がる気分、しかしそれはいわゆるフロー状態ではない。一瞬たりとも気が抜けないからである。演奏が終わる。

〈21年12月31日　午後7時30分〉

僕らは大儀見と控え室で2人切りになった。大量の汗をかいたので、二人とも全身のウエアを着替えた。大儀見のタトゥーは全身に入っており、僕のは左手（スティックを持つ方）の肘から手の甲までだ。僕らは訥弁に戻ったが、僕が「前半、仕掛けが多くてやりづらかったか？」と言った、大儀見は「……いや。それは良いんだけど、ちょっと音量がアレでさ笑」と笑った。「あーそうかサウンドチェックしとけば良かったなオレの位置ではモニターちょうど良かったのよ」「まあでも、（サバール）良く鳴るねえ。サバールは聴こえたよ。倍音がすごいね、こう、うあー、って、さ」「ナルヨシだからな笑」「ははは一（一発だけ手を打つ）」会話はここで終わった。

〈21年12月31日　午後8時〉

僕は事務所に戻り、昼に買っておいた高級角食パンを割って干物のように広げ、セブンイレブンで買ったアップル&シナモンのジャムの蓋を開けて、瓶ごと全部ぶちまけて、辛めのハードサラミを乗せ、齧り付いた。物凄く美味い。

そして、買っておいたドン・ペリニョンを片手で抜栓し、グラスに注がずに、喇叭飲みをした。食っては飲み、飲んだら食うを繰り返して、一斤とひと瓶終わるころには、フラフラになっていた。今年がもうすぐ終わる。

〈22年1月1日元旦　午前5時〉

目が覚めると夜が明けていた。僕はタバコとライターを持ってベランダに出ようと起き上がった。すると、あろうことか、カラスが1羽だけ、目前の電線に止まったのである。「おい！久しぶりだなあ！　おい！　歌舞伎町で会ったよなあおい！」と大声を出しながら急激に起き上がったら、目から火花が出て、後方に吹き飛ばされて尻餅をついた。まだシャンパンが残っている状態でいきなり立ち上がったので、足元がぐらつき、本棚の角に顔面をしたたか打ち付けたのである。

「痛ってー！」と、僕は笑いながら悶絶し、掌を額に当てると、左目の上の、眉毛の中が2センチほどぱっくり裂けており、掌には血がべったりと付いていた。「正月からコレかよ!! ぎゃははははははははっ!!」と僕は爆笑し、マキロンで傷口を洗ってから頭にタオルを巻いた。寓話としても出来過ぎだ。僕はボクシングの試合で負けたのである。

カラスはまだそこにいて、僕の狂態を見つめていた。僕はベランダに出て彼に「おい! 負けたぞ! ぎゃはははははは!!」と叫んでから、タバコに火をつけ、深く吸い込んだ。そして、彼に向かって思いっきり煙を吐き出すと、彼は飛び去った。数少ない、真っ黒い生き物。お前は何の遣いだ。二度目の煙が、激しく攪拌される街の空気に、ゆっくりと溶け込んでゆく。

あけましておめでとう。地球、人類、動植物、建造物、自動車、自転車。あけましておめでとう。太陽、音楽、世界、空、経済、大気、運命、社会、人生、歴史。あけましておめでとうございます。誰もが、あらゆる全てが、1年間という窮屈なスパンを喰い尽くしますよう。固まるな、喰い尽くせ。お前の腹がいっぱいになるまでだ。

葬列のための音楽

2022年4月14日　午前6時記す（前回から103日経過）

おっさんが脚を引きずりながらせっせと仕事をしている哀感と言ったら。せめて「マルサの女」の山崎努のように、ダンディでスタイリッシュに。無理無理無理無理。

葬式なので、黒の革靴を履いて立っていたら、全身が筋肉痛になってしまいそうだった。ダンディなのは文学座出身の、一時期は全国のファザコンの女性をヒーヒー言わせた俳優なんかより、遥かに故人に決まっているじゃないか。僕が知る、日本一の伊達男。

最初の弔辞が始まった。「もしこう呼ぶ事が許されるなら〈先輩〉と呼ばせてください」といって、見事な弔辞が始まり、見事に終わった。しかし、驚かされたのは、テキストの完成度ではない。あの大蓮實が、あの有名な、低く冷静な蓮實ヴォイスではなく、少し高めの、透明で子供のような音色を発し続けたことだ。列は長く、元老の姿は遥か先で見えない。本人も気がついていないだろう。それが意図せず、軍国少年の覇気に似ていたことに。

ニューオーリンズジャズが葬列用の音楽であり、往路は悲しく、復路は陽気で楽しいものであることを知らぬ人は少ないだろう。しかし、荘厳とさえ言えるほどの寺院で、読経の代わりにニューオーリンズジャズの生バンドの演奏で故人を送りましょう。そんな気障な事が許され、しかも完璧に決まるのは故人しかいない。瀬川先生、先生が生涯憂慮なさっていた、日本の再軍国化が完成する前に逝かれて、僕は、ほんのちょっとだけ、安堵しています。聡明であられた先生の、ひょっとしたら唯一の杞憂かも知れません。

バンドは焼香列の両脇に、あたかもダブルビル・コンサートかカッティングコンテストのように設置された。平均年齢は75歳ぐらいだろう。1曲ずつ、延々と演奏される。ヨレヨレだ。上手いとか下手とかが消失される音楽、音程のズレがそのまま形式化した音楽、それがジャズだ。

焼香列は、温かい溶岩のように、ゆっくりゆっくり、延々と移動し続けた。視界の彼方に大谷能生がいて、僕と目を合わせてから、そのまま黙って胸に手を当てた。頷く。曲が「スターダスト」になる、筒井先生がいらっしゃらない事を確認する、持続的な胸痛に、更なる少々の胸痛が加わる。まだ、遺影すら見えない。

〈ジャズ評論家　瀬川昌久〉を知らないジャズミュージシャンはいない。プレモダンが専門で、特に、ダンスミュージックとしてのビッグバンドジャズを愛しておられ、ジョージ・ラッセルのファンにとっては、詰まらないと一刀両断にした瀬川を未だに恨んでいる者も多い。

まあまあ、そんなもんだろう。しかし、満遍なくなんでも聴き取る耳より、強く聴き取る耳が、強く聴き取れない対象を生むのは、自然な事で、正しい事で、物理学の原理のようなものだ。ジャズの重力学者ラッセルは、物理的に証明されたのだと言えるだろう。勲章と思った方が適切だ。

遺影が見える位置にまで来た。誰の計らいか知らないが、にこやかに微笑む、生涯それ一本で通された、アイヴィールックのセットアップ姿の、先生の遺影のすぐ隣に、まずは湯川れい子さんの献花があり、その隣が「(株)ビュロー菊地　菊地成孔」である事がわかった時、一瞬、ずっと鳴っていた演奏が中断したかと思った。

先生と僕が初めてコミュニケートした時、僕は先生に、笑いながらだが、喰ってかかった。若かったよなあ自分。それは00年代中盤、北陸の都市で、JEA（ジャズ教育委員）という組織の立ち上げパーティーの中でだった。

壇上で挨拶する瀬川先生が、ビッグバンド部の普及促進についてお話しされていたのであった。「ことほど左様に、日本中の小中学校にジャズのビッグバンド部が普及すれば、イジメなどはたちどころに無くなり」と、言い終わった先生に向かって、あろうことか、ご挨拶の途中だというのに。

「お話中ですが申し上げます先生」

「はい？　どうぞ」

「菊地成孔と申します。先生、お気持ちは壇下の我々全員、痛いほど伝わっておりまするが笑、ビッグバンドジャズだけがイジメを根絶できる、というのは、些かお言葉が過ぎると思います笑」

「そうですか（微笑）」

「いかなる部活動がイジメを止められず、ジャズだけが止められる。では、空手部、サッカー部、水泳部、読書部、あらゆる部活動のメンツが立ちません笑。彼らだってイジメの抑止はしているでしょうし、イジメを生み出してもいるでしょう。先ほど登壇された馳浩先生は議員でもあられますが、それ以前に、遥かにアマレス部の先生であります笑。部活というものは遍く諸刃の剣であり、ジャズだけが逃れられるとは、誠に失礼ながら笑」

「ははは。分かりました。あなた、ジャズミュージシャンですか？」

「あちらにいる山下の弟子です笑（会場爆笑）」

山下さんが、飲んでいたハイボールを噴き出しながら、「バカー！　菊地ー！笑」と叫んで、先生はそれはそれは楽しそうにお話を続けた。

それから、5年余が経った。今でもYouTubeに残っているだろう、まだジャズドミュニスターズではなかった僕と谷王は、「ビーバップの生演奏で、リンディホップ（ジャズのカップルダンス）を踊る」という、気違いじみたパーティーを立ち上げ、瀬川先生を最高顧問としようという話になった（谷王は、そのパーティーの打ち合わせをきっかけに、先生のご自宅に行って戦前のジャズレコードを聴きまくり、名著『日本ジャズの誕生』を、著するに至る）。

栄えあるそのキックオフパーティーの日時は２０１１年3月12日。つまりパーティーは中止を余儀なくされたのである。僕がたった一度だけ、電話で先生と話したのは、パーティー当日にして、震災の翌日である。

「先生、我々の馬鹿げた遊びにお付き合い下さろうとなさっていたのに、その、まさかこんな事になるとは……」

「いやあ、菊地さんね。天災というものは、仕方がありません。戦争で中断されるよりも、まだ良いんですよ。ね」

先生は、ご自分に言い聞かせるように深くゆっくりとお答えになった。「HOT HOUSE」は、震災後まもなく開始され、約5年継続した。パートナーを次々と変えてゆくカップルダンスのパーティーなどというものが、何の妨害も受けずに安定的に再開される日はいつになるだろうか。

焼香が終わると、斎場の出口に向かう、そこには喪主である先生の奥様（摩里子夫人は僕の記憶が正しければ99歳の筈だ）がグロリア・スワンソンのような喪服姿で杖をついて座っておられ、長女の涼子さんと次女の元子さんが後ろに立っていて、まず彼女たちに、先生との縁故を話すと、それを彼女たちが奥様に耳打ちする。という流れだった。

「ええと、私は菊地成孔と申します。先生とはダンスパーティーで……」

と、2人に言いかけると、奥様は耳打ちよりも早く、

「あのパーティーは楽しかったですよ」

と仰って、僕に手を差し伸べたので、僕は内心で（あ痛ってえ＝足首が）と思いながら、奥様の手を柔らかく受け取り、奥様の目線まで跪いた。

「瀬川が若い子と踊りたがってねえ。喧嘩ばっかりしてたんですよ」

「ご冗談を笑」

「本当よ」

と、一瞬、立ち上がろうとされたのか、奥様は杖を倒してしまった。

僕は、杖を取って笑顔を作り、後ろがつかえないように立ち去るので精一杯になった。先生と奥様が戦前式のステップで、アステアとロジャースのように踊っていらした日々のことを一挙に思い出したからだ。あんな綺麗な姿勢、あんな美しいステップとターンが出来るようになる日本人は、これからあと何人出てくるのだろうか？　老人が見せるエレガンスで、あれを超えるものに、僕は死ぬまでに出会えるだろうか？　一瞬、視界が滲んだ。奥歯を嚙む。

先に焼香を済ませていた長沼と合流し、現場に向かった。それはドキュメンタリー映画だが、もう来月には公開になるので、書いてしまう。瀬戸内寂聴の晩年を追ったものだ。監督から「〈花と水〉の線で」というオファーがあったのである。

僕は瀬戸内晴美に対してはそこそこの読者だけれども、寂聴尼には、特に強い感情はない。狂おしく愛おしいお婆さんだ。恋愛至上主義者、尼僧、長命で元気だった、自分に正直な老婆。女たらしの小説家サティアンの高弟、タバコと肉食が健康を害さないと証明した女性。唯一無二の存在に見えるけれども、名もなき寂聴は、長い仏教の歴史の中に何人もいたかも知れない。「戦争は絶対にいけない」と寂聴も言った。が、その無邪気さと熱さは、瀬川昌久の、生涯をかけた執念のメッセージに比べれば、戯言のようである。先生の「右傾化への警戒心」は、一番優雅な音楽に身を捧げた者だけが見せる、鋼鉄のように頑健なアザーサイドである。あれほどの反戦主義者を僕は知らない。

それでも僕は、「全部即興でも良い」というオファーに対し、故人への手向の曲を2曲書き、「葬式から返す刀で坊主の映画かよ笑」と言いながら、録音スタジオに向かい、着くなりトイレで喪服を全部脱いで裸になり、ユニクロのジャージとTシャツに着替え、林(正樹)さんに挨拶して譜面を渡し、「このスタジオ、塩ありますか?笑」と言ってブースに入った。

浅草で銅鑼を買う

2022年4月18日　午前6時半記す（前回から4日経過）

忙しくて耳鼻科に行けないので、恐るべきことに、花粉症の薬が尽きたままあと一週ほど過ごさないといけない。それにしても今日のクシャミは凄かった。

「あの、その信号を……（もうキテいる）……み……み……みハーックション！ハーックション！ハーックション！ハーックション！……グスグスグス……かああ〜……ずびばぜん。（精神統一して）右に、ですね、曲がっていただいて（もうダメ）、が……が……がクション！ハーックション！ハーックション！ハーックション！ハーックション！ハーッ……が……が……がいえハーックション！ハーックション！ハーックション！……くらんくらん……外苑……外苑に……に……西ハーックション！ハーックション！ハーックション！ハーックション！ハーックション！ハーックション！ハーックション！ハーックショーン！ハーックション！ハーックション！ハーックション！ハーックション！ハーックション！」

もう、下手したら肋骨が折れるかも知れない（僕は仕事柄、横隔膜と脇腹が常に大きく可動するので助かっているが、運動不足の人など、脇がイってしまうと思う。とはいえまだ僕の足首はバンデッジががっちり固めているが)。外人だったら「Action!! Action!!」と聞き間違い、熱狂的な映画監督だと思って、即興で芝居でも始めそうな勢いだ。

ペン大生もタクシーの運転手も引く。マスクで目しか見えないけれども、眉間に皺が寄っているのが見える。授業中に「ちょっとすみません」と目をこすり始めたら止まらなくなり、1分間ぐらい黙ってこすってから「はあああ、お待たせしました」と前を向くと、目頭から出血していて、妙齢の女生徒さんが「きゃあ!」「先生!!」と言った(妙齢の女性も少々いる。お母様とかも多い)。

思わずティッシュとかを出して、拭いてくださろうとする方もいるので、手を前に出し「いやいやいやすみません大丈夫です。ありがとうございます。でもこれキャリア50年なんで大丈夫です、僕の目ね、花粉症でこすって、実際の倍ぐらいに大きくなってると思いますよ笑。50年かけて」というと、「いやだあ先生」と笑う。若い女生徒は固まっている。

春は地獄だ。僕にとって。本当のタケノコや真鯛、つぶ貝の味を僕は知らないかも知れない。旬のあいだ、ずっと鼻が詰まって、喉が焼けているので。タケノコと菜の花と鱧のパスタ(ビアンコで、ボッタルッガ=イタリアのカラスミが振り掛けてあるような定番のアレ)に、シャルドネの良いやつ(ムルソーとか)を併せて「くっあー最高」とか、何度叫んだか知れないが、半分以上、味がしてないまま叫んでいた気がする。

授業が終わって、足を軽く引きずりながら、ホワイトボードをかたしたり、様々な結線(シールド）を抜き、解いて巻き取ったりすると、女生徒の母性と娘性がものすごくはっきり出る。ささっと寄ってきて、何も言わずにどんどん手伝って下さる方と、遠巻きに、眉間に皺を寄せて見ている方がいる。

僕がマザコンで、前者が嬉しいとか、そういう意味ではない。ただ、一口に女性といっても、いろいろな女性がいる。黙ってどんどん手伝ってくださる方からは、かなり健康的な母性も娘性も伝わってくるが、この歳になると、やはりリアリティがあるのは娘性の方だ。最近は、生まれて初めて「介護されている自分」というものをイメージした。夢で、オムツを取り替えられている（なぜか小松菜奈に。僕はオムツを取り替えられながら「お前、アネッサ＝日焼け止めのCMで水着になってないの、あれ事務所NGなの？　初めてだろう。あ、ちょっと本棚にあるお前のハイデガー、あれ持ってきてくれ」と言うと「菅田くんのだよ」と言われたので「あれのCMって今まで全員水着だよな。森星とか」と言ったら「はい終わり。ハイデガーの何？」と言われた）のを見たからだろうか？　フレーッシュ。

ちょっと前に、真夏日みたいな日があった。いっそのこと、汗ばむような真夏日は良いのだ。僕はまた打楽器を買いに、浅草に行った（ジャパンパーカッションセンター＝タモリ倶楽部でロケに行ったところ）。

浅草にゆくのは久しぶりだ。20代の頃は、浅草東宝にクレージーキャッツのオールナイト6本立てとかを毎週見に行っていたし、デートコースの定番が（ミラーボールズの話ではない）

浅草だった時もある。辛うじて僕は、仁丹塔が立っていた頃を知っている。浅草にデートにゆくのは大体真夏で、ヨシカミやアンジェラスや神谷バーに行き、相手が聞きたがる話はなんでもした。徹底的にした。オムレツの話とか、ゴダールの話とか、ベルギーの話とか、歌舞伎の話とか、悲しみについてとか。

一番盛り上がったのは、マルクスの話をした時だ。相手の女性は、マルクスをロシア人だと思い、僕が豆かんを食べながら共産主義について説明すると、

「すごくよくわかった。菊地君の説明は、なんでも、誰よりもわかりやすいよ。それって一番よくない？」

と言った。

「え？　共産主義が」

「いや、どっちも」

「どっちも？　なんだそれ笑。あ、すいませーんアイスコーヒーのおかわりくださーい」

「あたしも。コーヒーフレッシュあげるよ」

「いやオレも使わない」

「その豆かんに入れればよくない？」

「おお、創意工夫の人だ」

「水着持ってきたよ。アタシの良いのないから、お姉ちゃんの黙って借りてきた。ちょっとエ

ロいけどちょうどいいかなあって」

「おお、創意工夫の人だ。車どこ停めた？」

「ええと、あっちの、合羽橋？の方」

30年後に自分が介護されるイメージを持つなんて、思ってもいなかった。

誰でも知ってることだが、浅草は変わった。今や京都や鎌倉のようである。僕は昭和の人間だが、「昭和レトロ」の人間ではない。今の浅草も、今の渋谷も、今の銀座も新宿も好きだ。ここ10年ぐらいで、僕は東京が前より好きになった。

急に思い立って、銅鑼を4つ買おうとしたのである。今度のバンドには、銅鑼のサウンドが必要だからだ。音響的にも、概念的にも。

ラディカルな意志のスタイルズで、最初に作曲した曲は「折りたたみ北京」というタイトルになった。SFファンなら知ってるだろう。中国のSF小説で、ちょっと前に話題になった。未来の北京の話だが、タイトルそのまま実際に北京が、バタンと「折りたたまれる」のである。その時に、行ってはいけない地区に、主人公は決死の覚悟で手紙を届けに行く（裏の仕事として）。

中国製の銅鑼は、強く叩くと音程がはっきり出て、しかもそれが曲がる（「コイーン」という感じで）。これを3つ買って、あと、歌舞伎の浄瑠璃で使われる「和銅鑼」という、重低音の鐘に近い銅鑼も必要で、これは浅草の祭り用具の専門店で売っている。京劇のサウンドと浄瑠璃のサウンドを導入するが、もちろん、エキゾチズムではない（エロティシズムでもない）。

僕はまず、ヨシカミに行って、名物のビーフシチューとエビフライにパン（ヨシカミのトーストは美味い。今は高級食パンとバルミューダとエシレで、部屋で美味いトーストを食う時代だが、ヨシカミのバタートーストは創業以来、全然変わっていない）、どこの何だかわからない赤ワインを頼んで、「ああ美味え。全然変わらねえなあ」と有名なギャルソン（ちょっとオネエ系のおじさん。よくよく見ないとわからないが、彼は（コム・デ）ギャルソンの黒い腰エプロンを巻いている）に言うと、あの噺家のような口調で「あらあ何だか、遅いランチですねえ（入れ墨を見て）。お兄さんそっちの方?笑」と返された。

「いやいやそっちじゃねえんで。どっちかってえと、そっちって言うよりこっちの方ですかね。実家、飯屋だから」

「あらあ。大店ですかあ?」

「いやまさか笑。それよりあの、最近、BSに〈松竹東急チャンネル〉ってのが出来て、毎日、映画やってんですけど、解説が、柳亭小痴楽ってんですよ。柳亭痴楽の孫ですかありゃあ?」

「5代目の倅よお」

食べ終わり、壁のポスターを見ながら、

「こぶ平も、面構えだけは生意気に正蔵になりましたね」

「（小声になって）いやあ頑張ってますよお師匠も。えへへへへへへ」

「ごちそうさんでした。僕、こちら伺ったの、30年ぶり。お兄さんて歳じゃねえんですよ笑」

「あらあ、それはそれは〜。でも、そういう方も多いのよ。ありがとうございました。またどうぞ〜」

それから「マウンテン」に行って、アイスコーヒーと豆かんを食べながら、ノートブックでＪＰＣの品揃えを確認し、岡田屋さん（祭り太鼓から、浄瑠璃の楽器までみんな売っている和楽器の大店）の定休日を見たら、今日がそうだったので「うわくっそー」とか言いながら、店を出たり入ったりした（入り口の前に専用の吸い殻入れがあり、そこでタバコを吸うので）。「お姉ちゃんから黙って借りてきた水着」は赤で、当時は当たり前の、笑うぐらいのハイレグだった（ベイウォッチみたいなやつ）。昔はこんなことを思い出すと、思い出すだけで勃起していた。今は全くしない。「ああ、懐かしいなあ。あの彼女も、今は50かあ。幸せにやってんだろうか」とか思うばかりだ。

ＪＰＣに入ると、店長が一瞬「あれ?」みたいな顔をしたが、他の地区ならともかく、浅草で入れ墨は、まあ、新宿で入れ墨とか、麻布で入れ墨とか、リオデジャネイロで入れ墨とかとは意味が違う。ひょっとしたら「タモリ倶楽部」の事を覚えていたのかも知れないけれども。

エスニックフロアが2階だったんで、階段で上がる。客は1人もおらず、「ちょっと、銅鑼叩いて良いですか?」と言ったら、丸メガネをかけた若い店員が、あれは絶対バレたと思うのだが、「あ……き……」と言って、店員らしく口をつぐみ「どうぞ」と言った。中国製の銅鑼は本当に、一個一個が全然違う。こんなに違っていいのか?というぐらい違う。

なので、店にあるのを全部叩いて、ハイ、ミッド、ローを1個ずつ選び、商品スタンドに吊って、マレットで撫でるように柔らかく当てたり、フルスイングで思いっきり打ったりした。最後は5拍子の曲のデモ演奏みたいになって、物凄い音量でポリリズムに没入していたら、勃起していた。

こりゃまずいと(スエットだったので、丸わかりである)トイレに行き、ICIやモエさん等と一緒に浅草寺に行ったことを思い出した。モエさんは大変頭が良く、ICIは大バカなので(市川愛さんがバカなわけではない)、2人は大変に仲が良かった。ICIが「あたし抹茶のソフトクリーム超食いてえ」(そういう喋り方をする)と言うので、モエさんがニヤニヤして、僕が3つ買った。夜電波が何年目かを迎えていた頃だ。「ラッパー同士で飯でも行きませんか?」とか、なんかそういう話だった気がする。〈ラッパー同士〉て笑。

当時、コロナもなく、僕の産みの母親も生きていた。すっかり勃起が治る。あの日も夏だった。今更改めて言うことでもないが、SNSはやらない方が良い。やっていたら「今、モエさんやICIはどうしているだろうか?」などと、そもそも考えもしない。即検索だ。あんなつまらないことはない。

売り場に戻り、「これ全部ください。ケースはありますか?」と言うと、「下のドラムフロアに、シンバルケースがあります。それが一番良いと思います」と言われ、ドラムフロアに行くと、今度はにべもなく「あ、菊地成孔さんですよね」と言われた。

「何をお買い上げですか?」

「銅鑼(笑)」

「えー、銅鑼」

「そう。ケースくれって言ったら、こちらでシンバルケースで見繕ってくれって言われまして」

「新しいバンドに使うんですか?笑」

「なんで知ってんの笑」

「いや、Yahoo!ニュースになってたんで笑」

「あそうか笑」

僕は今、金属の音を欲しがっている。ヴィブラフォンにピアノに銅鑼。僕はヴィブラフォンの相川さんに、マレットではなく、ガムランで使う、カギ状に曲がった金属製の鉄爪みたいなので演奏してくれと言おうと思っている(無理だが)。ラディカルな意志のスタイルズは金属のバンドだ。金属でありたい。

長沼に電話すると、もう近所にいるとのことで(迎えにきてもらったのだ。そのままリハビリに行こうと思っていたのだが(※註)、間に合わなかった)銅鑼を詰めたシンバルケースを肩にかけて、路上で一服した。なんてことはない、バカみたいな話だ。僕は「ここ10年ぐらいで、今日が一番楽しかったかも」と本気で思っていた。なんか楽しいな。すごく。春という地獄が待機しているというのに。30年前に浅草でデートかなんかしていた僕も、あと30年も待たずに介護が必要になるだろう。いろんな事をしてきたよなあ。もう、なんか、思い出だけで充分かも。楽しかったなあ。今日。3時間ぐらいしかいなかったのに。

それから僕は、突然、猛烈な着想に駆られて新曲を30分で書いた。「これどうせ、最初は意味わからないとか、ぺぺやDC/PRGのが良いと言われるだろうな」と思うと、ワクワクしてきた。まだまだ未来に向けて打つとワクワクするのだ。しょうがねえな笑、と思う。もうちょっとで59になるというのに。鼻の奥がムズムズしてきた。

(※註) そもそも筆者は、この日記本の開始前に、人間ドックの帰りに右足首を90°ひねり、靭帯損傷でリハビリ中なのであった。その痛みと不自由さは、この日記本に通奏的に流れている。

「また作ればいいでしょ、プラスチックモデルぐらい」

2022年5月2日　午前6時記す（前回から14日経過）

僕のようなSNSやらない派でないと、その存在のリアルさが伝わりづらいだろうが、僕にはSNSタレコミ屋の友人がいて、そいつは僕が嫌がりそうなことがSNSにあると大喜びで電話してくる。友人であるが故の、程度をわきまえた愛のある嫌がらせであり、彼は例えば、町山さんとの騒動に関しては黙殺していたが、ニヤニヤ笑いながら報告できる件に関しては垂涎というに過言ではない態度で電話を鳴らす。それ以外の働きをしない。

「ナルちゃーん。子供の頃の原稿が晒されちゃってるよーんw。バズってますよー。バズってw。くひひひひひひ」と、大喜びで言ってきたので「なんだよそれー怖いわー。子供の頃ってなんだよ身に覚えないよー。今更バズりたくなんかないよー。バズ・ラーマンじゃあるまいしよお」と言うが早いか電話を切ってしまった。

まあ、デマの類だろうと思っていたら、別の友人にも（これは普通に音楽家の友人）、「菊地さん、子供の頃の投書が残ってたみたいですよ。読みましたが、あれすごいですね。何なんですかアレ」と言われ、それでもまだ僕は「ええええええええええ？　なにそれ身に覚えないよ。

イタズラでしょう」とタカをくっていた。

そうしたら翌日、当コメント欄常連のsoftcoreさんから以下のようなメールが届いた。

〈菊地さん　こんばんは　日記ではsoftcoreとしてコメント書き込みをしている○○です。

既に同様のタレコミメールが入っていそうですが過去の菊地さんのテキストがツイッターで発掘されました。

数万人のフォロワーを持つ八谷和彦さんがRTしているのでまだ広まりそうです。

1975年のタミヤ模型の広報誌に、おそらく菊地さんの投稿であろうテキストが掲載されています。覚えていますでしょうか？（後略）〉

一読し、「うっわー!アレか!!」と、すぐに思い立った（自分もイスから立ち上がった）。ファンの方なら察しがつくと思うが、もちろん現物はとっくに手元にない。この辺りまでは会員以外にも読めるエリアだと思うので、早いうちに結論を書くが、八谷和彦さんには面識も知己もないけれども、大変嬉しく、甘酸っぱく思うと共に、現物をよこせとは言わないが、Twitterにアップされた写真だけでなく、掲載号全ページの写真が欲しい（懐かしすぎるので）。

●菊地成孔
わたしの家はそば屋、わたしはプラスチックモデル一つ作るにしろ客のいる前でコソコソやらなければならないのです。ある日、ぼくは店のすみでジオラマを作っていたのです。すると子どもずれの客がはいってきて子どもは2〜3才ぐらい店の中をうろうろしていた。ぼくのプラスチックモデルをのぞいていた。するとつぜんトイレにいきたくなってトイレに入った。出てくるとなんとぼくのジオラマがメチャメチャになっているのではありませんか!!　そこには例の子どもがいておいてあったティゲルをもってあそんでいた。ぼくはその客のかおをにらみつけた。客は「あらだいじなものごめんなさい、さあぼうやいらっしゃいなさい」と言って子どもをよびよせてだまっている。そのうえ半分ニタニタわらっているのだ。苦心してはりつけたフィギュアーも、やっとつくった標式も、地面も、みるもむざんにあらされていた。その時はまあ子どものことだと思ってガマンした。でもぼくは「こまるじゃないですか」と言うと「また作ればいいでしょ、プラスチックモデルぐらい」ぼくはそのことばをきくなり、そいつらのテーブルをひっくりかえしてやろうかと思った。そんな言いぐさなんかあるか!!「また作ればいいじゃない」とは、いろいろ苦心したのに苦労をしらないのか（しってるわけないが）「プラスチックモデルくらいだって」おもちゃじゃないんだぞ!!　そうおもってにらむとこんどはその子どもがなきだして「なにもなかすことないでしょ」と言った。今度こそほんとうにテーブルをひっくりかえそうと思ったがその客はさっさと帰ってしまった。そのあと母にしかられた。その日はくやしくてねられなかった。これでいいのか、「プラスチックモデルをたかが」をつけてよばれるようになって。作りなおせばなんどでもおなじものができるようになっていると思われているのか!!　全世界モデラーのてきだ!!　これをよんだ大人にもそんな人は少なくないだろう。それにしてもあのキチガイ親子め!! 今度あったらおぼえてろ。

(「TAMIYA NEWS」July 1975 Vol.52)

また、これは八谷さんではなく、外野の声だが、褒めてくれているのに申し訳ないけれども、「12歳でもう菊地成孔は菊地成孔だった(ので、凄い)」という声には「いや、僕だけではなく誰だって生まれた時からその人でしょう。文章力や思考力だって、僕、4歳から今まで何も変わらないんですけど」と、「文章が上手い」という声には、「もしこれが上手くて、今が読みヅラくて気持ち悪いとか、あれやこれやで残念とか言うのであれば、それはショタコン&老人差別者ではないでしょうか。残念なのはそっちだバーカ」としか言いようがない。

何せこれは、官製ハガキの裏に、鉛筆で書いたもので(「(僕の家は)そば屋」とあるのは、小学5年生なのに「和風割烹」「食堂」と漢字で書けなかったからだ。クイーンの「Yの悲劇」めくけれども。また、「キチガイ」は、当時あらゆる媒体で禁止語ではなかった)、タミヤニュース編集部の校閲ががっつり入っている。というか、「投書」はみんなそういう経緯をたどる。そういう時代だ。

タミヤ(旧「株式会社田宮模型」)がプラスチックモデル界に参入したのは僕が生まれる直前のはずで、現在も健在、どころか、ミニ四駆やフィギュアなど、あらゆる時代のブームに乗り、一種の帝国化していることは僕も知っていた(つい先日見た「テレビ千鳥」でも「ミニ四駆で対決したいんじゃ」という回で、タミヤが丸の内かどこかに、巨大なショールームを持っていることを知った)。

誰でも「一時期おおいに熱中したが卒業した事」があるだろう。「幼少期から熱中し、それが現在まで不断に続いている事」、というのは数少ないかも知れない。音楽、映画、料理、服飾、が僕の四天王で、気がつけば全部仕事にしてしまった。これは意地汚い。

「卒業してしまった事」は山ほどある。特撮映画や特撮番組そのものより、ソフビ人形が好きで、プラモデルの前の収集癖はソフビ人形だったし、オール讀物と少年ジャンプは商売柄、実家に常に置いてあった(僕が買ったのではない。おそらく本屋に発注して毎号取っていたと思うアレは)ので、全号熟読していたし、ほんの一瞬だがボクシングにもハマり、ジムに入会したこともある。麻雀は今でもMリーグ(プロ雀士のリーグ)のテストを受けようかな?と思う時がある。ボクシングではない、フィットネスのジムも、10年ほど熱心な会員だった。小学6年生(この投稿の翌年)から吸っていたタバコは30年ほど愛好したのち卒業したが、コロナ禍中に突如として夜学に再入学した。

ネットでの日記書きも、写真や動画の撮影も、当ブロマガ立ち上げまでは大いに熱中した。僕は早すぎたブロガーであり、もっと早すぎたインスタグラマーなので、どっちのメディアも古いと感じている(みんなまだアレやってるのか。まあでも気持ちは良くわかる。と思っている)。

それは兎も角、以下、僕と同世代もしくは近隣世代でないと全く通じないと思うのだが、タミヤ帝国は、ミニ四駆やフィギュアよりも遥か前に、「二次大戦の戦車や兵士（陸戦系）」と「ウォーターラインシリーズ」と称された、軍艦の（旧田宮模型の、最初の製品は、戦艦大和だったと記憶している。ポスターがあった）シリーズを扱っており、陸戦系専門だった僕は34分の1スケール（陸戦系のプラスチックモデルは34分の1系と48分の1系に分かれたが、タミヤは前者だった。タミヤが製品化していない物のほとんどはイタラエリという、イタリアの玩具メーカーに頼るしかなく、僕は伊勢丹のおもちゃ売り場でそれをいくつか入手したが、日本の手工業の偉大さを痛感するほかなかった）の戦車、兵器、兵士、を中心に、小遣いを全部つぎ込んでいた。それは小学校5年（11歳）から始まって、中学2年ごろまで続いた。

銚子市に「観音町」という、浅草の浅草寺周辺を模した、観音寺を中心にした繁華街があり、僕の実家はもともとそのエリア内で商売をしていたけれども（銚子大空襲によって焼き払われた観音町の中で、その店は奇跡的に空爆被害から免れ、食に飢えた銚子市の民衆相手に大繁盛していた。父親は満州から復員して、闇市で仕込んだ闇米を元手に、先代と共に、昭和30年代には現在でいう〈食べログ地域ナンバーワン店〉として名声と隆盛を誇った）、我が家の英雄である先代は胃ガンに侵され、戦後すぐに46歳で亡くなり、先代を崇拝していた父親はそのことが耐えられず、同じ店舗を継ぐことができなかったので、そのエリアを出て自らの新店舗を建て、再出発したが店を潰してしまった。それが「映画館と映画館に挟まれた」僕の実家である。

その、観音町の入り口に「ミソラ電気」という電気屋があり、そこも戦前は家電屋として繁盛していたが、戦後、プラスチックモデルが商売になると判断して、「電気店」の名前はそのままに、家電からは漸近線的に手を引き、最終的に「電気屋という名のプラモ屋」に様変わりした。

小学5年生から中2までの4年間ほど、僕はそこに毎日通い、あらゆる商品を手にとって箱を開け（今はどうなのか知らないが、当時はそれが許されていた）、組み立ての説明書を読みふけっては陶然としていた（そのあとは、観音寺の裏でタバコを吸い、駄菓子を食べていた）。当時は日常に起こるありとあらゆることに陶然として、毎日が天国だったが。

タミヤは、こうしたエンドユーザーを育成、組織化するために、「パチッ特集号」という、自社製品をメインに、ジオラマ（箱庭）を組んで写真に撮影したもののコンテスト誌（正方形だった。もちろん、一部も手元にない）を出版し、現在でも刊行され続けている「タミヤニュース」と両輪で回していた。

戦争映画が好きで（海外の。日本のものは全滅で、東宝小僧である僕も、本多猪四郎×円谷英二の代表作は、戦記物だけではなく、特撮全般も観ていない。が故に、僕の専門である、クレージーキャッツ映画などに、本多×円谷が特技監督としてゲスト参加してる作品を観るたび、特に爆音を中心とした音響に感動している。円谷の爆音はサンプラー前のサンプラーである）、二次大戦のあらゆる資料、小説を読みあさっていた僕は、日本海軍の戦艦やアニメキャラ、スポーツカーの類には目もくれず、欧米の二次大戦を再現するジオラマ作りに腐心していた。

タミヤは僕のようなエンドユーザーに、ジオラマ作りのノウハウを教え、材料も販売していた。「パクトラタミヤ」という着色剤もほぼ全て揃え、5種類の絵筆、プラ板やピースコン（着色剤の噴霧器）、簡単な電熱器、等々、周縁器具も買えるだけ買い揃え、資料写真に基づいて、完成品の戦車をユーズドに仕上げたり、製品化されていない軍用車を、製品を元手に改造車よろしく作り上げたりしていた（こうした工程は「スクラッチビルド」と称され、おそらく今でも現役語だろう。当時は意味がわからなかった）。

ジオラマは、箱庭療法に似ている。とまでは言わない。野球好きの少年が、野球をやるようなもので、当時、確か、熊谷という人がいて、ジオラマの天才として君臨していた。誰もがその人の真似をしたに過ぎない。僕は砂漠を表現するために、実家にあったきな粉を使って土台をこしらえたが、修学旅行に行って帰ってきたら、砂漠が芝生に変わっていた事もあった。きな粉製の地面に、一面鬱蒼とした緑カビが繁殖していたからだ。あの時の衝撃は、しかし、やや箱庭療法的だったかな。とも思うけれども。

どうして卒業してしまったのかは覚えていない。卒業は時限式で、理由なんかないのかも知れない。ただ、実家にロクなカメラがなく、どれほどジオラマ作りに執心しても、肝心の写真がうまく撮れなかったので徒労感が募った記憶があり、フロイドの作法で行けば（ラカンの作法で言えば、全ての卒業は、それが「対象a」だから。ということになるけれども）、これが後々のデジカメ小僧化、ハンディカム小僧化する根拠かも知れない。あの時、ジオラマをメチャクチャにして謝る気も見せなかった派手な服装の母子が憎くて（本当に殺意を抱いたので思いっきり睨んだら泣き出して、こっちが悪者になった）、子供と美魔女が苦手になったのかも知れない。何れにせよ僕が、前述の四天王を除いて、様々なことから卒業したベーシックな理由は、セックスを覚えたから、そして、オーディオセットを買ってもらったからだろう。セックスばかりしていたという意味ではない。セックスは何にでも結びつくが、四天王との結びつきは特に強い。しつこいようだが、セックスしながらオーディオセットを鳴らしてた。ということでもない。

文中、「プラスチックモデル」とあるのは、当時のタミヤニュースの中で「〈プラモ〉〈プラモデル〉は卑近な言葉で、〈プラスチックモデル〉がリベラルで正しい」という論調があったからで、1975年当時でも、「軍事物のプラモデルを子供に与えるのは好戦的である」と、問題視する〈古い論調〉もあったこと、は記憶してる。両親は典型的なネグレクターだったので、全く叱られなかった。父親はのびのび満州鉄道警備隊員で、南方の地獄を知らない。ましてや欧州の戦車など、見た事もなかったろう。彼は西部劇は好きだが、戦争映画は嫌いだった。

僕はこの時期に、現在の世界地理の基礎を築いた。「アバディーン戦車博物館」に行きたかったのだが、それがどこにあるか知ったのは、地球儀を買った高校生になってからだ（当時の僕は、語感からカナダであると思っていたが、実際はイギリス北部だった)。パリ、ベルリン、ワルシャワは言うまでもなく、ノルマンディー、レニングラード、スターリングラード、クルスク、キエフ、ダンケルク、ドレスデンetc、夢と冒険を象徴する都市名。このほとんどに、僕は後年、楽旅で行った。またしてもラカンになるが、「憧れる」力、というのは恐ろしい。

書いていて思い出した。僕は、プラモデル制作中にタバコは絶対吸わないでいた。「うおーヤニ切れた」という感覚は、プラモデル製作中の記憶と奥底で結びついているはずだ。そして、板前修業をさせられた時に、接着剤や塗料で汚れた指先を除光液みたいな物で綺麗にしてから板場に向かった。しかし、異常に鼻の利く(板前だから当たり前だが)父親に包丁の柄(グリップ)で張り倒された。天ぷら油に引火したらどうする。と怒鳴られて。だからプラモデルから卒業した、ということではない。彼は、人に物を教えるのが下手で、教えれば教えるほど苛立つようなタイプだった。もうプラモデルは作れないだろうけれども、料理は作れる。音楽を聴き耽り、楽器を磨いている僕を見る彼の視線ほど哀れなものはなかった。怒る理由がつけられなかったからだ。

(※追記　驚くべきことに、僕のこの投書の現物——タミヤニュース誌ではなく——は、なんと僕の最初の妻が所持していた。猛烈な胸騒ぎに駆られて電話したら、「えアレ?　あなたが有名になったばっかりの頃、タミヤニュースの編集部の方が送ってきてくれたでしょ。ええ?!

あなた覚えてないの!!」「ハガキ？　あなたは手作り原稿用紙を封書で送ったのよ！　一緒に見たでしょ!!　要らないなら売るよアレ」と彼女は電話口で言った)

(※追記2　彼女は返す刀で「あのさあ、離婚した時あなたが置いてったもの、で言えばさ、あなたアエロフロートの備品全部持って帰ってきたの忘れてるでしょ？　機内誌とか櫛とかゲロ袋も全部!!　チケットの袋に〈現金は旅行鞄に入れないように〉って書いてあるやつよ!!」と言って「要らないなら売るよアレ」と電話を切ってしまった)

(※追記3　再び電話し、「あのさあ、いろいろ何でもあるのか……な？……」と、恐る恐る聞いたら「あなたを殺せるほどあるわよ。〈死ぬほど恥ずかしい〉って言うでしょ。世間ではね」と彼女は言った)

(※追記4「え？　あのさあ、何で今、アエロフロートの話したかねあなたは？」と言うと、「だって他の航空会社のものなんか、何も持って帰って来てないじゃん。ずっと不思議だったのよ。え？　アエロフロートに何かあんの？　いま？　戦争だから？　ねえ要らないよね？　売るよコレ」と言った)

(※追記5　いきなりだが、新音楽制作工房は、来たる5月23、30両日に青山クラブゼロでDJパーティーを行います。詳しくは長沼のTwitterで)

(※追記6　所持しているサキソフォンとマウスピースを——現在使用モデルを残して——全て売却することにしました。詳しくは後日)

（※追記7　僕は、手元にない全ての過去楽器を売却か廃棄したと思い込んでいる。が、ひょ……ひょっとして……）

上島竜兵さん、お疲れ様でした

2022年5月12日　午前4時記す（前回から10日経過）

僕が言う事ではないのはわかっている。わかってはいるが「しまった」としか言いようがない。玉ちゃんに思いを馳せていたら、横っ腹から突っ込まれた感じだ。

もうストーカーも何もない、来るなら来ればよかろう、と判断して書くが、僕が事務所兼自宅にしている場所は、太田プロから徒歩で行ける範囲だ。昨日、目が覚めてベランダで喫煙していたら、太田プロの前に人だかりができていた。

（ん？　こんなのは初めてだ。有吉が離婚でもしたのかな？）とタバコの煙を吐いていたら、ものの数分で物凄い胸騒ぎが訪れ、テレビのスイッチを入れたら、信じられないニュースが各局で報じられていた。

もう一度書く、僕の言うセリフではないことは重々わかっている。それでも僕は「しまった」「しまった。くそう。くそう。くそう！」「何だよ！　しまったぜ!!　くっそう!!」と何度も叫んで、自分で始末することが出来なそうな、とてつもない悲しみが襲ってくる予感とともに動転していた。

あの宮崎哲弥のコメントさえ動転していた。彼は、悲しみと混乱を隠すことができず「あのう、あのう、とにかく、あのね、(やや激して)彼と僕は同世代なんですよ」と言うのが精一杯だった。宮崎の知性が、ぎりぎりで「(故に)気持ちがわかる」という、言ってはいけないセリフをセーブさせた。それでも宮崎の目は、見るのが忍びないほどだった。

自分を落ち着かせるためにも、まず、玉ちゃんについて前回書き切れなかったこと全て吐き出すことにする。

BS TBSの「町中華で飲ろうぜ」の4周年突入記念回は、前回の日記にある通り、四谷だった。四谷は、新宿生まれの玉ちゃんにとって、たけしさんに弟子入りし、金を借りて住み着いた場所であり、オフィス北野の前に所属していた太田プロがあった場所だ。

「ビートたけしの一番弟子」「太田プロとオフィス北野」「ビートたけしのオフィス北野離脱により、オフィス北野は〈TAP〉と改称」といった話題は、僕よりも読者の皆さんのがお詳しいかも知れない。

浅草キッドは、一昨年に事実上の解散をしている。玉ちゃんがTAPを離脱し、残留する水道橋さんと袂を分かったからである。僕より4つ若い、今年55歳になる玉ちゃんのブルースは濃密だ。

コロナにより、この番組の、〈突撃取材によって、玉ちゃんが営業中の店に入り、どんどん酒を飲み、餃子を食いながら、そこの常連客と良い調子で話して、上機嫌になる〉という、立ち上げ時のフォームは、開始以来、すぐに崩れてしまった。部屋飲みのリモート番組になったり、町中華にはゆくが、アルコールは抜き。という、コロナが飲食業に食らわせた苦闘をモロに食らいながらも、番組は愛され、ここ最近は、何とか最初期のフォームに戻ってきた。

しかし、最新回、四谷編で、番組は当然、「南昌飯店」を選んだ。伝説のこの店は、太田プロ所属芸人の血肉を育んだ、コロナ禍中も早朝までの営業を崩さなかった店だ（どうでも良い話だが、僕の父親が信濃町の慶應病院で危篤状態に陥った時、僕と兄が看護疲れに夜食を食べに行ったのがこの店である。深夜3時に開いている店が、ここしかなかったからである）。

玉ちゃんは、珍しく自嘲的な、苦しそうな重い表情で「太田プロの芸人はみんなここで体を作った。カンニング竹山なんて、体のほとんどがここのラーメンとチャーハンで出来ている」と言い、「自分も何回も来た、が、毎回泥酔していたので、正直、記憶がない。何を食ったのか、全く覚えてない」と言った。

僕は「頑張れ」とか「応援してる」という言葉が正直大嫌いだ。昔から嫌いだったが、今ほどこの言葉が無反省に価値を上げてる時代はないだろう。小学校の運動会でもあるまいし。それでも僕は、画面に映っている玉ちゃんの苦しそうな表情に向かって「頑張れ玉ちゃん。頑張れよ！」と言った。将来、何かの機会があって一緒に飲むことがあったら、玉ちゃんが潰れるまで付き合うから。

僕はこの番組にどれほど助けられたか知らない。現在、瓶ビールの「大瓶」は、全社633

ミリリットルである。玉ちゃんはこの事実に対して、「大人の義務教育」という名パンチラインを生み出した。僕は涙が出るほど笑った。水道橋さんのマナーから離脱した、玉ちゃん独自の名パンチラインだ。

玉ちゃんは、新宿生まれの呑ん兵衛で、ブルースと共に生きている。その属性と、水道橋さんのマナーで、いわゆる「知的に気の利いたフレーズを用意している」ことのキメラである。僕は、玉ちゃんが、水道橋マナーを大切にしていることが悲しかった。仕方がないことだが、美しいことでさえあるのだが、それでも悲しかった。なので「大人の義務教育」は、何の抵抗もなしに笑い、癒された。玉ちゃんが浅草キッドを出て行ってからの、最初のパンチラインだ。

僕は、水道橋さんに何故かマークされ、ちょっとした付き合いもあった時期がある。おそらく、知的で分析的な人物に興味があったのであろう。しかし、水道橋さんは会うといつでも怖かった、目には滾るものがあった。まだ仔細には書けないが、僕はビートたけしさんと、ほんの一時期、メールを頻繁に交換していた時期があった。爆笑問題さんとはラジオで意気投合し、特に田中さんは無邪気に僕のことを「すげえすげえ」と言ってくれた。

そこには玉ちゃんがいなかった。僕が玉ちゃんと初めて生で遭遇したのは、高円寺に住んでいた時、深夜のジュース自販機の前で、浅草キッドの2人が、ジュースで当たりを出すまでトライしていて、往生した時だった。2人は「日本の芸人の中で、一番男気があるのは、エガちゃんだ」と、褒め称えていた。玉ちゃんはあの口調で「まちげえねえよ！　まちげえねえ！」と叫んでいた。もう、ベロベロに酔っていたと思う。

のちに玉ちゃんは、自伝的小説『新宿スペースインベーダー』を、僕に送ってくれて、便箋に手書きで「菊地さん、これ書きました」とだけ添えてあった。「読んでください」すら書いていない。僕はグッと来すぎて、たった一瞬の邂逅をしくじってしまった。

江頭氏は、特に「アメトーーク！」の中で、出川哲朗氏との相互リスペクト関係を強調していた（出川氏の今日の貫禄と成功は、出目が良い＝老舗の海苔屋のぼんぼん、というリッチさからくる人徳で、ワイルドでストリートな江頭氏の、愛にも近いリスペクトを、余裕で受け止めていた）。フィルタリングは、というか、自然淘汰は残酷である。ダチョウ倶楽部は、そもそも4人だったのが3人になってブレイクスルーしたが、はたから見ても、関係に問題を抱えているなと思わせながらも、結束し続け、じゃによって、孤高の地位を結晶化させてきた。

「南昌飯店」に戻る。伝説の、「有吉が、〈竜兵会〉で、上島竜兵氏の焼酎のボトルにいたずらし、中身を全部水にして、チューハイセットでどんどん飲ませたら、上島氏が顔を真っ赤にして酔っ払った」というのは、ほぼ間違いなく、この店での事だ。僕は、「竜ちゃんいじり」という愛の形が、これ以上の完成を見せる時は永遠に無い。と思っている。有吉はＷＢＯの天才である。

勢い込んで書き始めたが、もう自分でも何を書いているのかわからなくなってきた。僕は、それが誰であれ、理由（それを他者が完全に知ることは不可能だが）如何を問わず、自死を選んだ人々の尊厳は普通に守られるべきだし、つまり、自死を悪徳視したり、英雄視したり、いたずらに悲しんだり、いたずらに移入したり、批判するべきでは無いと思っている。のでしない。

ポール牧が飛び降りた時も、ビートたけしが突っ込んだ時も、僕は「当然だろう」ぐらいしか感慨がなかった。このブログフォームは、動画は全て過去ログが残るが、テキストは3年分を残して過去が消えてゆくので、もう自分でも読み返せないのだが、加藤和彦氏が縊死した時に、このように書いた記憶がある。「我々は、アンチエイジングなどしている場合ではない。大人という、非常に贅沢な演技が全うでき、老人という、非常に贅沢な本質が全うできる社会を取り戻すために、全セクション総力を上げて闘って行かねばならないのです」。もう10年以上前の話である。

僕が若者に祭り上げられたり、踏みつけられたりなど、可憐極まりない話だ。何なら、あの青臭いだけのバカ集団だった（米国）ヒッピーのセリフをもじって「don't trust under 40」というTシャツぐらい作っても良い。中壮年が生きづらい世の中なのだとしたら、たった1人でも抵抗して、やがて潰してやる。薄っぺらぺらで言いたい放題のガキどものツラなど、買ったばかりの革靴で踏み潰せば良い。

だからこそ、とは口が裂けても言わない。が、竜ちゃんの自死は、自分でも驚くほど堪えた。あれだけ愛され、実績があり、リスペクトされているレジェンドが首を吊らなければならなかった理由を、還暦直前の僕は、詳しい内部事情など一切知らないまま、それが僅かコンマ何パーセントかもわからないが、はっきりとわかるからだ。

宮崎哲弥では無いが「年齢が近いんですよ」とも言わない。中壮年を敬えガキども、とも言わない。志村けんの病死が、いかに竜ちゃんにとって大きかったか？などと御高説を打つつもりもない。僕は何年か前に、この日記で「老いたる者の義務として、これから死を表現する」と書いた。しかしそれは、死そのものを見せることでは無い。死神とダンスすることである。

今ほど〈無念〉という感慨が日本中を覆っている時は無いのでは無いだろうか？〈無念〉は子供には抱くことのできない、強い感慨である。残念とか苦しいとか、死にそうとか、これがあれば生きてけるとか、頑張れとか応援してるから、とかが関の山であろう。

竜ちゃんの報道記事に「命の電話」の案内なんか添えるんじゃねえ。あれは「無念」という感慨を持たない、保育器社会の中でのホスピタリティに過ぎない。僕は今、とてもとても無念だ。そして、僕よりもはるかに大きく強い無念を抱えている者が1人でも多いことだけを、今、祈っている。上島竜兵さん、お疲れ様でした。あなたが遺した「いいか！　絶対に押すなよ」という偉大なパンチラインを、世界が完全に破棄してしまうことは永遠に無いでしょう。たった今も、未来も、どこかで誰かが、あらゆる場所で使い続けるでしょう。

芸人批評

2022年5月14日　午前5時記す（前回から2日経過）

心の喪（の作業）は終わっていない、一生終わらないかも知れない。なので、儀式としての喪の作業をすべく、近所のホテル（ここのラウンジで、太田プロの芸人の方々が打ち合わせやインタビューをしている所に遭遇したことはない。もちろん、上島竜兵氏も含む）でカフェオレを飲み、南昌飯店でラーメンと餃子と酢豚と炒飯を食い、レモンサワー（中身は佐藤〈黒〉）を4杯飲んでそのまま寝た。

ファンの方ならご存知の通り、僕は焼酎は飲まない。ので、初めてのドラッグのように物凄く効いて、内心で（我ながら「泥酔」という状態に近いなコレは）と思いながら1分以内で帰宅した。

壮年になると（過去「熟年」という言葉があり、僕は特に好きでも嫌いでもなかったが、東京医大の偉い医者かなんかが作ったあれを大いに気に入り、推奨したのが森繁久彌である）、飲酒の勢いで寝ると、妻子がいるか、独居かにかかわらず、死亡リスクが高まる。

「妻子や友人（やペット）がいれば（孤独ではない？から？）自死は免れやすい」という戯言

を信じている日本人も、もう少ないはずだが、泥酔からそのまま寝ることのリスクも全く同様であろう。「孤独死」を、極端に恐れるのは一種の症状である。友人知人に囲まれても、死ぬ時は1人だ。

僕はおそらく、生まれて初めて泥酔した勢いでそのまま寝た。今までは、どれだけ飲んでも、部屋に帰ったら水を大量に飲んで、完全に酔いが覚めてからでないと寝なかった。吐瀉逆流による、求めない窒息死が怖いから、とかではない。1ccでも吐き戻したら、どうわー！とか言って笑いながら飛び起きる自信があるし、そもそも泥酔によって吐いたこともないし、吐き気を催したことすらない（理由は――またしても――フロイド的に明確であろう）。

それより、泥酔者独特の蛇行で、間違って物を壊してしまったり（部屋が楽譜とCDと楽器の山なので、何を破損するかわかったもんじゃない）、転んでどこかを打ったり捻ったりするのを避けるため（それでもとうとう、人間ドックで何も出なく、喜びに片手を天に突き上げた瞬間に靱帯損傷するのだから、もう、いつ転んでもおかしくないが）もあるし、何よりも酒が抜けてゆくのは、酒が回ってゆくのと同じ快楽があるからである。夜が明けるのに似ているし、実際、その最中には、多く、夜が明けた。

今、目覚めたら5時間経っていた。導入剤よりも遥かによく効く。というか、シンプルに恐るべき爽やかさがあり、頭の回転が早くなっていて驚いた。部屋は（買った覚えも飲んだ覚えもないミネラルウォーターのペットボトルの空き瓶が3本転がっていたこと以外）全く荒れておらず、寝巻きに着替えて布団も普通にかけていた。昨日はオーニソロジーのレコーディングで、50枚を超える楽譜が使用されたが、それもきちんと整えて机の上にあった。夜は明けていた。雨が降って空は暗い。端的に言って、美しい。

ベランダではなく、自室で一服し（太田プロが見えて気が悪いので）、更にミネラルウォーターを1リットル飲んで、トイレで小用とついでに大用も足し、「ふーーーーーーーっ」と長い嘆息をした。僕は二日酔いという経験をしたことがない。流石に今日はあるかと思ったが、むしろ平均値より爽快でびっくりした。これが世に言う「焼酎は翌日残らない」という、ホントかウソかわからない俗説の傍証であろうか。

言うまでもないが、僕は自死者が可哀想だとか、自死が悲劇的だとは全く思っていない。我々全員に死の義務が有るし、医療がどこまでも発達すれば、最終的に人は自死と事故死しか選択肢がなくなるだろう、という発想を基盤とした物語は、20世紀に生まれ、佃煮にして売るほど有る。

現代は更に「死にたいと思いながら生きる」「生きる希望を失ったまま生きている」物語の時代だ。僕はその物語に用はない。当たり前すぎるし、僕が軽躁質で、音楽がいつでも内部で生成されるからだ。最近はこうした属性すらも人を腹立たせ、苛立たせているようになったと思うと、誠に申し訳ないがやや痛快である（別の話だが、単にフロイディアンであることも、ドゥルージアンのみならず、「（ポスト構造主義の？）頭の良い人たち」には腹立たしい、あるいは嘲笑や唾棄を誘発させる強いものだと思う。併せて痛快である。僕の考えでは、アンチフロイドは、アンチフロイドコンプレックスの症状でしかない）。

そうした中、自死に対するシンパサイズとデリカシーのあり方は、ここ10年でゆっくりと着実に、だいぶ変わったのではないかと推測している。もちろん、年寄りなので、「最近の風潮」の多くには否定的にならざるを得ない。諸君、ブルーズはどこに行った？　更に正確を期するならば「私は現代的なブルーズを、どうやら愛好できないようです」と書くべきだろうか。

あまりに頭と体がすっきりしたので、芸人批評を書くことにした。長年文章を書き散らかして来たが、いわゆる「芸人」に関する芸談というものは、あまり書いたことはなかったように思う。思いつくままに書くので、どこまで長くなるか自分でも予想がつかない。

＊

僕は、小林信彦のパイオニアとしての偉大さを理解しているつもりだし、学童の頃から読んでいる1人なので影響も自覚しているが、彼の仕事の中枢である、肝心要の喜劇人批評は、基盤に大きすぎるバイアスがあり（いわゆる現場主義）、全く、とは言わないが、賛同できない。誤解を承知で言えば、相倉久人先生と似ている。

相倉先生は初対面の時、僕と具体的な距離（2メートルぐらい）を取って、ゆっくり僕の周りを回りながら、古畑任三郎のようなポーズのまま、「君にそっくりの音楽家を僕は知っている」

と仰って、ドキドキしながら託宣を待っていたら、（繰り返すが、古畑任三郎のような仕草で）人差し指をさっと僕に向け「近田春夫」と仰ったので、あらゆる意味で「うおっとっとっとっと」と思い、微笑を返し「先生、よく言われますそれは笑」と言って、フロイディアンとしてアンサーのターンに入り、「相倉先生って、昔は黒人ヒプスターのルックでしたよね」と言って、山下洋輔トリオが、いかにアート・ブレイキーとジャズメッセンジャーズに近いか自説を述べたら、「うーん」と言ったまましばらく黙って、猛烈な勢いで「ジャズ批評への帰還」に関する自説を述べ始めた。それが僕と先生の友情の始まりである。

小林に戻る。小林は「優れた漫才チームは、漫才の天才と、芝居の天才によって構成される」とし、「ガキ帝国（81）」「二代目はクリスチャン（85）」を引き合いに出して、島田紳助が漫才の天才（故に、芝居は下手）、そして、相方の松本竜助の、俳優（喜劇的な、という意味ではない。念のため）としての卓越した演技力を高く評価した。

僕も、松本竜助（49歳の働き盛りに没したのは惜しいと思う）の演技力は素晴らしいと思う。「喜劇俳優」という括りを外してしまえば、吉本興業の長い歴史の中で、最も演技巧者ではないかと思うほどだ。「ガキ帝国」で、チャボ（竜助）が怒鳴り散らすと、リュウ（紳助）が、何と言ってるのかわからないような滑舌で、それを制す。この時の「制されて黙るしかない」顔のクオリティ（この演技形態自体はオーセンティックなものだ）が、セリフの内容すら聞き取りづらい紳助の演技を生かしている事が二重に素晴らしい。

だが、「漫才の天才＋演技の天才＝優れた漫才チーム」という、小林が（というか、多くの、実演者ではない、純批評家が皆）作りたがる〈見巧者による公式〉には全く乗れなかった。そもそも、3人以上のチームに関して、小林には公式を作ろうという意志さえ感じられなかった。GS（グループ・サウンズ。念のため）時代を現場の人として生き、「進め！ジャガーズ敵前上陸（68）」の脚本を残しているが、その巧拙は兎も角、基本、3人以上で構成されるGSトップグループの中から、沢田研二、井上順、堺正章、がまず演技者として活動し、ショーケンが続いては異形化して脱落（映画俳優としては）、長い年月を経て、結局、大穴も大穴のサリー（岸部一徳）が「勝ち上がる」サーガについて、小林は分析以前の状態に止まっている。単純に、GSに（現場主義者として）良い思いが全くなかったのだろう。「エレキブーム→GS」に断層が入っているのと入っていないのではだいぶ違う。

山田洋次の「責任が重すぎて、独自のプロレタリアート構成主義がめちゃくちゃに壊れてしまった」いびつな作品である「キネマの天地（86）」で、すでに全方位的才能を芸能界で発揮しきっていた堺正章が、松竹大船の監督詰所で、渡辺邦男（いま、渡辺の正式な綴りを検索するため「喜劇映画の監督　日本」で入力したら「日本を代表する喜劇映画の監督、三谷幸喜が送る〇〇〇」という記事がトップに10個ぐらい並んだので、急いでブラウザを閉じた。慣れぬことをやるものではない）と、あと数人のミクスチュアであろう「客は入るが批評は最悪のドタバタ喜劇監督」の役を、テレビドラマ水準の楽で出しゃばらない演技で、かつ的確に仕事をしている。

に対し、まだ俳優業の本格的開始から数年しか経っていない（が、市川崑の「細雪（83）」で、愛すべき大根役者、石坂浩二を食ってしまう名演技を見せてから3年、この3年間の、岸部の仕事ぶりは驚異的である。フィルモグラフは「時をかける少女」「ダブルベッド」「お葬式」「さびしんぼう」「ときめきに死す」「夢千代日記」「彼のオートバイ、彼女の島」と、凄まじい）岸部一徳は、間違いなく小津安二郎をモデルとした「芸術家肌の監督」を演じ、空恐ろしい演技力を発揮するのだが、特に詰所のシーンでは同じセットに堺と岸部がおり、松本幸四郎（当時。この作品で、あの〈喰い屋〉渥美清さえ足蹴にするような、桁違いの演技力を見せてるのが松本で、極言すると、本職の歌舞伎役者としてより魅力的だ）が座の中心を担っているとはいえ、元々天才肌で鳩派であり、過当競争で勝ち抜く、というタイプのバイタリティではなく、超越的なマイペースで来た堺（ザ・スパイダース）に対し、ザ・タイガース（そしてPYG、井上堯之バンド）の伏兵だった岸部が、物静かで思慮的（小津役なので）な演技でありながら、マイペースの天才、堺の牙城を、崩すどころではなく、破壊でもしてやろうという勢いで静かな炎を燃やす演技の対峙は、GSカルチャーが映画界に残した、最も壮絶で美しいサーガの中巻のあたりだ。

岸部はやがてTVドラマ「ドクターX」で、西田敏行とともにキャリアの絶頂を記録する。もうあれ以上のクリエイティヴィティを、両者ともに発揮することはないだろうし、する必要もない。両者は構造的に上がりきったのである。

東宝小僧としては、松竹で「フーテンの寅」の後釜（釣りバカ日誌）を任されながら、演技プランのあり方として「森繁の正統的な後継（特に、社長シリーズ）でありながら、東宝オールスターのミクスチュアでもある」と言っても過言ではない西田と、ナベプロのGSブームからタイガース映画に出演させられ、いかなアイドルのヘタウマ映画としたって、これはないだろうという、背筋がゾクゾクするような下手さ（これは、後に盟友になる沢田研二も同じである。スパイダース映画での堺正章は、もうすでに現在のクオリティが出来上がっていた）の金字塔を打ち立てたチームの一員が、後に演技開眼し、このドラマのクライマックスを重厚かつコミカルに成り立たせている、という「未来」に震えがくる思いである（岸部は「相棒」がステップボードになったとも言える）。

完全な後付けになるが、僕は、現在でもタイガースの映画デビュー作「世界はボクらを待っている（68＝「進め！ジャガーズ」と同年）を見るたびに、震えが止まらない（現在のアイドルがSMAP以降、器用で達者であることをデフォルトにしたせいで、この「震え」は歴史から消えた）1人だが、後に岸部がここまで（情熱的に）伸びた事に、驚きはない。

岸部のベースはデビュー当時からグルーヴも音選びも天才的で、かつ慎重で内なる野心すら見て取れるからだ。ベースラインを引くことは大変な演舞性があり、ドラムパターンを覚えることとはリージョンが違う。そして、アンサンブル形成の責務を強く感じるタイプのベーシストと、全員のアンサンブルに等価に乗るだけのベーシストは、そもそものメンタルが違う。

そして、岸部が巷間言われる「本当はブラックサバス等のハードロックに本領があったが、ナベプロの政策により、抑圧された」という伝説の正体を、僕は具体的には知らない。しかし、GS時代、PYG時代、井上堯之バンド時代、と、フュージョン直前夜まで進化し続けた「ロックベースの変遷」に対応してゆく岸部の能力は、天賦の才の振り回しでも、単なる努力家でもない、重厚なものがある。

小林にこうした視点を求めるのはパイオニア虐めに成り下がってしまうリスクが高い。リスペクトからアンチオイデプスに流れるのは寝小便だ。現場主義者として、紳助竜助に興奮してその場しのぎの公式を作っている場合ではなかろう。とは言わない。というか、これはそもそも小林への批判ではない。構造の分析である。音楽がわからないまま芸能を語れるという風潮、というより「音楽がわかる」という事が、レコード収集や、音楽構造外の知識の集積のみで賄われていた前時代の構造である。

＊

ダチョウ倶楽部は、チームの組み替えではなく、首謀者の排除によってバランスを決定し、パワーを生じさせた出自（音楽でいうと、スカパラやデラルスがそれに当たる。排除されたリーダーには排除されたリーダーなりのパワーの質がある。僕はASA-CHANGとも、大儀見とも、音楽以外のコミュニケーションがいまだに取れないままだし、それで良いと思っている）があるが、「喧嘩したり仲直りしたりして、全員が全員に文句があるけれども、結局仲良し」という、まるでブーフーウーでも見ているかのような「可愛さ」が、ギャグの内容と見事にシンクロして、我々を大いに楽しませた、としても異論は少なかろう。

〈ヤー！〉も〈クルリンパ〉も、〈怒り帽（切れてハンチングを床に叩きつけ、「すみません。取り乱しました」と涙目で言う）〉も、〈どうぞどうぞ〉も、〈怒って地団駄を踏むと、スタジオ全員がぴょこんと弾む〉も、噴水を含めた、最高傑作〈熱湯風呂〉に於ける〈押すなよ〉も、カートゥンのキャラクターのようだ。芸人のどのネタも、その芸人の属性に根ざしているとはいえ、あの〈キャラクターのような可愛さ〉が実現できるチームが他にいただろうか？　上島は、前の日記にあるように「身体を張ったリアクション芸人のレジェンド」という地位さえ摑まなかった。

出川哲朗と江頭2：50はそれを摑んだ。ザリガニやワニとの死闘も、でんでん太鼓の持ち手を肛門に突っ込んで、海外で逮捕されたという伝説も、前述ダチョウ倶楽部の（明日にだって見られそうな、現在的な）ネタと比べれば、古代の記録に類する（じゃによってレジェンダリーなのだろうが）。

出川と江頭は、片や「世界の果てまでイッテQ！」での、ハードなジェットセッター（いささかの海外渡航経験者として言わせていただければ、あれは恐るべきハードワークである。あまりのハードさに、レギュラー芸人は破天荒から、真面目な人に改造されてゆく。破天荒ではあの仕事はできない）ぶりと、江頭の、ヨーギを思わせる（実際に「江頭式のヨガ」として「エガ」という、ガチなんだかギャグなんだかわからない——それが江頭なのだが——オリジナルのアーサナ集を出版している）、肉体の鍛錬と体脂肪率の変わらぬ異常な低さ、重力を無視したようなポージング＝アーサナをして、〈身体を張っている〉ことを移動的に担保している。上島竜兵の「だらしない」肥満ぶりは、前述、良家のボンボンである出川の「金持ちの健康的な恰幅の良さ」や、江頭のストイックな痩身状態とのどちらとも違う。出川、江頭には高いナルシシズムが宿っているのに対し、上島竜兵のルーザードッグな自意識は「可愛さが哀れさに変わる」臨界を、ここ数年で示していた。「涙目」がデフォルトになって愛される芸人が、過去いただろうか？

本稿は「芸人と演技力（特に映画での）」についてのものなので、残念ながらダチョウ倶楽部について肉薄はできない。しかし、出川の愛すべきナルシスト過剰な大根ぶりはどなたもご存知だし（かなりの数の映画——前述「キネマの天地」にさえ——出演がある）、江頭は、サイコキラー役だとしても、本人役だったとしてもなお「演技」はどう見ても無理そうである。江頭のナルシスは、（自分の芸の外にある）演技力を抹消するような性質のものだ。

肥後克広が「優しい普通のパパ」あるいはその逆ばりで「闇を抱えたシリアルキラー」を演じるところを読者の皆さんは想像できるだろうか？　できると思う。寺門ジモンがVシネあたりで、上半身裸ぐらいの、コミカルなアクションスターぶりを見せることも同様ではないだろうか？　しかしそれは、ダチョウ倶楽部のネタ以上のものではないし、ましてや彼らが、それをきっかけに生き方を変える、と想像する事ができるだろうか？

＊

志村けんは、（結果として）生涯喜劇役者だった。最後の破滅型芸人だったとも言えるだろう。晩年の彼は健康を害することを恐れなかった。僕はソフトな横山やすしだと思っている。志村（並びにダチョウ倶楽部）は主演映画はなく、以降、本稿は対象をテレビ番組に移すが、志村は人気絶頂期の「志村けんのだいじょうぶだぁ」を87年から93年まで継続、実質上の座長芝居の形態を死まで維持することになる。その後「志村けんはいかがでしょう」を経て、95年からは以下、

「Shimura-X天国」
「変なおじさんＴＶ」
「志村流」
「志村塾」
「志村通」
「志村けんのだいじょうぶだぁⅡ」

「志村屋です。」

「志村軒」

「志村劇場」

「志村だヨ！」

「志村笑！」

「志村座」

「志村の時間」

「志村の夜」

「志村でナイト」

と、実に30年余に亘り、志村けんは「昭和のいつかで時間が止まっているかのような現在」のセットでコント番組を続ける。

石野陽子、優香という2人のパートナーを持っていた頃が絶頂期で、現いしのようこは絶頂期（深夜帯固定ではなかった頃の）「志村けんのだいじょうぶだぁ」と「志村けんはいかがでしょう」で退任、優香は「Shimura-X TV（99〜）」から「志村笑！（〜２０１４）」まで実に15年弱に亘ってパートナーを務め、２年後の16年に結婚。「志村座（２０１４〜）」から志村はパートナーを失う。

僕は、（愛する。として良いと思う）パートナーを失った２０１４年からの６年間が、志村けんの肉体と精神を蝕んだと思っている。〈独身貴族、女優との浮名、酒飲み、愛煙家〉という、よくある属性が、とうとう番組の画面の中にまで侵食し始めた時代である。

優香勇退後の「志村の時間」「志村の夜」では、「酔っ払ってセリフが落ち、そのまま真っ赤な顔の苦笑でコント終了」というテイクさえ当たり前になってくる。後の、感染症に対する免疫の弱さ、既往症による生命力の弱体化は、この時期、急速に進む。繰り返すが、それは、久米宏がいない「TVスクランブル」の、横山やすし謎の死亡までの数シーズンとのシンクロを見立てることさえできる（ここまでの流れに、特に、志村のもう一つの座長番組「バカ殿」は、敢えて含めていない。横山やすしに「バカ殿」があったら演芸の世界はどうなってただろうか）。

パートナーとしてのミューズがいると生き生きと力を発揮し、いなくなると自滅してしまうというのは、特に珍しいことではない。志村けんが、あまりにオープンに正直に開放しただけだ。

この流れに、「ミューズではないが、支えた舎弟」の存在が浮かび上がってくる。その筆頭が上島竜兵に他ならない。

30年も座長芝居を続ければ、脇役は男女の区別なく、大人数化する。のちに写真家になるアリキリ石井も、当時は堂々たる映画／TV俳優で、長らく志村を支えたが、「自分は、元芸人だが、現在は俳優」という自意識を払拭することは出来なかった（これは石井の弱点でも愚行でもない、構造的な話だ）。

これに引き換え、上島竜兵の「芸人がコント＝芝居をする」芸達者ぶりは、アーカイブを見直しても、本当に素晴らしいとしか言えない。あらゆる役で「ダチョウ芸」を封印し、「吹いてしまって、コントは台無しになり、頭を叩かれて終了」という芸人楽屋オチも、僕が知る限り、見たこともない。

１９５０年代から続く、「喜劇役者」から「役者」へ。という文化的な慣習について触れたら、本稿は10倍化するので、一切を省くが、90年代から10年代にわたる流れの中で、志村と上島は、「いつでも映画に出て、役者がやれる」状態にあったと査定できる。このセッティングが、２人の死に際しての「遺作」のあり方を繋ぐのだが、先に進む。

上島とともに、当然、肥後も一座入りする。同じコントに２人が出演することも珍しくはなかった。しかし、肥後が（演技が達者でありながら）「芸人が抜けきらない」のに対し、上島のそれは、「知的ではない阿部サダヲ」と見立てることすら、ギリギリで可能なほどの演技巧者ぶりを見せ続けた。〈「大人計画」は、喜劇の劇団で、団員を「喜劇役者」としてカウントすべきかどうか？〉という問題は、つまるところ「サブカルとは何か？」という大問題に突き当たるので、ここでは掘り下げないが、僕は――これは誹謗でもなんでもなく、一つの例えだけれども――結成時３人組だった〈グループ魂〉は、「サブカルのダチョウ倶楽部」だと思っていた。阿部の最新作「死刑にいたる病」と、上島の遺作「真犯人フラグ」は、共に、殺人者の役である。

上島と肥後が志村の脇を固めていた時期は、「寺門ジモンがダチョウ倶楽部を、実質上、脱退していた時期」と重なる。ここ数年で、「また3人仲良し」に戻ったダチョウ倶楽部だが、肥後と上島のご奉公も、やがて肥後の出演回数が減り、上島一本に絞られる。

僕は今でも、男性で志村へのご奉公を貫いたのは上島だと思っている。しかし、志村の体調の劣化＝自滅化に伴い、カンフルとして投入されたのが、千鳥の大悟とアンタッチャブルの柴田である。両名は志村一座最後のシリーズとなった「志村でナイト（18）」から、〈絶頂期にある若手芸人のトライアウト（大悟）〉、〈謹慎が解けた状態からの、緩やかな芸能界復帰（柴田）〉といった意味合いで実験的に投入され、しかし両名はレジェンドである志村と、めざましいケミストリーを見せ、結果として「看取った」形になる。

大悟は、〈酒とタバコと女〉を、半ば戯画的にキャラクターとしているが、芸風は明らかにダウンタウン松本人志を後継している。「テレビ千鳥」で見せる、大悟のノブいじりや、狂気のセンスは、松本による浜田いじりの正統的後継だが、〈酒とタバコと女〉というキャラクター（それは――まさに当世風に――ギミックではなくリアルなのだが）と、マーケットのダウンタウンを知らない世代の増加によって、表面化しているのに可視化されない。

こうして、大悟が現在、悠々と保ち続けている万能感にも似た力は、ダウンタウン松本のセンスという極左と、志村けんを〈師匠〉と呼び、最後の飲み友達として志村を看取り、番組中に飲酒や喫煙する逸脱を芸として見せている、という極右の、両極を併せ持った帝国感に他ならない。

大悟と柴田は、前述の通り、志村サイドの実験的なカンフルが、予想以上の効果を上げることで、志村死後に限定放映された追悼バラエティ「志村友達」で、2MCを務めるに至った。両名のカンフル投入に際して、志村一座を去ったのが上島竜兵である。実労期間の長さは比べ物にならない。「志村友達」は、志村一座に参加経験のある数多のタレントがスタジオに呼ばれ、過去Vを見て感慨に浸る、というものだ。僕は、あの番組で、ワイプに抜かれていないと勘違いした優香が、落涙を拭くために、スタッフに見せた「厳しい顔（「ちょっと！ティッシュ！」と小声で怒鳴った）」を忘れることができない。

そして当然、肥後と上島もこの番組に呼ばれる。適切に追悼番組のゲストを務め切った肥後と違い、上島はもう何か惚けた感じで、この番組のセットであるコタツには入らず、掛け軸の下に足を投げ出して座り、カメラ目線でもないまま、上の空で思い出を語った。この喪失感は、優香の涙と並んで、忘れられないものだ。

志村サイドがカンフル投入を成功させるより一手早く、NHKエンタープライズは、「脱志村＝俳優化」に着手する。「となりのシムラ」は、14年から16年、優香の勇退から結婚に向かう時期に不定期放送された。志村の住処であるコントのセットから志村を連れ出し、オールロケーション、アドリブなしで制作されたこの番組は、志村自滅期の直前に、志村けんの俳優化に先鞭をつけた形になった。

多くは「一般サラリーマンの悲哀」を描く、いわゆる「あるある感」なのだが、この番組の最大の功績は、「志村がコントではなく芝居をやると、嫌な奴、あるいは更に、〈怖い奴〉の顔を持っている」ということを収めたことだ。「志村がギャグやらないで、芝居の中で苛立つと、ものすげえ怖い」という迫力の確認は、言うまでもなく、志村の遺作であるNHK朝ドラ「エール」での山田耕筰役に直結している。ここでの志村は、端的に悪役である(最後は主人公を認め、文字通り「エール」を送るが)。音楽評論家として言わせてもらえば、それまで映画等で描かれることがなかった山田耕筰像として、志村は完璧と言って良いかも知れないほどの「山田耕筰像」を創り出し、撮影半ばにして感染症で亡くなる。

志村けんの無念は、70歳になったばかりで「喜劇役者が俳優に」というオーセンティックを、実のところ誰もやっていない斬新な形(「泣かせる人情モノ」ではない。というだけでも)で示そうと手をかけたところで、志半ばに逝った。と言う点が挙げられるだろうが、ここまで書いた通り、志村は世界中が予想もしなかった新型の感染症というファクターが決め手になったことにより、ジャズ界がビル・エヴァンスを指す時の慣用句である「70年間かけて自殺した」といった破滅とは断じ切れない点に、解釈の幅がある。無念さに等級をつけてはいけないが、有名人の自死が一律等しく与えるショックを差し引けば、志村の死には「仕方なさ」が漂う。

そして、上島竜兵の遺作は「真犯人フラグ」であり、僕自身は未見だが、口コミによれば、ギャグを一切しない名演技だという。図式的に見れば、上島は志村をトレーシングしてしまった。そこには、僕がここまで書いたことも含めて、愚直なほどの見立てによる哀感も漂うし、これから徐々に、傍証的な「裏話」も出てくるだろう（「志村さんが亡くなってから元気がなかった」等々）。

だが、中壮年の自死を、僕は病死だと思っている。自死それ自体は無念なのではない。六十代男性の自死数は、現在、女性の3倍とも4倍とも言われている（フェミニズムはこの統計に対してどういった評価を下すのか、僕には興味がある）。44歳で衰弱死した天才、ルーキー新一に、55歳で突然死（心臓系）した反逆児、太平シローに、59歳で泥酔からの失火死した伝説の「師匠（萩本欽一、ビートたけしの師匠、というだけでも凄い）」、深見千三郎に、57歳で糖尿と結核をこじらせ、凋落のうちに亡くなった（ロッパに引退勧告を告げたのは、弟子筋の森繁久彌である）古川ロッパに、「自死の側面が全くなかった」と断言できる者はいないだろう。

医療が、自死までを封じ込める社会がユートピアなのかディストピアなのか、誰にもわからない、しかし喜劇役者の死はシンプルに悲しい。楽しませてもらい、笑わせてもらった恩義があるからである。笑いは、生きる活力そのものであるからである。僕は先日、不勉強にも吉田喜重と岡田茉莉子が90を超えてまだ存命中だと知り、やや仰け反った。笑わせない人間の方が、死を見つめ続けた芸術家の方が長生きするのだろうか。

森繁、由利徹、三木のり平、伴淳三郎等は、当時の日本人の平均寿命よりも長く生きて、それぞれの老い方を、時にうんざりするほど我々に見せつけ、喜劇役者として、観客が受けた恩を、スローダウンするように戻し、無念さを感じさせずに逝った。とも評価できる。「老害」という言葉は太古からあったろうから、薄っぺらいとは言わない。ただ、「老害」という言葉が、天に吐いた唾のように、若造に飲み込ませる豊かさが失われて行く。

上島の無念さは、天才有吉をはじめ、多くのファンも含んだ、彼の周囲が「死にたいと思いながら生きる」「生きる希望を失ったまま生きている」物語の時代に、リスペクトやラヴをわずか1ミリ超えた、セーフガードの意識を共有してしまっている事が第一に挙げられ、それだけでも、僕個人には無念さが驚くほど横溢した。

しかし、芸人として、やはり問題は内容だ。竜ちゃんが「まさにこれからだったというのに」と思わせるか、「やっぱダチョウでやってる方が性に合ってたな」と思わせるかは、その演技にかかっている。

先日「死刑にいたる病」を観たが、阿部サダヲの演技は、立ち位置や見え方といった現代的な自意識によるスタンスの踏み方が的確すぎ、これは言うのも酷だけれども、イージーに見えた（念のため、上島竜兵死去の前に観た）。あれだけの基礎演技力があり、芸歴があり、あの原作があり、脚本があれば、赤子の手をひねるような仕事だったのではないか。

「真犯人フラグ」における上島の演技が早く観たい。しかし、それがどちらに転んでも、天国で上島は、志村と合流し、看取り役が大悟になったことに拗ねて、涙目になりながら酒を酌み交わしている事は間違いない。涙目の天使が逝った。あの体型は天使そのものである。太田プロ前の人だかりは1日を待たずして消えて無くなり、若年層までもが奇妙な共感性と硬直した倫理観で口をつぐむか、うわ言を並べる。やっと書き終わった。

ワークショップ「〈みんなおなじ〉と〈みんなべつべつ〉」

２０２２年６月12日　午後10時記す（前回から29日経過）

古くからのファンの方ならば納得していただけるものと思うが、僕は弱音を吐いたり、落ち込んで見せることが苦手だ。と言うか、体質的にそもそも出来ない。

ＳＮＳが苦手な理由の一つに、あれが弱音や弱音を超えた腐り音の吐きだめで、がゆえに元気もらったただのこれで生きて行けるだの背中押してくれるとかリレーションが一切の躊躇なく起こることだ（90年代に「背中押してくれる」が流行りだした頃、僕は「絶壁で戸惑っていたら、あなたが背中押してくれた。という歌詞を書いたら良い」などと嘯いていた）。こういう人々が嫌だといっているのではない。僕がこういう人々を好きか嫌いかはご理解いただけると思う。ただ、とにかく僕個人は弱音が吐けない。友人知人、結婚していた当時の妻にも誰にも出来なかった。結果、精神分析送りになった。

なので、とうとうこの歳になって初めて弱音を吐くので、吐く前からワクワクしているのだけれども笑、今、ものすごい憂鬱だ。誰かに助けてもらいたい。背中も突き飛ばす勢いで押してほしい。

靭帯損傷が治りかけで再びひねってしまい、治療がリセットでゼロからスタートするのも、そりゃあそこそこ憂鬱だけれども（日課だったストレッチや運動が、ここ最近できていなかったのが、更に全くできなくなってしまったのが痛恨である。1日も早くインナーマッスルをリメイクしたい）、靭帯損傷した経緯や、再びひねってしまった経緯が超笑えるし、ストレッチと筋トレは、先ずは上半身限定で始めるので、弱音を吐くほどのことではない。

左耳の聴力は順調に落ちていて、幸い長沼の地声がでかいので助かっているが、アーティストとかで、恐るべき小声の人（一番小さいのは類家くんと辻村くん笑）と話すと、もうほとんど聞き取れないので、「え？」と言って、何ですかマン（「ひょうきん族」のキャラクター。明石家さんま演）みたいになる。補聴器を勧められているが、補聴器も今は軽量でおしゃれなのも多いし、するのが楽しみである。良いじゃないの、デビュー当時のタモさんのアイパッチみたいで。

しかし、歯は流石にちょっと参った。ラジオデイズで話した通り、キーマカレーで口内に火傷を負った（これは我ながら笑ったが）際に、何年かぶりで歯科医に行ったら、歯科医あるあるで、「歯科人間ドック」みたいなことになり、30年前に結構な手術で抜歯し、人工歯根と差し歯にした根元が、また化膿していることがわかり、若い医師が懇切丁寧に治療プランについてミーティングを重ねてくれ、どうやら治療もできるし、できればインプラントで、というトリートメントプランも決まって、一安心ではある。

「耳が遠くて歯が悪くてビッコ引いている」といえばこれはもう、完璧なおじいちゃんでしょ笑。早く老けたいので、これも結構だ。

がしかし、弱音を吐くほど憂鬱なのは、完全な治療の終了まで、中程度に見積もって1年かかる。つまり、来年の誕生日に治療は終わり、新たな差し歯が始動式を迎える（※註）。

そして、その間は、仮歯で過ごさなければならないのだ。15年前、白山にある、それこそ管楽器奏者専用の矯正歯科で差し歯を周到に作ったのだが（それが今の前歯）、1年間ぐらいは、演奏する際の違和感が取れなかった。目視ではとても捉えられない、コンマ数ミリで、サックスを吹く際にものすごい違和感が出る。単純にいえば吹きにくくなる。適応させようとして首が凝ったりする。

〈これから1年の間〉には、なにせラディカルな意志のスタイルズのデビューがあるし（僕はサックスとパーカッションを担当する。少なくともDC/PRGよりもぺぺよりもサックスを多く吹く。ダブセクステットほどではないけれども）、新しいトリオやクインテットなどなど、サキソフォニストである時間、しかもかなり重要な時間が要される訳だが、その間ずっと仮歯というか、ダミーの差し歯で過ごすのである、こーれはキツい。こーれはキツイのよ正直。

医師にも「前歯に直接荷重がかかるお仕事の方の、前歯の治療は至難なんです。演奏にどれぐらい荷重がかかるかによっては、治療中に残した歯の根元が砕ける事があるので、様子を見ながら行きましょう」と言われた、演奏に様子見るも何もない。始まったら吹いてしまう。どうしたら良いのか。

　コルトレーンもキャノンボールも、あの時代のアフロアメリカンとして、前歯の治療に難儀し、キャノンボールは常に鎮痛剤を使用し（有名な「カインドオブブルーの演奏バックヤード写真」の、キャノンボールの譜面台には数箱のバファリンが乗せてある。歯医者に行けなかったのだ）、コルトレーンは、前歯がマウスピースに当たるだけで激痛だったので、唇で巻き込む、という奏法になった（それが結果的に大成功した。さすが天才）。

　去年やっときゃよかったなあ、とか言ってクヨクヨ落ち込むタチでもないし、口の中を超熱々キーマカレーによって大やけどを負わなければ笑（芸人さんのオデンみたいだ笑）、そもそも歯医者になど行かなかったであろうから、患部が見つかって良かったし（問題の左前歯以外、虫歯が1本もなかった。というのもラッキーというか自分らしいというか）、〈いよいよ還暦リーチの59歳1年間に治療が進み、ちょうど還暦を迎えたぐらいに新しい歯が完成する〉というのも、自分らしさを鑑みるに、何か吉兆のようにさえ思えるから（うまく合わせれば、還暦祝いに前歯が完成する笑）、軽躁病は最強である。

　自己ハンデキャップなんかするぐらいだったら演奏なんかやめた方が良い、「むしろ差し歯の演奏の方が良くなった」と思われるように、と興奮したりするのだが、試しに弱音を吐いたら読者がどう反応するか知りたいという好奇心もあり、「ものすごく憂鬱だ」と、半分よりちょっと多めの正直さで書いてしまった。はあ辛い（あ、話の最後ですが一応、「歯が痛い」のではないのです。中がやられてたんですよね。他に虫歯は一本もなかった笑)。

と今、足立区の公共施設から帰ってきたところだ。25歳まで、と対象年齢を広げたので(僕は10歳以下限定にしたかったんだが、いろんな大人のやりとりがあって上限25になった)、大きなお友達がいっぱい来てしまったらどうしよう……と思っていたのだが、何と全員ガチのチビッコとご父兄だけ。やったぜー! ご父兄にもパーカッション渡して、全員強制参加にさせた笑。

ワークショップのタイトルは「〈みんなおなじ〉と〈みんなべつべつ〉」。言うまでもなく、これはユニゾンから「キャッチ22スタイル」のパーフェクトマルチBPMをつなげる試みである。

僕から叩き始めて、はたけやまさんが続き、チビッコの1人目、2人目、と、一人ずつ演奏に参加してゆく。すぐには入らず、前の人の演奏をよく聞いて、よし、叩くぞと思ったら、まず手を上げてから叩く。1周目はユニゾン(おなじ)で、2周目がマルチ(べつべつ)。「2人目」であるアシスタントのお姉さんが鍵を握っている。はたけやまさんの見事なサポートがなかったら、どうなっていただろうか。

僕は映画「スクールオブブロック」が大好きで、主演のジャック・ブラックを模範にした。チビッコたちを「お前ら」と呼ぶ時には、さすがにちょっと緊張したが、

「いいかお前ら!! オレは刺青入ってるけどヤクザじゃねえ! っつうかー。これはシャワー

でジャーって流しちゃえば落ちちゃうチャラいやつだ。これでお前らのパパとママも安心だろう!!」

と叫んだらゲラゲラ笑われたので、あとは予想を超えてうまく行った。

子供達は本当にすごい。マルチBPMができるかどうかが第一の難関だと思っていたんだが、いとも簡単にできてしまった。

「いいか？　前のやつと全然違うことをするんだ。他人のことを気にしたらダメだ。わかるか？休み時間の教室とか、校庭とかと一緒だ。みんなが好き勝手にしてるけど、みんな自分のペースを守ってるだろ？　渋谷のスクランブル交差点もそうだ。行ったことあるかスクランブル交差点？」

と言うと、将来ジャニーズ行き決定な美少年が、食い気味に、

「行ったことはないけど、いっぱい見たことある」

と言った。

「テレビか？　ユーチューブか？」

「テレビ」

「お前は最高だ」

第二の難関は、「キャッチ22」状態になってから、全員で模索しながらモーフィング的にユニゾンフレーズを作り出し、最終的にはユニゾン大合奏になる。

「オレについてくるんじゃない!!　誰でもいいから誰かに似せてゆくんだ。そうすると最後には、お前ら、驚くなよ……全員がまたおんなじになる！！！　ねえヤバくないこれ？」

何とこれもすぐできた。最後は、ユニゾンからマルチに、それが次のユニゾンになって、また崩れて漸近的にマルチになり、それが定常すると更に次のユニゾンになる。時間ちょうどぴったりに、この行程が終わった。

親と一緒だから余計目立つ。子供には要らぬ先入観がない。そしてものすごいパワーを全員が秘めている。興奮に火をつけてやれば、圧倒されるほどだ。

多動の子も、スローな子も、ものすごいシャイな子も、目立ちたがりな子も、ビクビクしている子も、真面目な子も、パワーは同じだ。親だって色々いる。親共にも火をつけてやった。そして最終的には目的を達成した。「まるで、映画の撮影で、子役をオーディションし、脚本を書いて、撮影したかのようだ」と書くのが正しいと思うが、逆に言うと、この程度のことは、こうやってことさえ起こせば起きてしまう。映画は何やってんだ?とも言える。

ファーストセットが終わったら、瓶ぞこ眼鏡みたいなのをかけた、全く無表情で演奏がなかなかできなかった（直立歩行さえしんどそうだった）子が、ノーガードでニコニコしながらこっちに寄ってきたので、握手をして、

「手は痛くねえか？」

と言ったら、

「せんせい、ありがとうございました」

と言った。

「楽しかったか？」

「すごくたのしいかった!!」

「お前は最高だ」

背が高く、髪が長く、「私は他の子とは違うから」みたいなオーラで、手をあげる時もそっぽを向いてあげていた女子が、両手を後ろに組んだまま寄ってきて、

「ねえねえ」

と言うので、

「何だ？」

と言うと、

「それってさあ、本当にシャワーで消えちゃうやつなの？」

とニヤリとした。うひゃー艶っぽいね女の子は。

「本当は消えねえんだ笑」

「やっぱね笑」

パパ活なんかしねえよ金ねえから。もちろんこれは言っていない。

帰ってきたら足首が激痛で、急いで湯に浸かり、ふくらはぎをマッサージし、それからアイ

シングして、ロキソニンの湿布を貼った。耳鳴りもすごい。左耳は、まだ聞こえはじめていない。このあと歯もやるしさあ、もう満身創痍だよ。何とかなんねえかなあ。と言いながら、ベランダでタバコを吸って、数十分ニヤニヤしていた。

こうして、結局弱音は吐けないのだ。なぜなら、音楽とコミュニケーションがこの世にあり続け、僕を共生から解放してくれないからである。もちろん、解放されたいわけがないし、高い確率で死ぬまで解放されない。僕は「これで生きていける」と思ったことは一度もない。「このままだと死ぬかも笑」と思い続けてきた。最近はそこに「よくよく考えてみれば誰だってこのままだと死ぬのだ」という熟成がかかってきただけだ。

（※註）歯茎の自己再生手術自体は5時間かけて上手く行ったが、この年の年末からフライングでサックスを吹きすぎた結果、再生中の歯茎が演奏の振動で崩れてしまい笑、結果、部分的な再手術を経て、「還暦に復帰」は2ヶ月ほど後ろ倒しになり今年の8月にステージ復帰した。更に、焼き肉屋で転倒し、指の靭帯損傷が加わり、やっと総てが治って来たと思っていたら自転車と接触事故を起こした笑。誰か背中を押して欲しい。というか、押された気がする笑。

59歳の誕生日

2022年6月14日　午後4時記す（前回から2日経過）

59歳になって最初の留守電メッセージは、何やら素敵な女性から「菊地くん、誕生日おめでとう。うふふふ。もう59かあ。でも菊地くんは変わってない筈だよね。近々久しぶりで会えない？」とかいった艶っぽいものでもなんでもなく（念のため、これパブリックイメージを素材とした妄想である。こんな色き○がいみたいな知り合いはいない）、新宿ピットインの店長（男性、因みに同い年）である鈴木かんちゃんからのものだった。

僕は前夜の3時間ＤＪ、前々日のチルドレンワークショップと、2日続けて刺激的で有意義ではあるが、ぶっちゃけ物凄い疲れる（体力的に。どっちもサバール叩きまくったし。靭帯損傷は再悪化しているのに笑）仕事明けで（さらにＤＪ後は、そのままスタジオに行ってラジオデイズの収録までしたのである）、本当にふらふらになっていた。

僕の「祝われ嫌い」は、草の根運動の甲斐あって、やっと浸透し、昔のように山のようなプレゼントやお祝いメール、というものは（ファンの方からの、数通のそれは除いて）全くなく、「さあ、今日も仕事だ」と、バッキバキになった体を引きずり起こすようにしたら、ガラケーがピカピカ光っている。

「ああ、誰かがまだおめでとうとか言ってくるのかうぜえなあ（ファンの方に言っているのではない、ガラケーだから知り合い限定になる）」と思いながらパカッと開けると、留守電が入っており「かんちゃん」と表示されていたのである。誕生日おめでとうなどという男ではない。何かのトラブルだ。

朝起きて一発目からトラブルかよ、と思いながら聞いてみると。「ああ、なるちゃん？　ピットインの鈴木です。あのさあ、今度ウチからね、オマさん追悼のＣＤ出すんだよね。それでさあ、そこに、ゆかりの人たちのコメントを寄せがきみたいに載せることにしたんだよ」

伝説のベーシスト、オマさんに関しては説明しない。僕は男性に熱烈に抱きつかれてキスされたことが1回しかない。それがすでに80代だったオマさんである（誤解なきよう。ステージを降りてすぐの話だ）。あんなことするから死んだんだよオマさん笑、オレにチューなんかしなけりゃ１２０ぐらいまで行けた筈だ。人殺しにしないでくれよ笑。

話の内容は、予想通りトラブルだった。

「それでね、坂田（明）さんがさ、ちょっとヤバいの書いてきてさ……あの……今……ちょっと読むね……ええとー〈私のようなサックス吹きから見たら、オマさんはとても遠い人です（中略）、私はオマさんとのセッションで、菊地成孔と2サックスになったことがあり、その時、菊地くんに酷いことをしてしまいました。私は今でも、菊地成孔に謝らなければならない。でも、それはオマさんが仕掛けた罠でした〉……これさあ」

「あそれな笑」

何のことかは2人とも共有している。僕はオマさんのセッション、というか、厳密にはオマさんのレギュラーバンド（再び、というか、セッションなんだけど、毎回同じメンバーなんで、実質上バンドだった）にゲストとして招かれたのである。ドラムが誰だか忘れてしまったが、ピアノはスガダイローさんだった。

オマさんは、もう当時すでにボケと狂気が幸福に同居していて、物凄いプレーをしたが、言ってることもやってることももう最高で、ムチャクチャだった。ジャズ界によくあるアレだ。

僕はステージ上で、「オマさん、次、ラウンドミッドナイトになってますけど、キーが書いてないんだけど、キーなんですか？」と耳打ちした。オマさんは「キー？　そんなのなんだっていいんだよ。始まったらヨーイドンだ成孔」と言って笑った。

確かにキーなんか始まればわかる。B♭だ。ただ、もうそれは楽曲の演奏、という体をなして無く、フリージャズとスタンダード曲がミックスされた、ジャズファンにはお馴染みの例のアレで、オマさんが一人だけで弾くイントロは背筋がゾッとするような美しさだったが、それはだんだんと崩れて、そもそもどこからテーマを吹き出すかわからなくなった。

僕はスガさんも坂田さんも仲良しだし、大好きだし、オマさんが半分アッチに行っちゃってるのも、とても良いことだと思っていたし、もう気分は最高潮になってしまい、吹きに吹きまくった。スガさんのピアノは、どんな轟音の無秩序状態になっても、サイン波のように、スッキリ綺麗に聴こえる。すごいスキルだ。僕はスガさんのフレーズに合わせてどんどん発展させ、バンドはかなりのところまで上がった。

演奏が終わり、イエーとばかりにハイタッチしながら楽屋に入ると、坂田さんの目が凶暴になっている。何かしたかオレ？　っていうか、オレなの？笑。

オレだった笑。坂田さんは楽屋の椅子に座って腕と足を組み、まずは、

「おい成孔、お前、何がやりたくて吹いてるんだ？　言ってみろ」

と言った。僕は〈優しげな笑顔〉を作りながら、

「え？笑、坂田さんどうしたんすか？笑」

と返した。

「何がやりたくて吹いてるんだよっ！！！　どんなつもりで吹いてるかって言ってんだ！　命懸けてるかお前っ！！！」

と坂田さんが、物凄い音量で激昂した。いつもライブで叫んだりしてるから無駄なくらい声がデカい。

楽屋には僕と坂田さんとスガさんしかいない。僕は一旦、笑うのをやめ、

「いやそりゃもちろん懸けてますよ。これ以上吹いたら脳か心臓やっちゃって死ぬかもな。って毎回思ってますけど」

〈脳かばってセーブしてるの、坂田さんの方じゃないの？　自分が何やりたいのか迷ってるのも坂田さんでしょ。わかりやすすぎるよそれ〉とは言わなかった。僕は一瞬で相手を追い詰めたりねじ伏せたりはしない。坂田さんは脳梗塞で生死の狭間をさまよい、リハビリによって復帰して数年目だった。

「だったら何であんな風にピロピロいっぱい吹くんだあっ！！！」

僕は思わず吹き出してしまい、

「ピロピロって笑、坂田さん笑、そりゃないすよ笑」

「いいか音楽ってのはなあ、相手をぶちのめすんだ。オレが最初に山下とドイツに行った時なんか、デカイドイツ人をみんな演奏でぶちのめしたんだ!!」

〈自分が後輩にぶちのめされた〉と思い込んで（僕はぶちのめしてなんかいない本当に。演奏を勝ち負けだと思わない。という致命的な欠陥があるのだ）悔しい坂田さんは、もう焼酎で顔が真っ赤かになっており、憤激が更に顔を赤くしていた。これ、また脳やられたら、オレ、気ぃ悪いじゃん。「坂田明、菊地成孔に説教中に憤死」。ちょっと面白いけど笑。

僕は、酔漢の説教に対するマニュアル1を選択した。好きなだけ喋らせてから「はい」とだけ言うのだ。酔漢が「ちゃんと聞いてるのか?」と言ったら、また「はい」と言う、これで「はい、じゃねえよ」が出て、ついでに暴力が出たら対処すればそこで終了する。これが最短コースである。

坂田さんは「はい」の連続にキレなかった。これは最悪パターンで、「はい」を合いの手にますます盛り上がり、説教が無限化する。坂田さんは半生を振り返り始めた。

途中から僕は、はい、はい、はい、と言い続けながら、〈ああ、胸ぐらでも摑んでくれれば10秒で終わるのになあ〉と思い続けるループから抜けられなくなった。坂田さんは腕組み、足組みのまま微動だにしない。

坂田さんの、あの売るほど持ってる可愛げが消えてしまい、僕はだんだんイライラしてきた。腕組み足組みしている状態はバランスが非常に危うい。肩でも抱くふりで近寄って、軽く押せば後ろに倒れて後頭部を床に叩きつけることができる。思いっきり倒して失神させ、こめかみを5回ぐらい蹴るか、目と鼻の間を5回ぐらい踏みつければ殺せる。なにせ相手は泥酔しているのだから。

もちろん相手は坂田さんなんで、殺意はない。脳梗塞の既往症は、軽く倒しただけでも死ぬ可能性がある。僕は「はい」と言うのもやめて、顎を引き、ただ坂田さんの目を見て〈もうやめとけ〉というテレパシーを送り続けた。

最悪とはこのことだ、そこに、酒乱で知られるギターの石渡が、グデングデンで入ってきた。新宿で飲んでたんだろう。石渡の酒乱は坂田さんどころではない、もう着火してる状態で割り込んできた。坂田さんの横に座るなり、「おい菊地、菊地！　お前はだいたいよう!!」と叫んだ。

話の途中だが、この文章のテーマは「自分は幼かったなあ」というものだ。坂田さんと石渡の口汚い罵声（読んで移入し、彼らを憎悪する人がいないとも限らないので、内容は書かないが）が数分続いたところで、僕は完全にキレてしまい、〈はいやりまーす〉と決定ボタンを押し、まず靴の紐を固く締め直した。

〈やっちゃえやっちゃえ。こんなロートル2人ボコボコにしても、こいつら訴訟もできねえ貧乏だからな。酔えば何したって良いと思って甘え腐ってる奴らに思い知らせるのは教育だろ笑〉と、ド最悪な状態になってしまった。靴紐を締め直している間、僕は最高に楽しくなってしまい、ニヤニヤしだしていた。

その瞬間、それを察したかなんだか、スガさんが立ち上がって、大きな声で「まあまあ、そのぐらいでさあ」と言って、一瞬で鎮火してくれた。坂田さんはもう半分寝ていて、石渡も（泥酔者あるあるで、情動が奔流して）ゲラゲラ笑っていた。僕もゲラゲラ笑った。今でもスガさんには感謝している。なんて優しい人だ。スガさんという名前の人はだいたい良い人な気がする。

お縄が御免なのは言うまでもないが、何せ2人とも尊敬する先輩だ。石渡のギターは本当に美しい。坂田さんはパイオニアである。僕は頭を冷やし、完全に寝ている坂田さんと、ニヤニヤしている石渡を尻目に、スガさんにだけ「お疲れさんでした笑」と言って帰途についた。片足だけ靴紐を締めたので、ぴちっぴちとユルユルで歩いた感覚を覚えている。靭帯損傷はこの時のツケに間違いいない。

話の途中だが、この文章のテーマは「自分は幼かったなあ」というものだ。何せ「いわれもない不当な侮辱を受けた」と思い込み、復讐を計画したのだから（あゝ笑）。

僕の復讐計画は、我ながら最高で、〈2人が共演するライブを調べて、客席の最前列にバットを持って座っている〉というものだ笑。もちろん、殺害する気は無い。演奏が終わったら楽屋にバットを持って一緒に入り、楽器ぐらい壊して、わき腹あたりに一発ずつフルスイング当てられればそれで良い。なので、実際にバットを買って笑、かんちゃんに電話し、2人が共演するライブはいつだと聞いた笑。これこれこういうことをするので（いいなあ、コロナ前笑）。

真面目すぎるのが欠点なほど真面目なかんちゃんは、「ナルちゃん、気持ちはわかるけど、それはちょっとやめてよお」と嘆願した。「オレ、それじゃスケジュール教えられないよお。頼むよお。それより、坂田さん、なんでそんなことしたかなあ。酔ってたんでしょ？　酔ってたんだよね？」とオロオロしたので、僕は「わかった自分で調べる。ピットインじゃやらないよ安心して。ごめんな」と言って電話を切った。

映画のカットバックのように話が戻る。そもそも坂田さんが、あの日のことを覚えていて、僕に謝りたいと思っていることは、その後坂田さんと共演した人たちが「坂田さんが、ナルちゃんにごめんって伝えて。って言ってましたよ」と、口を揃えて言っていたことで知っていた（石渡は最初から覚えてもいないと思う笑）。

「ナルちゃんこのコメントさあ……長沼さんに通すのもアレだから、電話しちゃったの。ごめんね」

「いやいや、いいよいいよ笑。オレは、それがそのまま載っても面白いし笑、かんちゃんが、追悼のコメントとして、これ不適切だって思うんだったら、坂田さんに書き直させても、どっちでもいいよ」

「ほんと？」

「ほんと。あのー、書き直させる場合はさ、菊地はあの件、もう気にして無いですよ。って伝えて」

「ええ？　いいの？」

「いい。本当にもう気にして無いから笑。まあ、あんときゃ半殺しにしてやると思ってたけど笑」

「だよね？」

「ああ笑」

「あん時、ナルちゃん怖かったよ〜。オレ本当にやっちゃうって思ってたもん」

「オレも思ってた笑。でももう、まじで、本当に、全然気にしてないよ。っていうかさ、まあオレが挑発的だったんだよきっと」

「えー、そうなの？」

「いや、意識的にさ、挑発してやるなんて思ってないよもちろん」

「だよねー。全然そんな風じゃなかったもん。すげえ良いセッションだった」

「まあ、意識的じゃ無い方が罪なのよ笑」

「へー。そんなもんかね」

「ままま、とにかく、オレはどっちでも良いよ。ただ、書き直し頼む時にさ、坂田さんに、オレは今全く気にして無いけど、あん時、スガさんいなかったら、楽屋のテーブルごと後ろに倒されてましたよ。スガさんに感謝してくださいって言ってた、って伝えて笑」

「わかった笑。ありがとう」

「どういたしまして笑。かんちゃんオレ、今日誕生日なんだ笑」

「えええそうか！　あ……あの、おめでとう！　これからもよろしくね！」

「よろしく笑」

　話の途中だが、この文章のテーマは「自分は幼かったなあ」というものだ。僕は、自分が好き放題に何かをすることが、自分が大好きな人までのポテンツを折る可能性がある、というコンセプトがそもそもなかった。誰かにポテンツを折られ、嫉妬したり、恨んだりしたことが無かったからだ。そんな、モーツァルトとサリエリじゃあるまいし、モンローとディマジオじゃあるまいし。

　だが、無邪気さが結構な罪であることは知っていた。無邪気な奴は子供みたいなパワーがある。邪気あるものは無邪気を抹殺したがる。ただ、まさか自分がそれを実行しているなんて、夢にも思っていなかった。

齢を重ねるにつけ、少しずつわかってきた。ＴＢＳが僕を斬首したのも、町山さんが襲撃してきたのも、あれもこれも、思えばあれらもこれらも、僕が相手のポテンツを折ったからだろう。ポテンツを折られた者の狂気は凄まじい。自分の尊厳が揺らげば、人はなんでもする。もちろん、ポテンツは女性にもある。

一番良いのは、自分が誰かのポテンツを無邪気に折っていたのを自覚することで、二番目に良いのは、怨念からくる、〈抹殺してやる（相手を消してやる）〉という極めて人間的な悪行に身を任せることだ。足掻いてはいけない。

なんと、これをこうして書いている、この段落のタイミングで、かんちゃんから再び電話が入った。

「あのさあ、ナルちゃんの言った通りにしたんだ。そしたら坂田さん、すげえ喜んでたよ。〈あ、そう。あ、そうかあ〉って言って、ちょっと泣いてた笑。だからあのね、あの文章は直してもらって、ナルちゃんの話は出てこないけど、坂田さんにはそう伝えたってナルちゃんに伝えないとって思って」

「まあ、オマさんのせいにしたのは卑劣だけどな笑」

「え？　それもいうべき？」

「まさか笑」

「びっくりしたあ笑」

「ごめんごめん笑」

「じゃあね」

「うん、じゃあね」

「あの、誕生日なのに何度もごめんねこんな話で」

「いや、いいんだ。面白かった笑」

「ありがとうナルちゃん。じゃあね」

「うん」


いつか僕も、無邪気な誰かにポテンツを折られる。ツケを払わないで逃げ切れる人生はない（「ある」説もあるが、僕は「ない」派だ。ただ、やったことがそのまま返ってくるとは限らないが）、その時は諦めて折られ切るしかない。その結果どうなるかなんて、折った方にも折られた方にもわからないが。子供を産み、育てる、という営為は、このメカニズムを安全で健康的にローリングさせる可能性を高く持っている。が、僕にはそのチャンスがない。

話の最後だが、この文章のテーマは「自分は幼かったなあ」というものだ。ベランダに出て自分に言う。誕生日おめでとうオレ。少なくとも1年分は大人になったもんだ。なかなか良い誕生日なんじゃないの？　天使であるかんちゃんにイタズラを。ではスタジオに行ってきます。

短期連載「菊地成孔の抜歯日記① 7月1日(手術当日)」

2022年7月3日記す(前回から19日経過)

※これを書いているのは7月3日である。本当に偶然に(手術が決定する遥か前から)、7月1日から3日までの3日間は完全な休暇であった。今から思えば、ハイアットでもペニンシュラでも良いので、ホテルを取っておけばよかったと後悔しているが、いわゆる、というやつで、あらゆる後悔は先に立たない。

「うわあ、なんか、この手術室、良い香りになりましたね笑」と助手がいった。

「あ、いやこれはすみません。香水がきつかったですか?」

「いや全然笑、アロマを焚く方もいらっしゃいます笑」

「よかったあ、オペの邪魔になったりしたらバカですからね笑」

「これメンズですか?」

「いえ、レディスです」

「やっぱり笑」

マスクしたままの女性と目線を合わせるのは無駄にフェティッシュなので外して欲しいのだが、一番外してはいけない現場であることを思い出し、少し笑った。

〈マスクを外したら……正解は滝沢カレンさんでしたー!!〉といった風情の手術助手は、若い担当医が緊張の面持ちで入ってくると、いきなり「ブスッとした」というラインぎりぎりの無表情に戻った。

〈えコレ、この2人できてて、今少し険悪で、嫉妬させるダシに使われてんのオレ?〉とか、〈この先生、若くてお金持ちだろうし、熱心で誠実なんで、この院内の女性を全部虜にして、全員から嫌われてんの?〉とか〈この先生、良い医者だけれども、助手や美容歯科の女性医師に嫌われてんの?〉とか、我ながら本当にバカではあるまいか?本当は膿の道が脳に達しているのでは?というレヴェルの妄想が同時多発したのだが、どうやら正解は〈同じ菊地姓なので、親近感をそれとなく表明し、術中の緊張感の和らげを目的とした〉だろう。彼女の名前は菊地で、実際に術中、医師が「えーと、じゃあ菊地さん」と言い、僕と助手が同時に「はい」と答えて3人で軽く笑う。という場面が頻発した。頻発したら困るわけだが、想像してみて欲しい、頻発を止める改善策はない。

ただ、緊張の和らげは全く必要なかった。ハイテクなロボットベッドといった風情の、空中に浮く患者座席は人体工学的に研究した果ての完璧な製品で、4時間寝かされても、どこにもストレスがなかった。

医師が、物凄い小さな優しい声で「はい、まず麻酔です。ちょっとチクっとします」と言い、ちょっともチクっとしない、「え、今、なんかの突起が歯茎に当たった?」ぐらいの刺激が何回かで、一瞬にして、口内の感覚が全部消えた。舌が動かないし、動いても何も感じない。

僕は「麻酔」という曲も書いていて、麻酔科は谷崎の昔から、ずっとヤバいと思い続けている。20年ほど前に、カヒミ（カリィ）さんのお姉さまが麻酔医であると聞いた時には、恥ずかしながら少々興奮してしまった。

なんか顔面中、頭部全体に麻酔がかかったような感覚になり（実際はそんなの過剰麻酔で危険であり、こっちの感覚が大げさになっているのは分かってるけれども）、術用の目隠しをされた瞬間にはもう寝ていた。前述、「じゃあ、菊地さん」「（2人同時に）はい」「あ、」「うふふ」というやりとりの時だけ半覚醒で答え、終わってから完全に起きたので、全身麻酔と変わらない。料金を得したように思うほどだ。抜歯や患部の洗浄、採血して遠心分離機にかけコラーゲンボールを作る間もずっと寝ていた。

足も引きずっている状態で、キッズワークショップから連続で演奏しているので疲れてるんだろうな。あーこりゃいいや。なんだか知らないが、僕はイズラエルにゆく夢を見ていた。バターリングトリオとの対談の仕事があって、マイクを調整している。通訳の男性に「英語に致しますか?　ヘブライ語に致しますか?」と聞かれ、僕はエヴィアンをストローで飲みながら「是非、ヘブライ語で笑」と言った。

長めの半覚醒状態になったのは、仕上げの仮歯を入れる時に、両脇の歯との間に隙間を作るため、メスで歯と歯の間に切れ目を入れられた時と、その後に仮歯を入れてから、両脇の歯を締め付けるために、きつめに縫合（糸を6～7本使って）されている間だけだった。

ギギギギギ、ギﾘギﾘギﾘ、といった感じで、歯茎にメスが入るのだが、全く痛感はない。思いっきりメスを刺し込んでいる力感だけが伝わってくる。縫合も同じだ。靴紐レベルじゃない。絞殺ぐらいいかれたが、力しか伝わってこない。

医師が、脇も額も汗びっしょりで「はい、菊地さんお疲れ様でした。今日の分は終了です」と言って、僕は、大きなあくびをし「お疲れ様でした」と言った。口を濯ぐと、ロゼワインみたいな色だ。5回ぐらい濯いで、やっと真水に戻った。

術中の重要過程は全て静止画が撮影され、SF映画のように、寝たまま目の前に巨大なモニターがグイーンと寄ってきて、そこに解説と共に、スライドショーが始まる。殺人現場のような写真ばかりだ。

「これ、でひとまず、全ての準備が出来ました。ここまでは事故や不具合は一切ありませんが……まあこれからですね。全ては」

（はい）と答えようとして、唇が動かず「あい」となって驚いた。唇がパンパンに腫れ上がって前歯を覆っている。思わず触ろうとしたら「ダメそれ触っちゃダメ指で」と、手を摑まれた。

「あい、うみまへん」

「明日になったらさらに腫れます。絶対に指で触らないでください。歯磨きは、一番柔らかい歯ブラシを1本差し上げますので、こんなん誰が使うんだ?ぐらい柔らかいやつ。それで毎食後に、めっちゃ優しく、そうっとやってください」

「あい」

「正直、痛みのピークが明日よりしばらく続きます。ロキソニンとレバミピド、あと抗生剤を3日分出しますんで、最低でも3日間はうどんとおかゆで過ごしてください。うどんも、すすったらいけません。箸で短く切って、前歯に当たらないように口の中にいったん、置いて、奥歯で噛むようにしてください」

「あい、あかいまひた」

「マウスウォッシャーも1瓶出しときますので、定期的に口の中を洗ってください」

「ていきてきって、だいたいおのぐあいの、かんかくえやえあ……」

「まあ、そうですね2時間とか」

「あい」

「あ、あと、術直後のCT撮影します。いいですか、これから、サックスを吹いたら、翌日は必ず状態を見ます。あ、どうしても吹かなくちゃいけない日を年間で教えてください。その翌日に予約をとりますんで」

「あお……おういてもふああうたいえないひっへううおは、アイウお、おんあん、ていう」

「え何ですか？　ああ、喋りづらい笑」

「あい笑」

「本番の日は休めないですよね？」

「あ、いあ、メウオーっていうやつがいえ、そいうに笑」

「全然わかりません笑」

「メウオー、メ、ウ、オー笑」

「何ですかそれは笑」

「うみまえん笑」

「スケジュール帳お持ちですか？」

僕が持ち物かごを指差すと、

「じゃあ菊地さん」

「はい」「あい」

「はははははは」

CT室ではまた菊地さんと2人きりになった。

「結構腫れましたね笑。鏡ご覧になりました？」

「いえ、あだ」

「ファンの皆さんがショック受けちゃいますね笑。素敵なお顔なのに」

「いえ、かおよい、アックフふけあい」

「アックフ？　ああ、サックスですね笑。あれって難しいんですか？　難しそう」

「いえ、おえほどは、うずかひくあいですお」

「ごめんなさい、喋らせてしまって笑。はい、ここに顎固定して……はい……そうです。では撮影入りまーす……終了です。お疲れ様でした。医局で薬出ますね」

料金を支払い、歯ブラシとマウスウォッシュと、鎮痛剤、胃の薬、抗生剤を貰って、部屋に戻った。マスクをしないので、伊勢丹に寄るのに気が引けて（ボコられた怪我人みたいなので笑）、コンビニで3日分の食料を買い集めた。豆腐、胡麻豆腐、卵豆腐、円筒Lサイズのアイスクリーム、カップに入ったシフォンケーキ、シーチキン、サラダチキン、すぐ飲めるヴィシソワーズ、を大量に買い込んだ。

部屋に着くと9時だった。今は麻酔が効いているが、義歯が微動だにしないよう、ガッチガチに縛り付けられているのと、歯と歯の間に切れ目が入っていて、何よりも、舌で確認しようにも、どこがどうなっているのかわからないほど腫れ上がっていることがわかる。明日から拷問が待っている。医師は「まだ痛くないうちにロキソニン飲んでおいてください。痛くなってからだともう遅いから」と言った。30歳の体でもあれほど大変だったのだが、59の体がどれほど受け止められるだろうか？　シーチキンの缶をぱっとあけ、中にロキソニンと胃薬と抗生剤と睡眠導入剤と抗アレルギー薬を投げ込んでガシャガシャかき混ぜ、スプーン5回ぐらいで食べ終え、エヴィアンを飲んでベッドに横になると、あっという間に睡魔が襲ってきた。夢は、驚くべきことに、さっきの続きで、僕はヘブライ語で話すバターリングトリオになぜか失望しており、僕のマネージャーであるナースの菊地さんに「もう帰ってもいい？　いきなり帰ったら殺される？」と耳打ちしていた。

短期連載「菊地成孔の抜歯日記② 7月2日（手術翌日）」

2022年7月3日記す（前回から0日経過）

30年前の、最初の手術の時も同様だったのだが、術直後は麻酔も効いているし、腫れが始まらない。翌日にまずエグいのが一発入って、ソレがゆっくり治ったり、また腫れたりを、泥舟の運航のように繰り返して完治に至る。

起きたら、もう顔が重い笑。「こりゃヤバイぞ笑」と思いながら、鏡を見たら、まあ単純に、鼻の下全体（患部は左だけだが）と、唇上下ともが腫れ上がって、もう、ちょっと「面白い」とも言えない。これは誰にも見せられない。一線を超えているので、怖がる人が出ると思う笑。「うっはははははははは！　ひってえな我ながら!!笑」と笑ったら、顔面中に激痛が走って「ううううううううう」とうずくまった。笑うと、表情筋、特に、唇を使う。散痛というが、患部以外のかなり広い範囲に、神経は情報を伝達するので、歯を抜いて鼻の傍まで穴を掘り、歯茎を1本ずつ切り離して紐で結べば、もう、後頭部まで痛い。

いやあ、偶然とは言え、今日明日オフでよかったよ〜。道端でファンの方にでもあったら、泣く人いると思う。っていうか、ソレ以前に当人だと思われないと思うが笑。

一番痛みを和らげるのが、自分の顔面の惨状を見ることとわかったので笑、一日中鏡を見ている笑。僕は巷間ナルシストだと言われるし、仕事柄、自己愛でもないと続かないから、ソレはソレで構わないが（大抵は菊地はナルシストだと言ってる素人さんの方がはるかにナルシシストだと思うけど）、自分の鏡像をうっとり見つめる習慣はない笑、でも、崩れたら一日中見つめてるんだから笑、これも屈折したナルシシズムだと分析されても仕方がないだろう。

「絶対に、指で上唇をめくるな」と医者に言われているので、そこは我慢したし、「いーって歯をむくのも絶対にしたらダメ」と言われているのでしない。

要するに、患者は縫合部を見たがるのだろう。僕もムチャクチャ見たいんだが、痛くて見れない。うわ唇なんて厚さが三倍ぐらい（マジ）で、鬱血でかちんかちんに固まって、かかとの硬さだ。アニメの「シンプソンズ」に似ている。

「どうしても今日、絶対に今日だけ限定で、優香とキスできる」としよう。できない。とんでもないことだ。ぼよーんと優香の唇を弾いてしまうし、「グッアーーーーー！！！！」と激痛で叫んでしまうだろう（優香でなくても誰でもいいんだが、年齢感も含めてわかりやすく笑。乃木坂とか、全くそういう気にならなく「頑張りなさいね」としか思えないので）。

液状のもの（ヴィシソワーズや、単に水）の摂取も難しい、口が全くすぼめられないので、ストローも使えないし、「アガ」と口を開き、上から流し落とすしかなく、喉から胸元を何度もびしょびしょにしてしまった。

ロキソニンと抗生剤を飲むと、とりあえず6時間は痛みが止まるので、その間に眠らないといけないのだが、ずっと痛みにのたうっていると、痛みが止まるとハイになる効果が生じ、痛みと関係なく睡魔を待つしかないのだが、体が悪くないまま、2日も寝たきりなので、全然寝付けない。

驚くべきことなのか、だいたいそういうものなのか全然わかりかねるが、全国の歯科医、歯科衛生士、義歯技術者から大量のメールが届き、「あなたの担当医は素晴らしい。あなたのブログにはソレが歴然としています」と書いてある。

まあ、そりゃそうでしょう。僕は医師とバンドのメンバーには恵まれているのだ（ほかはまあ普通だと思う。マネージャーにもずっと恵まれなかった。5人目の長沼でやっと恵まれたと思った。「妻」にはもう一生恵まれないと思う。というか、僕の夫としての資質に問題がありすぎる）。音楽家として、この2つが恵まれていれば、だいたいオーケーだ。

この隙に、筋トレやらストレッチやら、ボディリメイキングしよう、とか思っていたのだが、とんでもない。顔面中痛いと、立って歩くのもままならない苦笑。

こういうのも、よくあることなのだか知らないが、何日か前に、水野さん（女子アナの）にメールを出しており、「何か噂で、異動？みたいなことを聞きました。SNSをしませんし、放送界からも切れているので、ご栄転かどうかわかりかねますが、次の職場？でも頑張ってください」と書いて、返事がずっとなかったので、まあまあ、デリカシーに欠けてしまったかな？

とか、いろいろ考えていたんだが、今日、突然返事が来たので、すぐに返し、要するに水野さんとガラケーでメールを何往復かした。お仕事上の異動に関しては、説明に時間を取らせてしまった笑。

別に悪いこととも思わないので正直にいうが、TBS女子アナの皆さんとはたくさんお仕事をさせて頂いて、皆さんどなたも優れていて、みんな楽しかったけれども、個人的に水野さんとの時が一番楽しかった。水野さんには僕ら音楽家に近い形での葛藤があった。彼女の暗さの質も、面白さや優しさの質も、僕には異物感が全くなかった。ラジオドラマ「別荘」の時、水野さんは芝居で思いっきりキレていたし、思いっきり泣いていたし、思いっきりチャラかったし、思いっきりシリアスだった。そこに何のサーヴィスも他意もない、すべてリアルだった。ロッカーのようだ。そのことが僕を感動させていた（逆に、女優として一番仕事をちゃんとこなしていたのはサラ太郎だった。あんなに芝居が上手い人、女優だって滅多にいない。歌なんか歌ってないで笑＝ものすごい贅沢な話だが、1秒でも早く女優をやるべきだと思う、有村架純とかよりずっと上手いと思う）。

なんちゅうか、隠し撮りでもされているかのようなタイミングで、矢野沙織さんと、菊地凛子さんからメールが来た。動かせるのは指先だけだ。「ヴィシソワーズ飲むしかないんですよ。さっき1リットル一気飲みしましたよ」と左手で入力し、右手で壊れた自惚鏡を握りしめて1日を終えた（まだ風呂もダメ）。驚くべきことに、僕は猛暑かどうかさえわからなかった。

今、村上春樹さんに会って話してきた

2022年7月12日 午後4時記す（前回から9日経過）

いきなりもいいところだが、今、村上春樹さんに会って話してきた。今日、TFM主催（?）で、伝説の「山下洋輔トリオ、大隈講堂で学生運動家が突入しながらも演奏」の段を、「村上ラジオ」が中継する。といったような態の特大企画をやるのである。僕は演奏ではなく、「村上ラジオ」に10分ぐらい出る。その、当日打ち合わせである。今は打ち合わせを終え、事務所にいて、本番を待っている。

出るからにはそのイベントの悪口は言わないが、ちょっと前の物言いで「どうよ?」というやつではある。「今の学生は元気がないので、政治の季節（学生運動の季節）の、学生たちの覇気を浴びるためにも、同じ大隈講堂で、同じ〈第1期山下トリオ（山下、中村、森山）〉のライブをメインに、いろんなのをくっつけて、1日がかりのイベントにする」。

まあ、ジャズファンの、かつ日本現代史を正しく押さえている方にしか目線を向けずに言うが、これどうよ?笑。

そのワンコーナーに、突如呼ばれた。今日が本番だとして、10日前、ぐらいだろうか? い

きなりオファーがあった。村上さん直々のご指名だそうで、取り敢えずは信じる（何でも信じる派なので笑）。員数合わせな気がしないでもないけど笑。

　村上春樹さんは、巷間名高い、大西順子さん推しの最前列なので、僕の作った「Tea Times」の旗振りでもしてくれるかと思ったら、全然してくれなかった笑、これは被害妄想とかではなく、間違いなく気に入らなかったのだろう笑。あのアルバムの関連パーティーで、何度か会ったけれども、マジで目線すら合わせてくれなかった笑（今から物凄い下品なこと書きますが、まさかヤッたと思われているのではあるまいな笑。いうまでもないですが、そんなことしてません笑。大西さんにだって選ぶ権利はある笑）。

　ま、それはそれでしょうがないとして笑、学生運動経験者が、「今の学生は元気がない。あの頃の覇気を」というのは、シンプルにいってNGではないだろうか笑。都築響一さんも参加されていて、写真を何葉かスクリーン投射する。どちらも有名な写真で、1枚は開店してから数年の新宿ピットイン（これは僕が、ピットインの50周年コンサートの司会をやった時にも投射された）、もう1枚はもっと有名な「西口フォークゲリラ」の写真だが、都築さんには一切悪意も何もないけれども&あの写真には写真史的な意義がしっかりあると思うけれども、「元気」という群衆エネルギー体に還元するなら、あの時の西口フォークゲリラよりも、コミケのが500倍ぐらいエネルギーがある。

「いやあ、コミケは遊びでしょう？　西口フォークゲリラは不法集会だったし、革命志向だったんだよ」と言われるだろうが、フォークゲリラなんてあんなもん立派な遊びだし、革命なんかしてない。革命志向という点だけに絞ったって、コミケのが遥かに文化的、社会的な革命運動として成果を残した（海外まで巻き込んで）。つまりはっきりいうが、コミケのがフォークゲリラよりもよっぽど偉い。

今の若者に元気がないのだとすれば、第一には経済が悪すぎ、第二にはSNSによる拘束と苛立ちの中毒に罹患しているからで、第二は大したことはない。問題は第一だ。僕が生まれてこのかた、政治も文化も、実のところそれほど変わっていない。激変したのは経済だけである。要するに、乱暴に言えば、経済さえ良くなれば全て良くなるのだ。

減税もエコロジーもへったくれだ。経済を良くするのならば答えは簡単至極、かつ安全第一である（以下、4段落自主規制）。「もう、アメリカにキスアスしたくないけど、しないとしょうがないんでしょ」という心性も、ちょうどピークにきているだろうし。

とまあ、こうして経済の悪さと、SNSによる社会観、他者観の腐敗によって、若者が元気を失っている、というのは、まあ事実だが、経済もよくしないで、「学生運動の頃の覇気をもう一度」というのは、まあ、おもしろイベントとしては良い。大隈講堂で第1期が聴けるだけで大変有意義である。

しかし、のちの、学生運動を反省的に唾棄し、ノンセクトラディカリズムでポップ・フリージャズとしての全冷中から後の山下の活動（そっちの方が、大隈講堂よりも、1兆倍豊かだ）を、とりあえず切除してしまい、大隈講堂だけに絞って「学生に覇気を」というのは、「面白い」以上の意味は見出せない（現代の学生＝観客の大半。も、大いに面白がるだろう。「昔って、ヤバかったすね」とか言って）。もちろん、僕は面白ければそれで良いが（おそらく山下もそうなのである。タチの悪い師弟である笑）、イベント自体が、「それ以上」を求めているのだとしたら、これはペケだ。「面白い」に純化するならば「ほーら、江戸時代は切り捨て御免だったんですよ」「うひゃーヤバイっすね」と同格である覚悟が必要である。

ペケである可能性が大なり、なのに出るのは、山下への忠義とかではなく（忠義はありますよ。毎年一緒に演奏してるし、常にリスペクトを口にしてるんだから!!「菊地さんリスペクトしてます」とかいう若いミュージシャンがいるらしいが、この耳で発言聞いたことねえぞ笑。SNSやってないジジイにも届かせよ本当にリスペクトしてるならよ笑）、もちろん、たった10分でも村上春樹さんと話す機会はまたとないからである。

2人きりではなく（坂本）美雨さんと都築さんと作家の小川と5人で10分なので、発言は多めに見積もって3個だろう。事前に3個用意するなんて簡単だが、流れがあるから、そうはいかない。

敢えて芸人さんみたいに言えば「傷跡を残」さないといけない。とは言え「村上ラジオよりも夜電波の方が面白いもん!!」とか笑、「ドライブマイカーの手話のところ、あそこインチキでしたね」とか笑、「〇〇〇（以下、伏字でさえ自主規制だ笑）」とか、完全な狂人みたいなことは狙わない。

〈狙う〉というのはとても悪い言葉だ、僕は、村上春樹さんが、ジャズ喫茶の店主として、ジャズ物書きの大先輩にして世界有数の地位にある大物として、僕にマウントを取ってくることを〈狙って〉いる。先に言ってしまえば、打ち合わせが終わって、「回ってないところ」で、ちょっとした立ち話になる、もう既に、軽く取られた笑。狙い通りである。

巷間、最悪行為とされる「下からのマウント（アンダーポジション）」だが、僕は極めて健康的なことだと思うし（僕はやらないけど＝やらなすぎて、若者が逆に怖がるけど）、フロイディアンとしても、物書きとしても、「マウントの取り方」つまりスキルと内容に関しては、非常に興味がある。何でもそうだが、上手い人は惚れ惚れするほど上手いし、下手くそはうんざりするほど下手だ笑。

そろそろ本番だ。今、風呂に入ってスーツを着て、エンジェルをふりかけたところだ。本番でどうなるかは、帰宅してから書きまーす。


（帰宅後）

大隈講堂に着いて、改めてイベントの名前を確認したら「村上春樹 presents 山下洋輔トリオ再乱入ライブ」というのだった。超面白企画じゃないか笑。

控え室に都築さんが入ってきて、ニコニコしながら再会を喜んだ。スタッフがデカいポスター

（イベントポスターとは思えないぐらいの上質紙）に「すみませんお2人にサインを」と言うと、都築さんが「いやあ、僕ら、サインしない方がいいんじゃないのう笑」と、僕を見ながら笑った。

「ハルキストがねえ。何だこんな奴らって怒るよ笑」

「本当ですよね笑」

「ちょっと、都築先生、菊地先生、やめてくださいよ～」

「裏面に書こうかな笑」

「じゃあね菊地さん、後ほど～」

トリオの控え室がすぐ隣ということで、挨拶にゆくと、お隣の神様が3人並んでいた。やはり第1期は壮観だ。この元老感は誰にも出せない。森山さんと誠一さんが小さな長椅子に並んで座ってるのが可愛かった笑。

「お元気そうで何よりです」

「ああ、ありがとう。もう元気かどうかわかんなくなっちゃってるけど笑」

「お戯れはやめてください笑」

遠くから、いつもの声で「こいつが本当の乱入者だあ。ぎゃはははははは」と言った。振り返る。

「すいませんリーダー飛ばしで挨拶しちゃいまして笑」

「いやあ、楽しみにしてるよ笑」

「いやいや10分だけだし、員数合わせですよ笑」

やがて本講堂から拍手の音が聞こえ、森山さんが「始まったかな」というと、誠一さんが「え、だって絵がまだじゃん。まだ始まってないよ」と言う。MGの村松さんが「この画面は配信用です。もう始まっております」と言うと、誠一さんが「なに配信〜？」と言った。

ああもう、「風雲ジャズ帖」の3人組は、あのままずっと同じノリでいるんだな。たった今もこうして。と思うと、ちょっと泣けてきた。

早稲田ダンモ（モダンジャズ研究会）の演奏が始まった。フリージャズをやるのかと思ったら、オルガン入りファンキーだとか、グラスパー風だとかをヨタヨタやっている。これが、〈現代の若者は元気がない〉、ということのイベント内でのアピールなのだろうか笑。森山さんと誠一さんが、口を開けてボケーっと見ている笑。あくまで僕個人の査定だが、現在の早稲田ダンモの水準がコレなのだとしたら、「（一般）大学サークルジャズ文化」はかなり苦しいというしかない。要するにメインは音芸大に移ったのだ。ガッコの授業で音楽やってる奴らにサークルで負けてどうするんだ笑。頑張れ私学の王笑。音芸大の奴らにできないこと、に頭を絞るんだ。え？　もうそんなジャズないすよ。うう……そう……かもね〜笑。

とか書いていたら、控え室に彼らがやってきた。汗だくで、みんな美しい。早稲田のジャズ研にはとても見えない。韓流の男子アイドルチームと言われたら信じてしまうだろう。

「お疲れ様でした笑」

「ま……まさか、今日、お会いできるとは……あの……あの……」

「光栄です！」

「嬉しいです！」

「いやいやいや笑、（指差して）あっちが山下トリオの控え室ですんで笑、あっちに挨拶に行った方が笑」

「（全く笑わず）いえ！　あの……あの……」

「頑張ってくださいね笑」

「はい！　頑張ります!!」

若くて可愛くて一生懸命な青年たちに頑張りますと言われちゃあ、何も言えないな笑。五十嵐（一生）だったら「お前ら、髪型とか服装に使う神経、音楽にもっと回せよ」とか言った筈だ笑。

　コロナ前まで、というのはあんまりにも安易だが、僕は大学キャンパスに所用で来ると、無条件でかなりワクワクした。時間がある限り学食に行ったり、図書館に行ったりもした。今日の「何も感じない感」はどうだ。確かこの講堂は、三島由紀夫が三派連合と議論した講堂だ。何も感じない。ここに活気を戻そうという気も全く起きない。活気は国中に起こさないといけない、それには経済を良くするしかなく、だとしたら簡単だ、〇〇〇を（以下自粛）。

登壇の時間がきた。以下は中継のアーカイヴを見ればわかる（僕の、そこそこな猿ヅラも、喋りづらそうな感じも笑）。都築さんが場を温めてくださったので、テンプレの質問に対し、テンプレの回答に好き放題を被せて話した。村上春樹さんは僕が話している間、ずっと腕組みしたままで、マイクを取ったのは「でも今、新しいジャズには大体フリージャズの要素、入ってますよね？」という一言だった。ものすげー勢いで僕に寄ってきたので焦った＆面白かった。都築さんの言う通りだ。ハルキストに「村上春樹、面白かった」なんか言ったら、あらゆる本屋さんで抹殺されてしまう笑。

僕はまず「その通りです」と言ってから、いかにその説が正しいか、サーヴィスも盛って返したから、ハルキストの人はどうか怒らないで頂きたい。〈今の新しいジャズには大体フリージャズの要素が入っている〉が、「さすがの一発」か「そんなに黙っててそれだけ？」なのかの判断は聴視者諸氏にお任せするとして、何れにせよ、僕は、誰かが必ず言わなくてはいけないことは押さえたつもりだ。山下トリオが学生運動の象徴のはずがない。フリージャズが革命運動と原理的な結びつきなんて持ってるわけがない。学生は年寄りに「昔の学生には覇気があった」なんて言わせてはいけない。コミケに引きずり込んで、会場出口がわからないようにグルグル回してやるといい笑。

そして、言い忘れたが、言わずとも良かったろうことを最後に書く。学生諸君、今日のイベント主旨なんかどうだって良いから、なるべく無心に、第１期山下トリオの演奏を聴いて、驚き、感動してもらいたい。全員が後期高齢者だ。合図もないのに何でピタッと合うのだろう？能のようだ。何でリズムが刻まれないのに、どんどんグルーヴしてゆくんだろう？　失われたのは学生の覇気ではない。日本の伝統的な音楽文化である。

コロナ感染記①

2022年7月29日記す（前回から17日経過）

初めまして。僕は菊地成孔（きくちなるよし）と申します。音楽と著述を生業にしていまして、ＳＮＳというものは基本、やらないし、やったとしても、自分のライブや新刊、イベントの宣伝にしか使っておりません（それも全てマネージャーがやっています）。

なのですけれども、今月22日に、コロナ陽性反応が出まして、結論から先に申し上げると、少なくとも、僕個人に関しては「今度のコロナは感染力強いけど、重症化しない＝行動制限もしませんよ」という図式は、真っ赤な嘘で、これは大げさではなく「一歩間違えたら死んでたかも」という経験をしました。

そこで、「ＳＮＳというのは、本来、こういうことを発信するためにあるのでは？」と思い、こうして発信させていただいている次第です。やっと今、フラフラではありますが、長文をキーパンチできる肉体的余裕が出てきた。という側面もあります。症状が出始めて10日目、抗原検査で陽性反応が出て8日目です。

因みに僕の医療上のＩＤは、以下の通りです。「日本人男性」「59歳」「ワクチン接種3回（全てファイザー)」「血液型AB型」「違う(今回BA2だと思われるので)タイプのコロナ陽性経験なし」「既往症なし」「喫煙習慣はあったものの、禁煙1ヶ月目だった」といった感じで、手洗いうがい、アルコール消毒、マスク着用に関しては、日本人の一般性を出るものではありません。

〈初日〉

去る、7月20日の深夜、僕は、貸しスタジオで練習中に、喉の痛みを感じました。それは過去、風邪をひいた時、タバコを吸いすぎた時、等々に感じていたレベルを、ほんの少し上回っていたので、というか〈同じ喉の痛みでも、全く新しい感覚〉でしたので、「ん? これ?……ひょっとして……まあままあ、今日はゆっくり寝て様子を見よう」と早寝をしました。

〈2日目〉

7月21日、目覚めると、明らかに「これはヤバイぞ」という喉の痛みに症状が進んでいました。痛みでも発熱でもそうですが、ピークに来てから初めて人は気がつくものではありません。「うわー、今から熱でそう」とか「うわー、まだ完全にキてないけど、時間の問題だ」とかいった経験は、どなたにもあるでしょう。

この状態を、医師が理解/共有してくれるかどうかは、まるっきり博打です。その医師が名医だとかヤブだとか、いわゆるかかりつけで、自分と気があうかとか、そういったファクターは全て関わってきます。特に、現状のような、デリケートな状況では、なおさらと言えるでしょう。

僕の最初の医師は近所の内科医ですが、行ったのは3年前です。それこそ、最初にPCR検査の手続きをしてくれた医者だったので（その時は陰性でしたし、たった3年前のPCRは、コンテナ車3台に分け、それぞれ宇宙開発クルーみたいな重装備の人がヨッさヨッさ入ってきてたいそう面白かったですが）。

まず、「昨日から喉が痛いんです」という段階で（もう、ちょっと、やめてくれ〜）というオーラが出ていました。彼はやや急ぎ目に僕の喉を見ると「いや、それほど腫れてないよ。ロキソニンと胃の薬7日分出すから、様子見てください」と、（本当に）僕と目も合わせずに言いました。（面倒はごめんだ。とにかく早く帰ってくれ）という、アレです。

「あのう……先生……すみません……事を荒立てたいんじゃないんですが……その……時期が時期じゃないすか……もし僕がそのう、コロナかどうか」と、ここまで言った段階で、医師は半分ぐらい立ち上がって、「いやあもう、そうなったら話全然違うんで、うちは発熱外来やってないし、PCRには予約が要るから、入口もここからじゃなくて外回ってきてもらうことになるし」と、猛烈な勢いでまくし立ててきたので、（あ、ダメだこの先生ノイローゼだ）と思い、処方薬（いわゆる「風邪キット」（消炎解熱剤、胃薬、去痰薬、咳止め）」です）を大人しく貰い、

（いやあ、ヤバイことになってきた。テレビも新聞も何も信じられないな。ストリートも完全にパンクしてるし。経験しろということか）と思いつつ、部屋に戻って食事をし、一回分を飲み、しばらく寝て、また食事をし、二回分を飲みました。

予想通り、「風邪キット」は、全く効きませんでした。昭和の縁日で売っていたようなインチキ煎じ薬みたいな感じで、とにかく、症状は猛スピードで進んでいきました。

6度7分ぐらいだった体温はあっという間に9度台に跳ね上がり、頭痛と喉痛が、今まで経験したことがないぐらいのレベルになりました。

胃潰瘍が有名ですけど「潰瘍」というものは、あれはかなり痛いものです。僕は胃潰瘍の経験はありませんが、「角膜潰瘍」というちょっと変わった病気と（角膜に、針の先ぐらいの白い潰瘍ができるのです）、顔面に負った傷口を治療せずに放置した結果、潰瘍になったことがあったんですが、今まで生きてきて「何が一番痛かったか？」と言われれば、この2つの潰瘍です。特に角膜潰瘍は、まばたきするたびに、まぶたが角膜の潰瘍を擦るので、後頭部まで響き、半日吐き気が止まらなくなったものです。

そして今回は「これ、喉のどっかに潰瘍できたよきっと」というほどの痛みでした。

なにせ水が飲めないのです。水を飲もうとすると、3cc（お猪口にちょいと一口ぐらい）程度でも、喉に差し掛かると、6箇所ぐらいに激痛が走り、大袈裟でなく、喉の奥を短刀かなんかで切り刻まれた感じです。しかも、喉仏のあたりには潰瘍としか思えないのが座り込んでいる。

もう、声も出せず、静かに静かに、一口ずつ、一口ずつ飲んでゆくのですが、飲むたびに涙がダラダラ流れて、思わず「うううううううう。うううううううう」と唸ってしまい、時折、水が潰瘍付近を通ると、ものすごい大声で「うううううううううう!!」と泣いてうずくまったりするので、なんかもう、ものすごく傷ついている人がやけ酒を飲んでいるようです。

これと連動してひどかったのが（あまり綺麗な話ではないので書くのに気が引けますが）痰です。この10日で一生分出したと思います。

痰とは普通、1ccとかそのぐらいのものですから、かー！ぺっ！とばかりにすぐ出るものですが、物凄く濃くて粘性の強い、アボカド色の固体（液体とは言えないですね、床に落ちても卵黄みたいに自立するので）が、ショットグラスに軽く2杯分ぐらい喉に張り付いているので、咳の反射を起こしたが最後、喉全体は拷問のように痛いわ、そこに大量の固形痰が移動するわ、きちんと外に吐き出せないので、1分ぐらいもがき苦しんで、本当に自分の痰で窒息して失神するかなと思いました。

ご老人が正月に餅を喉に詰められて窒息死する例がいまだに根絶しないこの国ですが、還暦前の人間として、正月の餅は、まだ解釈によってはめでたい感じもありますが、コロナの痰で窒息するのは悲しすぎます。

もう、音的には「ドッスン」という感じで、突然、床の上に痰の塊が落ちました。あれが青蛙とかになって、ぴょんと飛んでも驚きません。もう、一個の生命体ぐらいあるわけです。

これがこの後、1日に10発以上出るわけです。もちろん、「出したらスッキリ」どころではなく、出る過程で喉に負担がかかりまくっているので、出た後の、ヤケ火鉢でも喉に刺したのかというう灼熱の痛みが不断に続くわけです。

僕は幸いにして、子供の頃から頭痛に苦しんだことがありませんでした。ですので、尚更だったのかも知れません。よく「頭が割れそう」と言いますが、本当に、どこか割れているのではないだろうかと、頭骨を丁寧にチェックするほど頭痛がしました。目の奥から耳の穴の中、首から口の中全体までが激痛で、痛がるよりも、驚く方に忙しいほどで、そのうちに、全ての痛みが吐き気を誘発していきます。頭痛で起きるので、1時間以上寝れません。寝ても覚めても強烈な頭痛が続いていたのでしょう。

熱も上がっていきました。部屋には一応冷房はかけていたものの、家のエアコンがボロいし、僕は室内の空気清浄に神経質、というタイプの真逆なので、こういうことにとても粗雑で、エアコンも見るだに「あれカビとかダニの死体だのの温床だろうな」と思っていました。

そのことも含み、冷房を入れると、もうそれだけで喉が悲鳴をあげるので、使いっぱなしにできません。しかし、ご存知の猛暑です。

でも、さっき書いた通り、水が飲めないので（ダメだこれでは屋内熱中症になる。全部の症状抱えたまま）、と、もうもう気が狂いそうでした。僕は冷たい水が好きで、真冬でも1日3リットルぐらい飲みます。どんな病気の時も、上質の鉱水をたっぷり飲んでいれば治る。と思っていたんですが、その水が飲めないわけです。

(これがコロナじゃなくて別の病気だったらかなり変わった人間だぞ俺は)と思いながら、焼け石に水の風邪キットを飲み、唾液をゆっくりと出して、それで飲みくだし、寝ようとしたのですが、到底寝られません。睡眠導入剤を通常量の倍飲んで、やっとうたた寝ができました。

それでも、この「風邪キット」が僕の、元手になるわけですが。

〈3日目〉

7月22日、僕はセカンドオピニオン、というか、普通にコロナの検査を受けるべく、通い慣れている耳鼻科に這々の体で歩いて行きました。僕は花粉症がひどく、ここには花粉症の薬をもらうために何年も通っていて、大先生にも若先生にも看護婦さんにも名前を覚えていただいているような仲だったのです。

なんで最初から行かなかったかと言えば、やっぱコロナ疑いは内科でしょ。と思ったからですが、僕がそもそも無知で、発熱外来(要するにコロナ外来ですよね)は耳鼻科は併設できないと思い込んでいたんですね。まあまあ、もうちょっと理由はあるんですが、無駄に長くなるので端折ります。

いつも花粉症の季節に、鼻をズーズーさせながら「すびばせん、花粉症のお薬を……」といって現れていただけの僕が、顔をゆでダコのように真っ赤っかにしたまま憔悴し切って、別人みたいな声質と口調で「あの……一昨日から風邪っぽかったんですが……昨日……内科に行ったらなんでもないと言われ……でも、症状が急速にとても強く出まして」、と、かなり時間をかけて言い終わるが否や、看護婦さんが「菊地さん、発熱外来あるんで、こっちに、こっちに来てください！　そこ通らないで！」と言って、導線を指差してくださり、僕は、一般外来と別のルートで、個室みたいなところで待たされました。テレビでは「コロナの患者数がえらいことになってる」というニュースをやっていました。

僕がずっと考えていたのは、

1）国、都、保健所、特設施設は一切役に立たない（ディスりではなく、おそらく機能していない）

2）知らない医者も役に立たない（市井の町医者内にもコロナノイローゼみたいな状況が定着している）

3）信頼関係のある近所のかかりつけだけが役に立つ（結局、「使える奴が使える」という原理）

の3点です。真面目で、1の穴に詰まっちゃって、それこそ死んでしまう方も多いと思います。日本人は、いざという時でさえ、〈国がちゃんとやってくれるだろう〉という心中の信用を手放せません。なので年がら年中、国にキレざるを得ないのでしょうが（しかも、腰が引けたまま）。治安の悪い国でも、文化的な国家でも、こんなに国体を（口ではどんなふうに言おうと）内心で愛し、信じ、頼りにして、甘えている国はありません。

名前は出せませんが、僕は、この耳鼻科は完全に信用しています。僕には花粉症の薬を出すだけですが、たまに風邪を引いた時の投薬の的確さ、他の患者さんへの適切な診断と治療、大先生、若先生、婦長さん、看護婦さん、の見事なアンサンブル。等々、いわゆる1年位通ってわかる「間違いない」というやつです。

僕は、暗い別棟の中で30分ほど待たされ、症状はもうちょっとした拷問級でしたが、心は安心していました。これほど、心の安心が有難かったことはありません。僕は暗闇の中で、眠りこけそうでした。

一般外来の方の診察を終えたのでしょう。大先生から「はい、菊地さん来て」と呼ぶ声が聞こえ、診察台に座ると、床一面、診察台の上一面に、見たことがないブルーのシートが敷いてあり、先生も、いつもの白衣の上にさらにブルーのシートで出来た、オーヴァートップの診察衣みたいなものを着ていました。

「はい、喉見ますよ……うあ……うああ……これは……」

と言いながら、先生はどんどんデジタルカメラで写真を撮ってゆきます。

「これさ、痰で患部が見えなくなっちゃってるんだけど、出せるこれ？　吸引してもいいけど、吸引機触ったら、飛び上がるほど痛いよこれ」

僕が、大きく息を吸って、ゴフゴフゴフゴフ、グスッ、グスッ、ゴフゴフゴフゴフ、ガララ、ガラララララララ、ガーッシュ！　ガーッシュ！　ガーッシュ！と物凄い音を立てながら七転八倒し、最後に「ドスン」といって痰を出すと、先生は助手の方に「それ凍結、してから包装」とすばやく冷静に言いました。そしてまたルーペを見ながら、

「いやあ、こんなんなっちゃってんだ。菊地さんってタバコ吸ったっけ？」

「いや……吸ってましたけど……このひと月、ちょうど、やめてたんです」

「ああ。これ、ステロイドいる……かも……なー」

ステロイドは副腎皮質ホルモンですが、いわゆる「男性ホルモン」です。それがどれほど強烈で扱いがデリケートなものか、僕はよく知っています。30年以上前、僕は「壊死性リンパ結節炎」という奇病で臨死まで行ったことがあったんですが、この病気が治ったのは、ステロイドを2ヶ月かけて、徐々に投薬を増やし、ピークを突いたら、徐々に徐々に減らし、という山形を描いて入脱薬を成功させたからでした。

（うう、ステロイドか……）と、彼方の記憶が蘇りました。

「まあ、ほぼ間違いないけど、抗原検査しよう菊地さん。（看護婦さんに）キット」と先生はおっしゃって、綿棒を鼻の奥に挿しました。普段（インフルエンザのチェックなんかの時）はなんともない、居眠り半分のチェックなんですが、この時は椅子から飛び上がりそうになりました。

「あのねえ菊地さんねえ、ここ通って、その奥で待ってて。冷房効かないんだけど。すみませ

ん」

10分ほど経ち、「菊地さーん」と呼ばれた僕は、もうフラフラで、目の焦点が合ってなかったと思います。

「菊地さん、これ、これ見て、これ、この線がこっちより左だと陽性ね。つまり、コロナ陽性です。ウイルスの種類が……とかまで細かく知りたい？」

「いや……なんでもいいです……」

「BAとかいうなんか新しいのがまた出てきてるみたいなんだけど、僕らもまるっきり追いついてないんだ。そしたらね、何は無くとも、これから菊地さんはご自宅で待機、誰にも会っちゃダメよ。わかってますよね？　んで、薬なんだけど、今日一日、辛いと思うんだけど、今この、内科で出されてるキットね、これ、効かないんでしょ？」

「はい……全然……ロキソニン飲むと発熱します」

「はははは。面白いね相変わらず。んでね、申し訳ないんだけど、今いきなり、薬を追加でドーンって出すより、菊地さんの体調変化もあるから、1日だけ頑張って。もしどうしてもダメだったら早朝9時から電話取ってるから」

僕はなんとか、貧弱な元手に陽の光が当たったような気分で家に帰りましたが、まだ午後の3時でした。僕には仕事柄マネージャーがいるので、彼に、ヴィーダーインゼリーとか、なんとか流し込めそうな流動食をいくつか頼み、ベッドで横になりました。そしてこの日に起こったことは、昨日起こったことを何倍か酷くしたようなことで、僕は、どの姿勢で寝れば寝れるか、とうとう一つも答えが見つからなくなって、結果として、ベッドの上であぐらをかいて、上半身を前に倒してなんとか眠りました（それは、痰の発作、咳の発作、頭痛、等々で1時間おきに中断されるのですが）。


〈4日目〉

7月23日。この日まで僕は、実は医師と話す以外は声も出せない状態でした（マネージャーにもメールで買い出しの指示を出していましたし、玄関先でも会いませんでした）。声を出すと、もうその勢いで痰の発作が起きるからです。発熱も、9度が6時間ぐらい続く、なんていうのはまだ、祭りみたいで楽しい方で、8度台が4日間続くと、朦朧としてきます。

僕は、あらゆるセクションが、より酷くなっているのを確認してから、まず耳鼻科に電話しました。

「あの……先日……そしたら……コロナ陽性の……」

「ああ菊地さんですね。その後いかがですか？」

「これこれこの通りで（一通り説明）」

「わかりました。先生に伺ってみます」

「はい……」

「先生に代わります」

「いやあなんか、菊地さん流行の先端行ってるねえ笑。結局うちも発熱外来やらないと間に合わなくなった。10日経ったら、そっちに来てもらうけど、それでね、追加の投薬ですけど、抗生剤、これ、僕個人はあんまりポリシーとして出したくないんだけど、症状が極端なんで、当たると思うんだよね。5日分出します……あとね、ステロイド、これは強い薬だけど、喉がもう菊地さん裂けちゃってるし、38度台がもう何日か続いちゃってるでしょう？　頓服っていうのも違うな、まずは大火事の基本の鎮火用に、2日分だけ出しますね。これでベーシックな、一番辛いところ、一旦は治ると思う。でね、これ薬事法で、今もらってる風邪キット出した調剤薬局あるでしょ？　そこにうちがファクスで薬の内容を送って、そこで調剤してもらって、郵送してもらうっていう、ちょっとめんどくさいことしないといけないんだよ。色々同時にこっちの体制や国の体制も動いてるんで」

「あー……ちょっと……もう……すでにわかりません」

「（看護婦さんに）あー君、丁寧にご説明して。じゃあ菊地さんお大事にね。ゆっくり寝て」

「はい……」

「お電話代わりました。あのですね、今、菊地さんに追加投薬するには」

僕はなんとかメモを取ってそれに従い、返す刀で、かかりつけの精神科医に電話しました。先ほどチラと書きましたが、どんな病気も、水飲んで寝てれば治ると僕は思っています。今回地獄だったのは、水が飲めず、全く眠れなかったことです。しかもこの猛暑で。です。

なので、普段はストレスやクリエイティヴの興奮で眠れない夜用に出してもらっている睡眠導入剤を（1日1回1錠）を、3～4倍飲んで（一気にではないですよ。毎食後に半分に割ったのを1つ飲んで、次の食事までなんとか寝るのです）いたら、あっという間になくなってしまいました。

この精神科医は、僕が昔、不安神経症を精神分析療法で治してもらった「間違いない」分析医ですが、分析療法が終わった後も、僕は精神科外来として、睡眠導入剤だけをもらいに来ている仲で、下手したら、友人と呼べる人物がほとんどいない僕の、一番長くて深い友人かもしれません。

「あのう……先生……」

「え？　だれ？」

「菊地です……」

「コロナです」

「なんか、声が全然別人になっちゃってるんですけど。ほんとあなた菊地さん？」

「うわあ、やっちゃったのね」

「やっちゃいました」

「んで、どういったご用件で」

「実は（説明）」

「わかりました。一医師としてはあんまりしたくないんだけどね、眠れないほど痛いのね。それじゃあ治らないし、そういう時、酒とか飲まれるのが一番良くないし」

「いや、飲む気にもなんないです」

「そしたらね、ええと、ええと、こうするしかないよなあ、ええとね、処方はするけど、保険外でしか売れないんですよ」

「なんでもいいです」

「高くなりますよ」

「10倍ぐらいですか？」

「いやいや笑、3倍ぐらい」

「100倍でも出します」

「笑、わかった。じゃあね、いつもうちの帰りに寄る調剤薬局決めてます？」

「決めてます」

「そこにファクスするから」

またファクスか、すげえな今更ファクスの存在意義、あと、薬がタダになったり（耳鼻科の処方分は無料だった。コロナ適応になったからだろう）、保険外で3倍になったり。後で考えよう。今考えたって無駄だ。脳が沸きかけてるんだ。

薬はどちらもすぐに届きました。そしてそれから処方量の5日間で、僕は寛解とまでは言わないが、かなり楽になるのですが、リアルストーリーというのは、リアルストーリーとしか言いようがありません。それが切れるとまた苦難がやってくるわけです。医療や治療に関するリアルストーリーというのは、恐るべきトライ&エラーの繰り返し、に醍醐味があるとも言えます。

何れにせよ、これを書いているたった今でさえ「必ず連絡があるので、それに従ってください」という押し出しの強いポスターにある、「保健所からの連絡」は、いまだに全くありませんし、「こちらに連絡すれば病状や病床の指導をします」と書いてある臨時の発熱外来やコロナ陽性者の待機施設の電話は（全くあてにしてなかったので、1日に1回かけただけですが、1000回かけても結果に大差はなかったでしょう）一度も通じませんでした。

この文章は、あくまでレポートであって告発でもなんでもありません。実際、若い人々は発症しても軽症かも知れない。これ以上行動制限、営業制限、ましてや緊事宣なんか出したら経済は下から破綻するでしょう（上から破綻するより些か良いとは言え）。

とはいえ、こうして、僕は、スマホ頼りのガバメントアナウンス頼りのインターネット頼りではなく、ストリートの繋がりとストリートの知性だけで動いたので、こうして今、キーパンチしている（実はまだ後遺症がひどいのですが＝頭痛も残っていますし、なにせ匂いは失われたままです）わけですが、誰もが僕のように思考、行動するとはとても思えません。

どこに自分のチップを置いて、どう行動するか？という人間に必要な決断と反射神経がないと、ガバメントに文句言いながら死んでしまう人だっています。僕と同じ症状を、僕より15〜20歳上で、別のシチュエーションでキープして、部屋で放置されたら、独居の方など、亡くなっていた方もいらっしゃると思います（僕は独居ですが）。

でも僕は構いません。結局逃げ果せたし。しっかしキツかった。チラと書きましたが、僕は30年前に熱病の奇病（戦後、成人男性で罹患したのは僕だけだそうです）で体重が30キロ台まで落ち、臨死したんですが、あの時はまだ体が若く、有名大学病院は体制がしっかりしており、僕は「死ぬわけねえ笑」と、むしろ楽しんでいました。しかし年はとりたくないものです。今回は、病状、日数だけなら、こちらのが遥かに楽だったのに、総合的な自己意識としては「やばい。これは笑ってらんないな。やばい。なんだ、これ、遺言書とか書くのか……」と正直、覚悟を決めた時間もありました。

要するに、僕は、体外設置の人工呼吸器の必要性とか、意識障害とか、そういうことはありませんでした。また、ガバメントが「中等症」とする、肺炎の併発もありませんでした。だからと言って「じゃあ重症じゃないね〜、はい、肺炎やってないから中等症でもない！　はいあなた軽症」は、いくらなんでもあんまりだと思います。

実際、ガバメントの引いたラインに沿うならば、ですが、「重症化」している方は確かに減っているかも知れないです（それもどこまで信じられるかは別ですが）、しかし「重症化しない

=軽症で済む=大丈夫=行動制限無し」という連動的措置と報道に対し、「もう人流止めないための（末端の市場経済を壊さないための）イメージ操作？ですか？　いやいやいやいや。そんなもん、全くしておりませんですよ」と言える関係者はいないと思います。

僕とほぼ同じ医療上IDの、特に独居の方で、僕のようにマネージャーみたいな存在もおらず、かかりつけの医師もなく、ただひたすら、公的機関からの指導／連絡を何日も何日も待つだけ（因みに、僕のところには、未だに1本の電話も入っていません）。だった場合、僕はこの人が自室内孤独死しても全く不思議ではありません。最後に書きますが、現在、ネットの普及によって、こうした思考回路と行動規範になってしまっている方々も多く、現代社会というのは、両方から挟殺するように、人が死にやすい状態を形成し、育んでいると思います。

僕は、自らのツイートやブログが影響力を持って社会を変え、状況が確実に良くなる。などという考えは持っていません。単に、自分が負った強烈な経験をルポしただけです。「ああ、この人はこの人なりに大変だったんだな」で済まされるでしょう。ただ、「軽症だって、一歩間違えれば死ぬほどキツイ」という認知だけでも存在すべきだし、そもそものラインとして「軽症（なんというか、重めの風邪ぐらいのやつ）」でくくれる範囲が現在、明らかに広過ぎると思います。

そもそもの感染症のディグリーズに則って、A、A1、A2、B、B1、B2、C、C1……といった区分でも、主に災害時に使用される、レヴェル1、レヴェル2、レヴェル3、といった区分でもなんでも良いので、ラインを引き直すべきだとは思います。でないと、特に無軌道な若い方々が、「まあ、年寄りに移しても死なねえし」みたいなコンセンサスを持ってしまい、「若者の保菌者が年寄りに感染させる」という状況に対し、誰が責任を取るのでしょうか？というか、第何波の時か忘れてしまいましたが、このこと自体が、社会問題視されていたのではないでしょうか？

というか、僕らは皆複雑なファクターを読みながらそれを乗りこなしてゆく情報のサーファーであって、ガバメントの大本営発表も、地上波の情報操作も、ネットのまことしやかでありながら、かなり怪しい情報も、ネットに埋まっている、しっかりと有効な情報も、すべて等価として扱いながら、最終的には、動物としての自分の、野生の勘と経験を尊重しないといけません。

インターネットは、このサーファーとしての力を著しく人々から奪い、情報に流されて右往左往する「一番支配しやすい国民」を量産する、国家統治用の装置ですし、同時に、妄想症を無限に許容して活字に変換、強度を持たせてしまう恐ろしい装置です。平和利用、というより、自分を強く持つことで、クールに利用することが重要だと思います。今回僕は、ガラケー以外、アプリも何も使っていません。そもそもスマホを持っていないからですが。それでもこうして充分凌げました。

僕と同世代の方への感染が、強毒化して広まらないこと、行動制限が課せられない人々が、最初の緊急事態宣言と同レベルで、「お年寄りや病人、お子さんなどに移さないように」行動してくださることを祈ります（続く）。

コロナ感染記②「追加修正と続編」

2022年7月31日　午前10時記す（前回から2日経過）

自らの予想を大きく超えて、沢山の反応を頂戴しましたが、医師（外科医）である知人から、「お前のルポにちょっとした手落ちがあるので、案の定それがミスリードとなったまま斜め読みされ、そこをいじめのように指摘されている。まあそれがSNSだが」という指摘があり、「むむむ？」と思い、確認してみたら「ここかな？」と思われる位置を同定できましたので、まずは何よりそのことと、これはケアレスミスですが、重要な点を落としているので、それの追記。あとは前レポの続きを書かせていただきました。

個人的に当該箇所は、「ちゃんと読めばわかるのではないだろうかな」と思い込んでしまい、結果としてミスリードを生んでしまいました。エッセイ等とは違い、ルポライトである性質上、これはよろしくありません。

同様のご指摘を正確に数えることは不可能ですが（いま、「正確に数えられること」が多すぎであると僕は思いますが）、その総体を僕が要約するよりも、いま、僕がランダムで選んだ以下の2ツイートを代表例と仮説し、それに対してご説明する方が納得いただける力が強いと思います。

もちろんこれは反論や闘争的な内容ではありません。両氏のご指摘は、僕の説明不足に起因するものであり、斜め読み速読によって生じる誤読性も織り込んだ上で、としますが、至極ごもっともです。

「ルポライト脳」になりきれていないまま、こうした誤解を生んでしまったことをまずは謝罪します。当然、両氏、そして両氏と同様のお考えを記されている多数の皆様に対する陰性なものは一切ありません。ただ、以下の説明でご納得いただければと思います。

※批判ツイートの典型例（ランダムチョイス）

コチラ（「ひえーーー…菊地成孔さんのやつ、最初に受信する受付なり電話なりのタイミングで発熱外来に繋げなきゃいけないパターンなのになんで内科医と対面してんだ？？？？？？？？？」午後5：39　2022年7月30日）とコチラ（「菊地成孔なんで電話もしないでいきなり病院行ってんだ、しかも相手をノイローゼ呼ばわりかよって指摘は本当にその通り（笑）」午後5：55　2022年7月30日）

段落に分けます。

1）僕が近隣の、3年ぶりで行く内科に、事前の電話相談もなくいきなり行った理由は、

2）「まだその段階で発熱していなかった（喉もガンガンに痛かったわけではなかった）」からです。

（そうはっきり書いたつもりだったのですが。読み直したら、体温等々に関して、曖昧で、エッセイ脳的でした）。

3）僕がいかなコロナ未経験のコロナ軽視者だとしても、37度越えしていたら、内科医には事前に必ず電話します。かつ、その内科医は、そもそも発熱外来をやっていないことは確認しておりますので、違う（発熱外来をやっている）内科医にします。これは至極当然のことです（ご指摘の多くは「なぜそうしなかったのか?」ということだと思われます）。

4）文中にある通り、発熱は、その段階では「予感」にすぎず、ついでに言えば「激しい咽喉痛」でさえも、その段階では予感に過ぎず、体温的には36度6分でした。

段落分けはここまでとします。

そんな段階で「ひょっとして僕コロナかも知れないんで、発熱外来扱いでお願いしたいんですが」とか「あのう、こういう状態なんですけど、PCR検査お願いできますか」という患者がいたとしたら、おそらくほとんどの医師から「めんどくさい、予期不安と心気症（事実よりも、自分が重病だと思い込む神経症の症状）の患者」だと思われたでしょう。患者と医師による〈コロナノイローゼ症状〉の押し付け合いの構図とも言えますね。

それとも、僕が知らない間に、この国の医療常識は極端に偏り、「どんなちょっとした症状（軽くめまいがする。とかでも当てはまりそうですよね）が生じても、すべてコロナを疑うべし、すべての不安はコロナに通じる、当然、すべての内科医には、事前に電話しないといけないのだあ。どんな小さいことでも、コロナかもしんないんだから、絶対電話しろよお前」といった、ファシズムみたいなことになっているのでしょうか？

実際、僕が行った内科医は小児科も兼ねているので、ただ咳だけして、熱のない学童も、熱中症でしょうか、ゲロ吐いてぐったりしてるだけの学童もおり、彼らが「コロナを予期し、まず電話で症状を話してから来院している」とは全く思えませんでした（窓口での会話も聞こえてきますし。家から無電話で直行、学校から無電話で直行の学童がいっぱいいました）。

さすがに当該Twitter2氏でさえ、僕がこう動くのが正しかったんじゃない？、とおっしゃらないと思いますが、〈ある夜僕は、まず「そろそろ熱が出そう。この後、何十倍も喉が痛くなりそう。俺は絶対コロナ」という予感を抱き、しかし実際にはそれには程遠い、なので、実際そうなるまで部屋で待ち、実際そうなったんで（やっと熱も出たので）、しかるべき発熱外来に電話する〉。

これこそ、キ○ガイとは言いませんが、倒錯的ではあるし、このケースが実在した場合、ですが、コロナ禍がもたらしたシンプルなノイローゼの一つだと思います。患者（コロナではなく、ノイローゼの）は「今の日本の内科医がコロナしか扱わない」と信じるのでしょう。充分ありうると思います。

〈喉が変なふうに痛く、これからなーんか熱が出そうなんだけど〉という段階の患者にできることは、「まずは最寄りの内科に行って（この程度のことを事前に電話で説明、要らないと判断します）所見を聞く」ことだと僕は判断し、そうしました。

ただ単に、面白いからという理由だけで例えを重ねますが、僕は心斎橋のクラブあたりで、「うおっとこれ、うお～来たわ～。マイテルモピコーん!! 37度8分頂きました～。のっど痛～。うっわ腫れ散らかしてますやん……これ、コロナちゃうん？」

と思って、つまり熱も咽頭痛も充分始まっている状態で、知らない内科医に特攻を仕掛け、「予約？　ええやんけ自分、医者なんやから、オレみたいのが毎日来よるやろ。どこで開業してるんやっちゅう話やねん。心斎橋やーん。あんじょう頼んまっさー。ドッカーン（診察室のドアを蹴破る音）、せんせ～、せんせ～。熱止まらへんし、喉、痛とうて痛とうてたまらんわ。コロナかどうかチェックしてや～。ああ？　ああ?!……ああ、オレ初診や。センセ喉見てや～。ほれア～ン」

とかいった、こうして書いていてもうっとりするような豪快な蛮行に出たわけではありません（擬似関西弁の使用には蛮行カリカチュア以外の意味はありません。フジロックの会場でも青山の星付きレストランの中でも、どこでも良いです。どこでも起こり得ますしね）。

また〈ノイローゼ扱い〉に関しても、これは知らない方からファンメールアドレス頂戴したのですが、「ノイローゼの定義からちゃんと書かないとこの国の憲法では人格否定になり、逮捕されますよ」という、若干、ん?ノイローゼ気味かな?という批判が届きました。

「ノイローゼだ」という描写はディベートや推理小説ではなく、一対一の人間が密室で見せる行動上のオーラを記述しようとしたので、すべてを過不足なく、裁判記録のように文章化はできませんし、逆に、あえて文学的に、一内科医を、コロナによる医療の逼迫による狂気に陥った人物として周到に描写することも、しようと思えばできます(まあ、それが液状化しているのがSNSなのでしょうけれども)。

僕はレポートの性質上、どちらに徹することもできずに、「ノイローゼだ」とやや性急で刺激的な判断をしてしまいましたが、あの内科医が〈常軌を逸していた〉ことだけは間違いありませんでした。

まあ、〈今や我が国全体が、常軌を逸しているのだ。何を今更内科医だけを〉と言われれば、それっきりな世の中ではありますけれども。

理由は、言ってしまえば「様子がどう考えてもおかしかった」というのが一番簡単ですが、コミュニケーション上の言動と挙動の様子がおかしいという一点を以ってしてノイローゼ扱いは確かにあまりのことだと思いますので、若干ですがサポートします。

通常、医師は、何科であろうと、クランケの顔を見ると思います。というか、僕は「見られた経験」しかありません。しかし、この医師は、「どうぞ」と言って、着席した僕に「どうしました」と言って(ルポにある通り、医師は飛び込みの小児患者も多数見ていますし、僕も飛び込みでした）、その後も、僕の喉を視診した時（それも、僕が経験したことがないほど、素早く、「ねえ？　見てる本当にあんた？」というぐらいの速さでした）と、結局僕が最後に立ち去る際まで、目の前のモニターをグッと凝視したままでした（僕には過去の診断履歴も、患部写真もないので、「見つめなければならないもの」は、具体的な物質としては、存在しません）。

　また、僕の顔相は、正視に耐えないほど醜悪だったかも知れません。その可能性は否定できません、ただ、患者がどんなドブスだとしても、顔を見る必要はあるでしょう。顔には病状の多くが出るはずです。医師にとって。

　会話の内容は前のレポートにある通りで、それ以上でも以下でもありません。ただ、これは単なる一例ですが、

「そうだなあ、今は発熱もしない、喉も……うん、拝見しましたが、今はまだ、それほど腫れてはいません。しかし、ここからどうなるかは、ちょっとわかりませんし、今、また感染者数が急増してるんですよね。ですので、即断はできませんが、一応、風邪用のお薬を一式出しますので、具合が悪くなったら、特に、熱、ですね、発熱したら、うちでは発熱外来やっていませんから、どこかこの近所で発熱外来をやっている医院を探して、そちらにまず電話してみてください。なかなか繋がらないかも知れませんが、今、とりあえず私ができることはここまでなんですよね」

とかなんとか、ゆっくり落ち着いて話してくれさえすれば、僕は常軌を逸しているなんて思いもしませんし、ノイローゼ扱いは言わずもがなです。

前レポートにある通り、「コロナ」という地雷ワードを僕が出してしまった瞬間に、みるみる真っ赤な顔で中腰になり、

「いやあもう、そうなったら話全然違うんで!! うちは発熱外来やってないし!! PCRには予約が要るから、（外を指差しながら）入口もここからじゃなくて外回ってきてもらうことになるし!!」

と（マスクの中の）口から唾飛ばしながら、既知事項（〈1〉そこは発熱外来はやってない。〈2〉PCR検査には予約が必要）と矛盾（発熱外来やらないなら、入口は改築でもしない限り変える必要なし。まあ忖度するに「もし、うちが発熱外来やることになったら、〈外から回って〉もらうことになる」という意味でしょうが）だけで構成されたセリフを、英語でいうゲラウトヒアとしか感じられない勢いで、思いっきり距離を詰めながら、まあ、激昂なさったので（要するに「怒鳴られた」わけです）、「ダメだこれはコロナ禍による医療従事者のメンタル・ディスオーダー＝ノイローゼだ」と思ったのです。人権を無視した異常な査定かどうかは読者の方々に委ねます。

「明らかにコロナ予備軍である僕が、いきなり。発熱外来もない内科医に、突然入ってきて、口を開けてチェックを強要し、狂った患者に戸惑った正しい医師を、逆恨みで狂人扱いした」

と思い込んでいる方は、事実関係を読み直していただきたいです。解釈に苦しむような難問ではないと思いますが。

とはいえ、しつこいようですが、今や我が国全体が、常軌を逸しているのだと言われれば、それっきりな世の中ではありますけれども。今「なんか一言いったら、突然キレられる」「相手の急所を突いたら、無限に粘着される」といった不条理な時代なのではないでしょうか？

僕は、この先生が急に半立ちになってキレなければ、

「先生、もしこれからどんどん熱が上がって、喉もすごく痛くなったら、ＰＣＲ検査とか、抗原検査？とか、どちらで受ければ良いんでしょう？　過去も受けたことはあるんですが、マネージャー任せだったんで。お恥ずかしいんですが、そういった社会性が低くてですね」

と言おうとしただけだったんで、本当にびっくりしました。

なんでキレられないといけないのオレが？　腹たつわーこいつー。スマホ持ってたら公式に悪口書いてやろうっと♪　いやいやいやいやいや、そういうことじゃない、落ち着いて落ち着いて。この先生だって3年前は優しい落ち着いた先生だったんだ。何かもう、コロナ禍というのは、医療の先端にいるものをして、ここまで追い詰めるものなのだな。と思い直したのです。

そして、随分と長くなってしまいましたが、冒頭にある「ケアレスミス」について追記します。

それは、セカンドオピニオンとして行った耳鼻科に、「事前に電話をして」という描写が全

くなかったことです。

僕はこの耳鼻科に電話を事前に入れています。もちろん、コロナ自覚が明確になったからです。あまりにも当たり前なことだろ&煩雑にすぎる。と思い、書き忘れていたのですが、文中〈まあまあ、もうちょっと理由はあるんですが、無駄に長くなるので端折ります〉というのは、その日が「午前中だけ開院」の日で、僕は、ほんのタッチの差でこの耳鼻科に行けず、ほぞを嚙んで、留守電だけ入れた。という流れがあった。ということです。

電話した時間は当然ですが営業しておらず、留守電でした。なので、あ……いつもお世話になっております……菊地です……あの……今回は……花粉症ではなく……あの……一昨日から風邪っぽかったんですが……昨日……内科に行ったらなんでもないと言われ……でも、その日のうちに症状が急速にとても強く出まして」という、のちに窓口で繰り返す内容を、もう少々長めに精緻に留守電に入れていたのです。

こちらの看護婦さんは3人いらっしゃるのですが、そのうちのお1人（Aさんとします）から、その翌日の早朝に「〇〇耳鼻咽喉科です。こちら菊地成孔さんの携帯番号でよろしいでしょうか？」という、例のアレが入っており、僕が伺うコンセンサスは取れていました。

なのですが、実際に伺ってみると、院内がてんてこ舞いだったせいもあり、窓口にいらっしゃったのはAさんではなく、Bさん（Cさん、としても同じですが。お一人だけだったので）でした。

なので、(うお〜Bさんか、留守電聞いてないかもな……)と思いながら、文中にあるように、最初から説明しようとしたのですが、もう、説明を始めた瞬間から、奥からAさんが飛び出してきて〈「菊地さん、発熱外来あるんで、こっちに、こっちに来てください! そこ通らないで!」〉と言われ。という流れです。電話せずに行ったら、こうした可及的速やかな対処を病院は取れなかったと思います。

僕の説明不足からくる誤読への説明は以上です。ご理解いただけたと思いますので、前レポの続きを書かせていただきます。

〈5〜6日目〉

7月24日&25日

精神、神経科から睡眠導入剤が、(この猛爆で発熱外来を新設した)耳鼻科から、抗生剤、並びに副腎皮質ホルモンが届きました。前者はワンタブレット10錠、中者は5日分、後者は2日分です。

僕は、違法ドラッグ経験はありません。が、過去、奇病と言える熱病で臨死を体験したことがありますので、「これがドラッギー? あるいはすでに超ドラッギー?」という経験はしました(覚醒時なのに天使が見えてハープとフルートの演奏が聞こえたり、自分の自我?が肉体を離れ、院内を自由に飛び回ったり、世界と自分がクラインの壺のようにぐるぐる入れ子構造で回転し続けたりetc)。

この「壊死性リンパ結節炎」の経験はあちこちで書いているので端折りますが、中でも、ピル(錠剤一般)の服用で、〈間違いなくこれスーパーハイ〉という経験は、医療用の大麻でも、モルヒネでも(そもそもどちらも投与されたことがないので比較できませんが)なく、それは副腎皮質ホルモン、つまりステロイドでした。

その病気は、とにかく発熱が40度越えしても全く止まらない。というだけのシンプルな病気でしたので、僕は入院3ヶ月で、体重が30キロ台まで落ち(自分で食事を摂る体力を失い、点滴のみになったので)、もう、辛いとか苦しいとかいう感覚さえとっくに失って、死の淵という極限状況が起こす、独特の感覚の中に完全に入り込んでいました。

ところが、ステロイドを投与されると(ステロイド投与がこの奇病に有効であるとわかったのは、入院3ヶ月目でした)、3時間ほどで全身のすべての痛みが消え、炎天下から空調が効いた部屋に入ったように、大変な快感とともに、涼しくなるのでした。

それは、ドラッグが見せる夢(アルコールも合法であるだけで強烈で悪質なドラッグです)などではなく、この病にかかるまえの、健康的に生きていた過去と、健康的に生きてゆく未来をつなぐ、パワフルなものでした。

とはいえ、薬は薬です。薬効が症状と関係し、結果が残るだけです。気持ちが良いから永遠に大丈夫だ、では嬰児の夢になってしまう。30年前はそれぐらいの感覚だった僕ですが(なにせ本当に死にかけたので&ステロイド投与だけで根治したので）、今回は「耳鼻科医が、僕の喉の様子を見て判断した結果、最低限の頓服としてこれ（ステロイド）を出し、少なくとも、睡眠を確保し、水分の円滑な摂取を確保しようとしたのだろう」と判断した上で服用しました。
そしてそれは、抗生剤、睡眠導入剤とのアンサンブルもあり、まるで魔法が解けるかのような体感で薬効を発揮し、痛みは嘘のように消え、熱は下がり、気だるい眠気が訪れ……と。ほとんど夢のような2日間を終えました。

〈7日〜10日目〉
7月26日
薬効は力を大いに発揮し、「迂闊な奴だったら〈はい僕！　今日治りました！　ぜんぶ！〉と叫びながら、公園にスキップしていってしまうだろうな」というほどに諸症状を、一度ゼロに近い度数まで落としました。ずっと腫れていた左のリンパ腺の腫れも綺麗に引き、何せ喉の痛みは、懐かしのインフルエンザ程度のレヴェルに治り、熱は日平均で36度3分に安定しました。
「あと3日で、抗生剤が終わり、さらに2日経つと、すべての薬がなくなる」。まずはステロイドが切れる明日から様子を見ないとな。と思いながら、それでも、症状がなくなるのは良い意味でも悪い意味でもドラッギーで、つまり、その快感から逃れられません。

7月27日&28日

やはり、どんなことにもバックラッシュはあるので、昨日まで魔法のように消えていた喉痛、頭痛、発熱、痰、等々、諸症状は、「かなり落ち着いた感じ」で戻ってきました。

この「かなり落ち着いた感じ」は、「飼い慣らせる感」と言いましょうか、自分の元々の体力で、休息や食事、睡眠をとることによって、少しずつ、少しずつ元に戻せる実感、まあ自然治癒ですが、病気とは、激しい「不自然治癒」から、穏やかな「自然治癒」にステージを移せることが一番好ましく、元の生活にソフトランディングできることに近づくわけですが、その兆しを見つけ、コントロールできるのは患者その人でしかありません。

7月29日

僕の状態は、予想もできない状態（それがコロナ。なのでしょうが）に落ち着き始めました。それは、「インフルエンザの治りかけ」とほぼほぼそっくりな状態。です。

睡眠導入剤を使わなくとも、今日までの激しい、咳消耗、痛みによる消耗、熱消耗によって、僕は「やっと」ヘトヘトになって、逆に、「起きていられない状態」になり、この2日間は、食事を摂って、ほぼ摂りながら居眠りして、寝て、時計をセットしておいて定時に起きて。ということを繰り返しました。

一足飛びに、たった今（7月31日午前10時）の状態を書くならば、長文を書くのはやや怠いです。もう、書き終えるからでしょう。

そして、7月29日には、僕は前のレポートを書きました。

改めてレポートの結果と論旨をまとめるならば、

1）「軽症」の幅が広すぎる（僕よりはるかに軽い方も、僕よりはるかに重い方も、肺炎併発していない限り「軽症」なので）。

2）僕個人は、そこそこな大病を経験してきたけれども、個人的な加齢も手伝い、今回は「広く伝えなければ」という気にさせられるほどであった。

3）なぜなら、「第七波は感染力は強い」→「けれど重症化しない＝〈軽症〉に留まる」。

4）ので、マスクも外すことを推奨するし、行動制限や、飲食店らに対する、戒厳令にも似たマンボウや緊事宣は出しません。

5）という、行政的には直接的なつながりを持たない、つまり「イメージ的な関連付けと、現実への理解感」が、実際に振り回されているから。です。ネットでニュースばかり見ている限り、ここには繋がりがないので、繋げても「はあ？」と思われるだけかもしれません。

6）しかし、行政でガチガチにリレーションした条例より、こうしたイメージのが遥かに強いと僕は思っています。

全くディスる気はありませんが（称揚する気もありませんが）、非常にわかりやすい例として、例えば昨年のフジロックフェスティヴァルの出演者、観客、ギャラリーのメンタリティと、現在行われている今年のフジロックフェスティヴァルの出演者、観客、ギャラリーのメンタリティと、現在行われている今年のフジロッカー、バンドマン達、SNS論客は、明らかに、ことの考え方から違っているはずです。でないと、今年は絶対に中止にしないといけない。世界で一番感染者が増えているからです。みなさん、上記の各クラスターが、そう思っていると思われますでしょうか？

7）街飲みもそうですし、路上飲みもそうです。社会倫理、あらゆる政治的取り決め、民の不安や安心、建築的に一体化させる要素のない、すべての散らばった瓦礫の上に「かかっても軽症だから」というマジックワードが降りかかっているのではないでしょうか？　僕はそれをはっきりと感じます。

ですので、僕の言いたいことは「軽症」という言霊は結構すごいこと、そして、実際の「軽症」には、こういう目も含まれるんだということ。それだけです。コロナに関する個人的に練り上げられたコンセプトは僕にはありませんし、日本の医療界に対しては漠然とチアーの気持ちがあるだけです。

僕がTwitterに現れるだけで、僕の100倍ぐらいの、僕を「〈1〉全然ダメ、〈2〉もう終わってる、〈3〉そもそも大したことない」と断じ、口にして拡散しないと気が済まない、僕に呪われてしまっている、半端な小利口が現れて、時に口汚く、時にクールで慇懃に悪態をつくだろうことは想像に難くありません。別にそれは構いません。アンチはタレントの生きる糧ですから。

〈お前ら本当にすごいよな。俺よりずっと頭がいいし、スマホで現実を俺よりずっとバッチリ得てるし、何より俺よりTwitter最高に上手いしな笑、そしてだ「Twitter読みながら死ぬ」という最初の人類になるかも知れないんだから。新しい、偉大な人類だよ。ただ、急いでやって見せてくれよ俺も先長くねえんだから笑。ツンデレは気持ち悪いから出てけ、本当に俺を嘲り、憎みたい奴だけ集合笑。アマガエル状の痰の塊を進呈するんで、それでエールの交換としようじゃないか〉ぐらいは言ってもタレントとアンチのイチャつき程度でしょう。

ただ、今回は、僕のファンとかアンチとかいったバイアスのかかっていない方々に向けて発信したいことがあった。そのことだけご理解いただければ幸甚の至りですし、その気持ちを、僕の不徳の至りで、アンチが霧散させてしまうことは本当に恐れています。

僕と同じ医療ＩＤの方々が、少なくとも都下、どれぐらいいらっしゃるか、僕には想像もつきません。どのセクションが具体的に何をどうすればいいのか、も僕には全くわかりません。ただ、僕は、僕なりのやり方で凌ぎましたが、凌げずに負けてしまう方々の存在、というものを、今回、非常に強く意識したので。

２度にわたるお目汚し失礼いたしました。最後までお読みいただき感謝します。ありがとうございました。レポートを終了します。

〈菊地成孔とぺぺ・トルメント・アスカラール〉を御愛顧いただいている、大阪、大阪近郊、京都、京都近郊、全国、全世界の皆様へ

2022年10月1日記す（前回より62日経過）

楽団員とツアースタッフ全員を代表してご挨拶に参上仕っております。菊地成孔です。当楽団が結成されて、そろそろ20年が経過いたしますが、私が現在、指揮、運営する楽団として、とうとう最古参と相成りました。

我々、元々腰が重く、楽器の搬送だけでも大変な労力ですし、楽団員は腕利きばかりでマネージも難しく、そこにウイルスの蔓延も加わり、帝都東京都下で演奏会を行うのもままならぬ状況ではありまするが、数少ない演奏の機会には、皆様からの、それはそれは、言葉さえ選ばなければ、ふしだらとも、淫らとも言える愛と官能のバイブスは日々、頂戴しておりますし、私共も常に、皆様を愛し、淫しております。

この度、久しぶりに遠征の機会に恵まれ、私が最初に思いついたことと申せば、「我々を、酒や料理と共に、ゆったりとシーツに身を沈めて鑑賞したい方々もいらっしゃるだろう。しかし、我々の演奏で、現在、おおっぴらには禁じられておる所の、踊ったり歓声を上げての祝祭、そのトランスを味わいたい方々もいらっしゃるのではないか？」という事でした。

そこで今回、大阪ではスタンディング、京都ではシッティング、という、我々の遠征史上初めての形式を採らせて頂きました。演奏式目、いわゆるセトリも、それに準じて些かながら変えて御座います。

ただただ、生きる事だけでも大変な辛苦が必要な世の中になりました。我々がこの四半世紀、何を皆様にお届けするために演奏活動をしているかは、今更申すまでも御座いません。四半世紀前からのご贔屓から、動画でのみ見たことがある、というお若い方々まで、我々の音楽にはあらゆる区別は存在しません。ただあなたが、官能と浄化、生きる喜びと死の甘さを渇望されればこそ。逢瀬の愉しみと祝祭の全開放。それは初冬の生々しい寒さと共に。

菊地成孔

ドキドキすんなよ海賊ならよ

2022年11月5日　午後5時記す（前回より35日経過）

川崎でのライブが終わり、翌日の早朝にQN監督のMV撮影に、しくじって行きそびれ（詳細は書かないが、僕は滅多にそんなことはしない）、撮影が中止となって、そのまま夜走りして高崎のホテルに昨夜入った。今、2日目で、昼のイベントで「モンク・イン・ヨーロッパ」を上映後、セイゲン・オノさんとトークイベントを……と、この流れは後日「キクチカメラ」にがっつり入るのでそちらに回す。

日記も、もう90年代から書いているのだが、一時期は爛熟していて、インスタグラムの先駆けだったことは前にも書いた。今も写真は上げられるのだが、やっぱ日記というのは散文なので、写真はない方が良いと思う。

しかし、今日ほど「写真付き日記でないこと」が悔やまれる日はない。

川崎のライブ後に、差し歯が抜けたのである笑。

実際、テナーサックスを吹いたのは、歯の手術をした7月以来で、リハの時は、テナー用の筋力が全部落ちてしまい、持つのもやっとで（う、これはヤバい）と、毎日吹いたのだが、やはりこの段階で歯に負担がかかっていたと思う笑、もう、テナーの1曲目である「京マチ子の夜」の1サビの辺りで、口の中が血の味になったので「うっはー、もう?笑」と思ったのだが、やめるわけにはいかない笑、どんどん吹いて、結局ステージが終わった。

着替えて控え室でメンバーと話しているうちにアドレナリンが切れ、顔面（口から鼻、眉間のあたりまで）が痛くなって、痛いまま帰り、コンビニで「何か柔らかいものを」とおにぎりを買った。もっかい言うけどおにぎりですよ笑。

それにかぶりついたら、本当に「コチン」という音がして、見事に前歯が床に転がった。

「うううううーうううううーうううううう————、あっぶねえ————」と言いながら歯を拾い、鏡を見ると、表情筋を使った、いわゆる「変顔」では到底いたることができない、昔の海賊みたいなやつが鏡の前でドキドキしており（「演奏中に抜けたら」と想像したら、背筋が寒くなった笑）、大爆笑してしまった。ドキドキすんなよ海賊ならよ。

なんども説明したから飽きていると思うが、今僕の左前歯の歯根は小鼻の横ぐらいまで掘削されており、自分の血液から採取したコラーゲンボールの自己再生力によって再生中である。やわやわなのね。そこに、簡単な人工歯根が埋め込まれていて、仮歯がガッチリ刺してあり、両脇の歯と、医療用アロンアルファみたいなやつで留めてあるのだ。

これに直接圧と直接振動がかかると、アロンアルファも人工歯根も揺らいできて、ある時、仮歯が外れるわけだ。

全く痛くない、というより物凄く面白いので、写真が撮りたいのだが、今やデジカメも持っていない。一人で鏡を見てゲラゲラ笑っているだけである。元々バカだが、もっと図式的にはっきり「バカ面」になるので、誰も見ていないのに、面白いポーズとかしてしまう。人間って……。

歯科医に電話し、翌朝一番で応急措置してもらおうとしたが予約でいっぱい、結局、終業後ということになり、QN監督のタイムスケジュールだと、撮影が終わって、歯医者にゆくと丁度ピッタリ、監督に「監督、今ならオレ、特殊メイク抜きでこの顔できますけど」という予定だった。だったのだが（以下、キクチカメラに続く……かも知れない）、結局、監督と（ガラケーを長沼に預けたまま、長沼と別れた）僕はお互いに2時間ほど歩いて互いを探し、会えずに撮影は中止になった。

都内の公園なのだが、2～3時間も歩くとヘトヘトである。ライブの翌日で、かつ早朝からだったし、何せ、歯、抜けてるし。

んでまあ、僕は公園で撮影クルーを探すのを諦め、次の現場に移動して長沼と合流し、「あれ？もう終わったんですか？」と言われて、急いでQN監督に電話。「いやあ、キクチさん急に倒れたとかでなくて良かったです笑」と言われ、もう、いきなり倒れそうだよと思いながら、1時間かけて歯医者に移動、アロンアルファを2倍にしてもらって、前歯を固定（CTの結果によれば、「多少、再生中の歯茎が動いているものの、このまま再生を続ければ自然と戻る」とのこと。でもどうするよ大阪と京都。と思ったんだが、ねえねえみんな聞いて、大阪で抜けたら、ここに行って入れて貰いなさいという医者を紹介され、京都で抜けたら「翌日東京に戻ったらうちに来てください」だって涙。

なんなんだ今年よお！と思いながら、今、ホテルの部屋から高崎の街を見つめています。

ファンメールなどで、（想像するだに、恐らく）歯や、コロナと結びつけているのだろうけど、「すごく痩せてしまっていたので心配です」というお声を頂戴したのだが、痩せるのは減量して痩せたんで大丈夫です！　コロナも、あんなもん治ればそれっきりですよ！

が、テナー2曲吹いたら取れちゃう笑、と分かったので、なんというか、暗澹を通り越して、呆然としている。

とはいえセーヴはできない。そして、こんなことを書いたら大阪のチケットを買った人々が無駄にドキドキしてしまうではないか笑、「ルペ・ベレスの葬儀」のクライマックスで突然うずくまり、ものすげえ面白い顔で立ち上がったらどうなっちゃうのよ笑。オルケスタの歴史に残るよ笑。

まあしかし、本当は分かっているのだ。演奏は激しいが、奏法的にはマイルドである「ルペ・ベレスの葬儀」よりも、前日の「ジャズドミューン」での、ファラオサンダース追悼演奏が効いているのである涙。「ファラオの涙」じゃねえかよ笑。実際、川崎入りした段階で、もうグラグラだったのである。

とまあ、事故続きで疲れに疲れ、夜走りして高崎に入り、まあ、この疲れを癒すにはあれだな、高級デリヘルで「30代半ばの方を」とかリクエストしてホテルのバーに行き、部屋に戻ってから二人舞台（チェーホフとか）の戯曲の読み合わせでもしながら仮眠を取ろうと思ったのだがダメなのである。僕は高崎滞在中に、セイゲンさんとトークイベントやって、クインテットの演奏やって、その間に、2時間を超える映画に音楽をつけなければいけない。「すべて、〈新音楽制作工房〉のカタログから貼り付けて1本貫通する」というものすごいオファーなのである。

明日はクインテットのメンバーがやって来る。警官のコスプレをして発煙筒を焚き、「大変です、この車には爆弾が仕掛けてある！　避難してください！」と言って（一応念のため、3億円強奪事件のことです）、全員、追い返そうと思うのだが、冷静な宮嶋くんにバレてしまうだろう。

東京へ帰ると、「岸辺露伴は動かない」のシーズン3の荒編が待っている。そして翌週には、ぺぺの大阪、京都（ファラオサンダース追悼もうないので、安心してください）が待っている。そのさらに翌週はジャズドミュニスターズとラディカルな意志のスタイルズが2本立てで待っている。今、ラディカルな意志のスタイルズの長尺MVが届いた。近日中にアップされるだろう。

今年もあと二ヶ月で終わる、正月から思っていたのだ、今年は一筋縄ではいかないと。今年さえ生き延びられれば、僕は100歳ぐらいまで元気だと思う。今年は「五黄の寅」だが、実際、四方を寅に囲まれている気分だ。ポケットの鏃を弓に差し込まなければ。

走るんだ、今からずっと、捕まるまで走るんだ

ボニー・パーカー&クライド・バロウ

私たちは　他人と同じようになろうとして人生の4分の3を失ってしまう

アルトゥル・ショーペンハウアー

世の中をちょっときれいにしよう

ピーター・サトクリフ（連続殺人犯）

人間は、幸せだから歌うのではない、歌うから幸せになるのだ

ウィリアム・ジェームズ

お前がいつの日か出会う禍は、お前がおろそかにしたある時間の報いだ

ナポレオン・ボナパルト

人生とは、今日1日のことである

デール・カーネギー

「それでは発車いたしやす」

2022年11月18日　午後5時記す（前回より13日経過）

今、大阪湾岸にあるクラブパルティッタの控え室で書いている。ラジオデイズでも言ったが、どうして京都は普通に前売りが出ているのに、大阪が驚くほど少ないのだろうと思っていて、訳知り顔のバカどもは「近いからだよ（場所と日時が）」と言ったが、僕は自分が利口だと思って疑わないバカの言う事は一番耳を貸さない。天王寺のやばいホテル（東京では見たこともない大きさのドンキの上がホテル）から、ここまで移動して、クラブに着いて全てがわかった。会社が終わってここに踊りに来れる人は少ない。それは、場所が遠いから。だけではない。もう東京にはこうしたバイブスの場所はない。そうだよねベーグルヘッズ。

＊

〈昨日　某時某分　大久保　石森管楽器〉

長沼が楽器車で走るので、一人で新幹線移動し、大阪に前入りすることにした。仮眠2時間で重い体を引きずり起こし、タクシーで石森管楽器まで向かう。リードが払底していたのだ。

タクシーの運転手は巨体の若者で、乗車して数秒で「使える奴」であることがわかった。彼に東京駅まで貸切にしてもらおう。それはうなぎのタレを継ぎ足すように。

「あのーう、その、小滝橋通りのＮＴＴね……あ……はい……ここで、ここであのーう、一旦降りるんですが、そうだなあ、３〜４分待ってて頂けます？　もちろんメーター上げてて良いんで」

「はいー。ありがとうございやす（本当にこんな感じ。昔の駅員みたいな）」

「すぐ戻ります。んであのーう、その後、伊勢丹に行きたいんで」

「はいー。あーりがとうございやす。車線変更してお待ちしておりやっす」

「助かります笑」

石森にゆくと、どこかで見た顔がいて、しかし忘れている。彼は細身の長身で、いわゆる、「楽器屋でノシているタイプ」であり、可愛い女性ばかりの石森のカウンターで、細かい商品説明や、自分のライブの話をして止まらなくなっている。僕は料理屋ではこれをするが、楽器屋ではしない。ついでに言うと、女性にはしない、ナンパだと思われるからだ。ナンパの時には、会計の時に、白い紙に「君すごくかわいい。デートしない？」と書いて、胸にテープで貼ったまま支払う。これは料理屋に限らない。この秋は三愛の水着売り場でやった。秋でも冬でも三愛は水着を売っている。結果は言わないが（コンプライアンス）。

横目でショーウインドウを見て、（あ、コーンのシルヴァーのアルトが33万か。いやいやいや、オレには石森ブランドを広めるという重い責任が）などと思いながら、カウンターにゆくと、奥から店員が走り出してきて「菊地さんこんにちは」と言った。

「あの今日はリードで」

「はい」

「石森さんの、テナーとソプラノの2半（2・5）を二箱ずつ下さい」

「はい」

振り向くと、前にキクチカメラに出てきた、石森経営者兄弟の、弟さん（楽器の開発と店舗の社長）が立っていて、慇懃に頭を下げている。

「いつもありがとうございます」

「いえあの、こちらこそ。とにかくライブというライブで吹きまくっておりますので笑」

「何か不都合はありませんか？」

「いえ全然」

「なんでもおっしゃってください」

「今のところは全く、はい笑……（店員に）あ、あとコルクグリスください」

「今のところ、この3種類がありますが、どれにいたしますか？」

「おお、今ってコルクグリスだけでそんなにあるんですね笑。ではこちらで」

「はい。合計……」

○○円になります。と店員が告げるが早いか、社長が、
「え？　コルクきついですか？」

「はい。まあ」

「いや、きつすぎると響きを殺しちゃうんで、コルク巻きなおします。持ってきて頂けますか？」

「はい、今はこれからこのまま大阪に行くんで、帰ってきましたら」

と言うが早いか、カウンターで重っ尻になっているハンサム君がマスクを下げながら、

「ああー！　やっぱ菊地さんだあ！　お久しぶりです!!」

「あああああ、マスクしてるとわかんないモンですね笑」

「そうですね笑、僕も、入ってきた瞬間から、菊地さんじゃねえかなって思ってたんですけど」

「挾間美帆さんのお仕事でしょ？笑」

「なんだもうー！笑、菊地さんネット見ないのに、そんなことまでチェック入れてるんだからー笑」

「いやいやいや笑、僕はSNSはやりませんが、ネットは普通に見ますよ笑。挾間さんはもう、昔みたいに、僕に、見にきてくださ〜い的なことしてくれないけど笑」

「いやー。菊地さんのこと、無茶苦茶リスペクトしてますよ彼女」

「いやいやいやそんなまさか笑。それより、やっぱデンマーク勢だけじゃ無理だろうな日本ツアーはと思っていたんで」

「(指を鳴らして) さっすが」

僕は料金を支払い、店長のコルクの巻き直しと、新製品のリガチャーのプレゼンを遮って、笑顔で挨拶しながら外に出て、タクシーまで軽く走った。

「はいー。おっかえりなさいやせ」

「はい、お待たせしました。そしたらねえ、伊勢丹に行くんで、そうだな、職安通り左で、違うわ笑、このまま小滝橋で」

「大ガードくぐって新宿通りで」

「そうそう、それで笑」

「はいー。それでは発車いたしやす」

＊

〈5分後　伊勢丹新宿本店〉
伊勢丹も、あんなに好きだったのに、足が遠のいている。ファイナルスパンクハッピーの「スムースエスカレーター」は、コロナさえ来なければ、伊勢丹全館を使って、「夏の天才」と2本立てだったのである、全館使用を許諾された僕はロケハンする必要はなく、頭の中でシナリオを全部書けた。マネキンの1人がODだとか、ODがいなくなってスタッフ全員が探し回ったら、ベッド売り場で寝ている。とか、企画は全て通った。

ＯＤとBOSS君が手を繋いで駆け抜けるのは、「スムースエスカレーター」の、1階バッグ売り場のフロアだけになったが、予定では、2階の靴売り場（それは敷地内を周回的に全部使ったカーブドロングロードで、中間地点にルブタンのシャンデリアがあり、抜けるとシャンパンスタンドがある）を全速力でぐるっと一周して、シャンパンスタンドに座ると、バーテンが菊地凛子さんで、走って心拍数が上がっているＯＤは一口で目を回してしまい、BOSS君が抱きかかえると、ＯＤはいつの間にかシャネルのサンダルを盗んでいて（走りながら片手でひょいと盗むシーンの挿入あり）、それが床に置いたキャメラ前まで転がると……といった名シーン（これは言うまでもなく「はなればなれに」のルーヴルのシーンのパスティーシュなので）をいくつも考えたが、こうした計画の全てはコロナと伊勢丹側チームの人事異動によって、結果、最小限の撮影エリアを厳戒態勢で「スムースエスカレーター」だけ撮り上げるのが精一杯になった。

まあ、得てしてそういうことの結果は良いものになる。黒澤明の初期作「虎の尾を踏む男達」は、黒澤映画の中で菊地ベスト1ぐらいのものだと思うが、あれは戦時中でセット使用が混み、なんと道具部屋の裏の通路で撮影された。黒澤は激怒したが、結果は信じられないほどの最高。それは兎も角、人がいっぱいの、特に1階を歩くと、「ああ、深夜にここで撮影したなあ」と思う。というか、僕は5人のモデルさんと一緒に、リニューアルしたての伊勢丹の地下から屋上までを撮影して移動する。という仕事もしたし（このうち、まだお仕事を続けているのはお

1人だけになった。競争が激しい業界だ)、メンズ館ではモデルとして香水売り場で撮影をして、バックヤードも見た。伊勢丹通信に連載を持っている時は、正月の晴れ着モデルまでやったのだった。

いかんいかん何で柄にもなくノスタルジックになるのだ、運転手君が待っている。それが僕の現在である。僕はエスカレーターを走り降りてグランカーヴ(地下1のワイン屋)に早足で向かい、「あ、菊地様」と声をかけてきた店員に「今シュヴァルブランありますか?」と聞いた。

店員は「だったら」といった感じで、声を出さずに、奥のヴィンテージ倉庫の方を指差して、2人で向かう。

「良い年のありますかね?」

「そう……ですね……ご……ざいますよ。ええと今、85年が」

「そんなもん、いくらするんですか笑(価格を見て)うわあー!笑」

「やっぱこうなっちゃいますねえ笑」

「あとは12年と13年か……」

「お飲みになるんですか?」

「いや結婚祝いの贈答品で」

「羨ましい限りで」

「どっちがです? 結婚が? シュヴァルブランが?(相手は僕よりちょっとだけ年下の女性

である）あダメこれ言っちゃ？」

「さあどちらでしょう笑。12年は良い年です」

「それいったら13年だって良いでしょう笑」

「おっしゃる通りで笑」

「どうしてこれ、たった1000円ぽっち違うんですか12年と13年で笑」

「わかりかねます笑」

僕は手袋を借り、（1000円だけ高い）13年を1本持ってライトにかざし、状態を見た。

「うん……これはコンディション良いですね」

「悪いコンディションのものは置きませんので笑」

「失礼、笑……それと……ああ、シャトーディケムも、こことんでもないのありますよねえ」

「ございます。コロナ前は22年がありました」

「知ってる。あれ売れたんだ笑」

「何かこの……いつの間にか笑」

「あれドゥミで〇〇万でしたよね」

「はい」

「ブティユだといくらで？」

「ご想像にお任せします笑」

「あんな特別なものは要らないんですよ笑。美味しく飲める年のやつであれば。でも、ソーテルヌって全然わからないじゃないですか正直。貴腐菌って何度が一番良いかとかすら知らないし」

「（小声で）私もです笑」

「ああ05かあ……この辺り、ウルフギャングって知ってます？」

「はい、エイジングビーフですね」

「あすこのチェーンが一律グラスで出してますすよ。コニャック扱いで」

「ほう」

「それがね、ソムリエに聞いたらほとんど95か96なんですって」

「いっぱい獲れたんですかね、貴腐が笑」

「ああこの15年で良いや」

「そちら最後の一本になります」

「これ、色ってこれで良いんだよねえ笑。わかんないんだよなあディケムって」

「この価格で、このヴィンテージだけが最後の一本ですので笑」

「頂きましょう笑」

「以上ですか？　あちらにペトリュスが笑」

「ロシアの貴族じゃないんだよ笑……いや、やっぱ、見るだけ見る笑」

僕らはうわーうわーと騒いでは、しーっと唇に指を当て、急いで暗くて涼しい部屋を出て、会計に向かった。

＊

「すいませんすいません。長くなっちゃって」

「おっしゃらいやあいたしやす（↑そうとしか聞こえなかった）」

「そしたらね、次、東京駅で、東海道新幹線に乗るんで」

車は完璧かつスムースに東京駅に着き、僕は「いやあ、長時間ありがとうございました」と言い、中村くんへの結婚祝いであるシュヴァルブランとシャトーディケムの2本セットだけ持って、カバンを忘れかけた。「あっぶねー」と言って降りかけたまま振り返り、荷物をまとめると、彼は「あっりがとうござい や ーす」と言って、前を向いたまま走り去った。

続きはキクチカメラに譲る。もちろん、最高だったライブ自体はほんのちょっとしか入っていないが。僕が、前世という概念を信じている、楽しくも愚かな人々の一人だったら、自分の前世は船場の塩昆布屋だとか思うに違いない。僕に前世はないが、生まれ変わりは信じている。川島雄三は僕が生まれる前日に死んだ。僕は川島雄三の生まれ変わりの1人である。野田秀樹が、全く同じロジックで自分を坂口安吾の生まれ変わりだと言ったのとはぜんぜん前世意味が違う（証明できないが）。

あ、なんで気がつかなかったんだろう、もう今日の明日じゃ無理か、と思いながら、浅田彰さんにインビテーションのメールを送った。「居眠りするお時間が些少でもあり、それに使えると思われた時のみで結構ですが、ご招待致したく存じます」と書いたら、秒で返事が来て驚いた。浅田さんは日本人に、ポスト構造主義、特にデリダの差異と反復を啓蒙した人だ（京大生時代に／バブル期に）。もうこんな人は出てこないだろう。人類学や社会学ではなく、哲学でここまで音楽に接近した書名は無い。懐かしく好きな場所から、懐かしく、しかしあまり好きでは無い場所へ移動する。葬儀のためにである。こんなに苦く気持ちの良いことがあるか？

中村くんが接待してくれたトラットリアはかなり優秀だった。特に、鰹を使った、オリジナルの酒盗みたいなペーストをアンチョビがわりに使ったサラダと、エスプレッソがまぶしてあるパスタ。ただ、料理がマニアックでオリジナルであればあるほど（シェフが修行したのはウンブリアだが）ワインがコンサバになるのは謎のままである。そうだよねベーグルヘッズ？

あらゆる今日と明日の連続

2022年12月31日　午前3時記す（前回より43日経過）

今年のクリスマスの夜、僕と山下洋輔は、ステージで一言も言葉を交わさなかったし、目線さえ一度も合わせなかった。その方が音がよく聞こえるからだ。そして今年のクリスマスイヴの夜は、いつものように大友とリミッターを外し（彼は自分からは決して外さないので、僕が外すのを毎年待っている）、大いに語り合った。しかし、演奏が始まれば、言葉も視線も交わさなくなってしまう。

大友良英とも山下洋輔とも、実の所したことは同じだ。それは調性という堅牢な社会と、無調という危険極まりないゾーンとを往復することで、要するにボーダーラインを跨ぎ続ける。小学生の頃に、休み時間女子がスカートをたごめてゴム跳びに興じていた。あのステップが音楽には必要だ。ある意味、ボクシングのフットワークと同等に。

ゴム跳びもボクシングもそうなのだが、開始し、ゲームに参加したら抜けられない（休憩はある）。スキルは個人的に成長したり停滞したり、落ちたりするものだが、「1年ぶりに会った。その、今日のスキル」は、ゲームが始まらないとわからない。

ジャズとヒップホップの相同性にばかり言葉を費やしてきたので、離反性について書くならば、ジャズはバトルではない。セックスに近い。1年ぶりで会った彼女や彼氏とベッドインして、相手が「上手く」なっていた時の、あなたの気分は？　それで、「大して変わっていない」あなたが取るべき行動は？　相手に求めるものは？　逆に自分が上達していて、相手が落ちていた時にあなたが取るべき行動は？　始まってしまえば、分かることは一つだ。ある部分は変化していて、ある部分は失うか、変化していない。

山下は今年、ブレーキのかかり具合が格段に上がっていた。セーブのことではない、「いつでも演奏に句読点を打って、終了できる」という覚悟と反射神経のことだ。僕らは何度も、どんな状態からも、「同時に音をやめる」ことが出来た。1分でもやめられただろう。ラカン派の精神分析に近づいてゆく。

結果、聴衆が何を聴いたかはわからない。だが、「同時に止まる」という行為に、目線（言語の変形）が使われたか使われないかという差は巨大と評するに相応しいもので、僕は最後の「古時計」のエンディングショットの位置を、サックスの振り下ろしで示してしまったことを（ちょっとあれはかっこいいし、聴衆もわかりやすいだろうし）、ラッキーワンパンで失神KO負けしたチャンプのような気分で反芻している。その気分は「とても苦いがなかなか良い」としか言えない。山下の音楽的属性は、絶対に反省しないこと、常に上機嫌でいることで、これは不肖の弟子である僕にもしっかり伝わっている。

大友は今年、「ビバップの語法が聞き取れる」スキルが上がっていた。オーセンティックなジャズのラジオ番組を「(本人曰く)勉強しながら」オネアし続けたのだから、コレは最も効果的な教練の形と言える。毎年必ず、Eメジャーのブルースを演奏する。僕はスキャットで、チャーリー・パーカーのボキャブラリーを中心に歌っていき、大友は3コードブルースから始まり、どんどん伴奏のコードボキャブラリーが上がってきて、かつ、それまでは無調ぐらいの把握だったビバップフレーズが、自分の弾くコードと、どう関わり合い、どう関わり合わないか、それをリアルタイムで知ってゆく興奮が伝わってきた。彼にビバップのセッションを仕掛けられる立場の音楽家は、今のところだが、世界中で僕しかいない。悪童の友情につけこむのである。

そして、調性を作り上げ、完成したら壊し、また作り上げる。というシンプルな往復ゲームが始まる。音響の美は後からついてくる或いは最初から保証されている。つまりゲームの内容とは無関係だ。15年以上続けてきたが、僕らは演奏に飽きることがない。それは恐ろしいことでもあるのだ。

だから仲の良い音楽家は喧嘩して離反しやすい。それは演奏という関係が抱く永遠性が怖いからで、仕方がない。僕は怖くない。家庭生活の抱く永遠性は、発狂するほど怖かったけれども、演奏では全くないし、またこれは、名人芸を老練にご開陳することとは全く逆である。常にフレッシュでいることは、もしかして、若者の方が見えづらいのかも知れないのだ。

どのぐらい手間がかかるかわかりかねるのだが、簡単に出来る。という方は、是非、まずは昨年の大晦日から元日にかけての僕の日記を読み直してほしい。僕が世界という賭場の流れがどれだけ読め、どれだけ読めなかったか、簡単にジャッジできる。

僕は去年の暮れから、今年はヤバい事になると思っていたが、戦争が起きるとか、それが停滞するとか、自分が怪我や病気に恵まれるとか、10月にはライブが1本もないかと思うと、11月と12月にこれほど仕事が集中するとか、具体的には全く予想だにしていなかった。ただ、ワールドオーダーは変わると元日にカラスに教わった。なので、何が起きても、全ては変化への兆しだと思っていたし、誰が死んでもおかしくないと思っていた。それは同時に、誰が生まれてもおかしくないということだ。

体幹を作り直しながら、歯茎と歯根を作り直しながら今年という波でサーフするのはかなりタフで、楽しいことだった。楽しさの質が変わり始めている。遠く彼方に一度捨てた楽しさが蘇ってきてもいる。今年最後の日と来年最初の日の間にはいかなる時差もない。あらゆる今日と明日の連続なのである。僕は正月が好きだが、来るべき20時間を割った次の元日が、今年と切断されている気が全くしない。恐らく2023年の訪れは旧暦が勝るだろう。確実にもうしばらくだけ、今年は終わっていない。ひょっとすると、暦に二進法が採用されるかも知れない。現在の「1年」が現在の「半年」になるかも知れないのだ。

常にこちらの会員でいて下さる方々には、大いなる感謝と共に、並走している感覚を共有したく思う。誰もが誰もの立場で並走している。随分と長い間、生きている心地がしないのがブームだった。今ほど生きるのが楽しい状態があらゆる人々に降りかかり、同時にそれが、想像している楽しさとは違う事を実感させている状態はないのではないかと思う。共に並走を。

「こいつぁ春から〜。あ、縁起があ〜。あ、良いわあああああ〜」

2023年1月3日　午前4時記す（前回より3日経過）

大晦日、珠也とスガダイロー（僕が、名前をカタカナにしてもダサくないと思っている唯2名の1人。もう1名はスガシカオ）さんとの、かなり激しいと言えるセッションが終わった。比較的、仲が良いと査定するに吝かではないトリオであり、セッションは大変白熱した。僕が珠也とスガさんが好きなのは、プレイはいうまでもなく、非常にジェントルで優しい人間性と、あと、お洒落である。ということだ。

ちゃんと自分に似合うものを着ていて、それがちゃんとカッコいい。というのは、誰もがさほど金をかけずにお洒落になれるほど水準が上がった現代の中でも、ワンランク上のクラス感である。僕が強く惹かれるのはこういう人々か、或いは「なんで君、そんなに才能あるのにそれ着てんの笑」と思わせる人々で（これは、ダサいという意味ではない。文字通り「なんで君、そんなに才能あるのにそれ着てんの笑」という意味である）、例えば谷王なのだが、こういう人々が放つ魅力もすごい。特に谷王はオンステージも私服のままなのでかなりドキドキする。珠也とスガさんは安心してセッションできる。当然音楽的な成果は真逆の美を持つことになる。

スガさんはバックヤードで「うわー、6本ぐらい突き指したあ笑」と豪快に笑っておられたが、僕も帰宅してから数えたら、これは指の関節数換算だが5箇所が打撲傷を負って紫色になっていた。全てサバールによるものだ（前歯も思いっきり――手垢にまみれた表現だが「今日ここで前歯が抜けても良い」という覚悟笑で演奏したので――グラグラになっていたけれども）。

皮面を持つ打楽器に共通するリスクだが、打面中央を打つのとリム（ヘリの部分）を打つのでは音色が変わる。指を打撲するのは強く叩きすぎるからではなく、早く叩く時、リムを打つのとセンターを打つのを交差させる時に、打つ角度を――大げさではなく、ミリ単位で――誤ると一打でやってしまう。ほとんどのエスニックなパーカッションが、叩き方を習得したのち、まずはソンゴ（歌＝パターン）を習得するのは、最初から自由に叩くと、この「打ち損じによる負傷」が激発するからで、僕はターンテーブルと打楽器は練習を一度もしたことがないから、指をやられるリスクヘッジが出来ない。

とまれ、いかに人体というものが、脳と指を大事にするように出来ているかを痛感する。物質としては肩や膝や肘関節を形成する骨としては小さい、指関節を形成する骨群は、一旦紫色に腫れ上がっても、翌日にはほぼ回復してしまう。同じ誤打撃によるダメージが、肩や膝などにアタックしたら、数週間は引きずるはずだ。人間は、びっこをひいたり、肘が曲がらなくてもギリギリで生きて行けるが、指が動かなくなったらひとたまりもないのではないか。

一昨年の大晦日は大儀見とダーリンsaekoさん主催のパーティーでデュオで演奏していた。

恐らく今年の大晦日も誰かとサバールを叩いていると思う。僕には「歌うな」という老舗の圧力団体笑と、「ラップするな」という老舗の圧力団体笑が解散しないまま残存し続けている。相当な生理的嫌悪感、背徳感、羞恥心を与えていると思うのだが、「サバール叩くな」と「DJするな」という圧力は団体化しないどころか、単体でも一度も出会ったことがない。これは諧謔ではなく、そんなことでは本当にいかんと思うのだがしょうがない。民は正直だ。特に嫌悪感に対し。もう少し不正直になれと言いたい。もう一度言うが、サバールとCD-Jは一切練習していないぞ。嫌悪感に対して正直なのは赤ん坊の時代に終わらせるべきだ。

ピットインを出て、レコード探偵ボブこと中村君と合流し、稲荷鬼王神社に初詣に行った。歌舞伎町の水商売従事者の守護神であった稲荷鬼王神社は、コロナの前に、一時的にと信ずるが屈した。宮司は「現在は、法人格としてはウチはもう無い。という状態なんですよ」と、憐れみを買うほどの表情で滔々と語り、僕と中村君はお札セットを買って、一般的な観光神社でする簡易の一式詣で（賽銭を投じ、二礼二拍手一礼で願を懸ける）を済ませ、勇躍三丁目に酒を呑みに行った。

元ペン大生である遥か以上に、僕からワインに関する薫陶を受け、あっという間に師を超えた優れた弟子である中村君は、グラスサーヴィスで最高価かつ最上等のブルゴーニュを3杯、ナパを1杯飲んだが、僕は最近になってやっと覚えた（これは前歯の手術によるところが大きいと思う）ペールエールを2杯と、あろうことかマリブビーチ（子供が行く居酒屋にある普通のやつ）を飲んで再会と新年を祝う会は終会となった。会の時間は予め50分間しかなかった。僕が終電で帰らなくてはならなかったからだ。

4日には東京に戻るが、僕は今、生まれて初めて年始を千葉県の成田で過ごしている（僕が電車で成田まで帰れない、或いは酔って寝てしまうと危惧した中村君は、僕の切符を買ってくれ、秋葉原までは同乗してくれた）。90をとうに過ぎて存命中である育ての母が住んでいる、障害者の夫婦専用のマンションに投宿しているのだ。

僕は、人間の愛し方、その素晴らしさと恐ろしさを彼女から遺伝されていると思う。女学生の頃から片脚を失い、統合失調症（治療が発達して寛解に近い状態ではあるが）である彼女は、常に上機嫌で、常に元気で、愛の表明に、逡巡も羞恥も屈折も一切ない。全身で抱きしめて顔を舐める。それは、愚蒙の徒には「動物的」と評されるかも知れない。しかし僕は、あれこそが人間性の極致だとしか思えない。僕を「成坊（なるぼう）」と呼ぶのは、世界中で彼女一人になってしまった。僕は、育ての母の夫を、「お義父さん」と呼んで良いのかどうか、検索にまで頼りそうになった。

人がいつ遺伝に意識的になるかどうかは人によるが、遺伝だけではなく、ノーガードの状態が最も素直な状態で、意識的になる対象に乗っ取られやすいのは言うまでもない。僕は、実父や実母に対して、様々な遺伝的な要素に思いを巡らせ、つまり意識的になってきたが、彼女は余りにも誰とも違い過ぎて、意識したことがなかった。

60を間近にして、僕は初めて「ああ、そうか」と得心した。彼女に似たのだ。愛がまだ愛とも知らなかった頃から全身全霊で激しく愛し合ったのは彼女だけである。僕は女性に暴力を振るったことが一切ない。幼少期に彼女と激しく暴力を振るいあった事以外は。死に物狂いでやった。石も使ったし、木も使った。土も使った。歯も。彼女もだ。お互い、顔面も容赦なく打ち合った。

ああいうことは、他人には、というか、地上では彼女に対して以外、絶対にやってはいけないと思い込んでいて、そのことも意識したことはなかった。紛れもないマザーコンプレックスだと言えるだろう。僕はこの60年の間に、そこそこの人数の女性と交際したり結婚したりしたが、少なくとも直接的な暴力を振るったことは一度もない。しかしそれは優しいからだとか、上品だからとかではない。

そして、彼女の溢れんほどのhappyには、怒りの感情（それは殺意にも近いほどの）が常に同居している。彼女の晴れやかな元気と高笑いには凄まじい攻撃性が潜んでおり、自分でそれに全く気が付いていない。僕は30年以上ぶりで出会った彼女が（妙齢の女性の機嫌をとるためのクリシェのアレとは全く違う意味で）、「全然変わっていない」事を確認し、元日から崩落するところだった。

あらゆる人に言いたい。今、人心も、それを囲い込む社会もネガティヴに溢れている。「怒り」を、嫉妬や羞恥や恐怖、不全や麻痺や無力感や屈辱感などと、あなたは混合してはいないだろうか？　一つ一つ向き合うのが怖くて。

混合や癒着、あらゆる同一化がいけないとは言わないし、ちゃんと自分と向き合えと言っているわけではない。いきなり鏡を見て恐れ慄き、更に自閉的になったりしたら逆効果だ。

僕が言いたいのは、怒りは決してネガティヴではないと言うことだ。その事を知るには、純粋に怒りだけを抽出できないといけない。その後に、怒りをあらゆるポジティヴの中に同居させられないと、我々は地球規模のエネルギー危機に追い込まれるだろう。僕は今年の松の内にその事を改めて思い知った。

即興演奏がグルーヴしている時、多幸感が生じる。セックスでオーガズムに達しあう時、全能感を感じる。しかし、それを駆動している構造には必ず、濾過抽出された純粋な怒りが組込まれている。多幸感と怒り、怒りと美は適合関係にある。テレビからは新春浅草歌舞伎の中継「三人吉三巴白浪　大川端庚申塚の場」が流れている。「さんにんきちさ・ともえのしらなみ」と読む外題を持つこの演目は、偶然にも「吉三（きちさ）」と名乗る、三人の盗賊（＝白浪）が出会い、意気投合する場面である。「こいつは春から縁起が良いわ」という名台詞は、この演目の中にある。

しかし、それが、女装して（＝女形ではない）窃盗と殺人をしながらスプリーライフを送っている「お嬢吉三」の台詞であり、不遇な人生と手強い社会に激しい怒りを抱いているお嬢吉三がこの台詞を吐くのは、自分と同じ名を名乗る、侍上がりの白波である「お坊吉三」と出会う直前、夜鷹から金を奪い、川に突き落として殺した後なのである。
宿命的に出会った二人は、刃を抜く。そこに割って入るのが「和尚吉三」で、2名はリーダーを得て3名となり、義兄弟の契りを交わし、扇型に広がって大見得を切る。彼らは犯罪者で、全員が怒りに満ちている。義兄弟の契りは、採血のように手拭いを一の腕に縛り付け、近くの庚申塚から拝借した盃に生き血を注いでのち、回し飲みしてから、盃を池面に叩きつけて砕く。という、中米のマフィアのようなものだ。そして物語は、命運尽き、義兄弟である三人が刺し違えるという、デスペラードなジュリアスシーザー的結末に向かう。これが正月の人気演目なのだ。

〈月も朧に　白魚の篝も霞む　春の空
冷てえ風も　ほろ酔いに　心持ちよく　うかうかと
浮かれ烏の　ただ一羽　ねぐらへ帰る　川端で
竿の雫か　濡れ手で粟
思いがけなく　手に入る百両
（上手から呼び声）御厄払いましょう厄落とし

※戻って

ほんに今夜は　節分か
西の海より　川の中
落ちた夜鷹は　厄落とし
豆だくさんに　一文の
銭と違って　金包み
こいつぁ春から　縁起がいいわえ〉

この台詞がいかにイルでナスティなものか、後段を現代語訳するならば、こうなる。

「マジ今夜節分かよ。西の海から流れ込んだこの川に、さっき突き落としてやったビッチは、突き落としじゃなくてありゃあ厄落としだったみてえだな。豆ばっかで金はちょっとだけの、貧乏くせえ節分のパケと違って、開けたらゴールドばっかじゃねえか。こいつは年初めからラッキーだぜ」

育ての母が1本の足と1本の義足を放り出し、画面を見ながら「こいつぁ春から〜。あ、縁起があ〜。あ、良いわあああああ〜」と真似をする。僕の疲れ果てた全身に覇気がみなぎる。彼女の人生は不撓不屈で、漲る笑顔と覇気に彩られたものだ。だから一人だけ生き残った。神山成田山の麓で。

あけましておめでとうございます。あらゆる人々へ。引き続き余計な事を言わせてもらいたい。あなたはもっと、しっかり怒るべきだ。だから、あなたの本当の敵は、あなたの怒りを純化させずに、ゾルゲル状にネガティヴの坩堝に溶かしこもうとする、あらゆる何かだと仮説できる。いつからかそれが社会とあなたの中に跳梁するようになり、いつの間にかあなたを雁字搦めにしている事を意識化すべきである。そして、誰もが——主に、スマホを使った写真現像の処理の中や、自炊する調理の中で——今は知っているであろう、「これを入れると（驚くべきことに）こうなるんですよ」という、「信じがたいが納得できる、ある効果」を実践すべきだ。来るべき未来に向け、あなたは何ものにも屈してはいけない。愛するものの、最高の媚態にさえ。それが世界を華やかに鮮やかにする。そして、歯を食いしばっている間は不屈とは言えない。笑顔で。

あとがき「あなたにとってコロナとは何だったのか？（今までで一番凡庸なあとがきのタイトル）」

まえがきと本文で、この本に書くべきことは全部書きましたので、事実関係に関する追補を書いてあとがきとさせて頂きます。もちろん、あとがきのタイトルになっている凡庸極まりない「問い」は、単に凡庸さの悦び、みたいなものに手を染めてしまった僕（〈菊地成孔全集〉とか、うっとりしますね笑。今まではゾッとしていたものですが。大人になったものです……なのかな？笑）の、粘着みたいなものとお考えください。すなわち、読者のみなさんにおかれましては、回答も、回答のために思案を巡らせる必要も、全くありません。

この日記本を支えている時系列上の出来事は、以下の通りになります。

後の２０２１年に『次の東京オリンピックが来てしまう前に』というタイトルで、一冊のエッセイ集としてまとめられる連載を、僕はｗｅｂ連載として２０１８年から開始していました。タイトルにある通り僕は、みなさんのご記憶にもまだ新しいであろう、あの「延期され、開催された東京オリンピック」に、開催決定時から「乗れ」ず、ああ、なんか嫌だなあ、と思いながらエッセイを書き、連載は「オリンピック開催当日」という〈最終回〉に向けて進んで行く。という企画でした。

エッセイ集ですので、内容は多岐に亘るのですが、いわゆる「通奏低音」として〈オリンピック嫌だなあ〉という、あえて言えば、心地良い程度の嫌悪感や反発感が流れている一冊となり、僕個人は著者として大変気に入っているのですが、エッセイが「(良い意味で)毒にも薬にもならない、エッセイストという、ちょっと捻くれた人々の妄言」だった時代はとうに終わってしまい、特にweb連載は、「長文のSNS」と構造上、区別がつかなくなっていました。

そんな「読まれ方」の中、このエッセイ集は、3つのエッセイが「長文のSNS」として悪目立ちしました。

一つは「嫌煙権」からの横滑り的な諧謔として「嫌咳権」が、すぐにでも確立され、権利として稼働するだろう(料理店などで、咳をしている店員の接客を拒否できる。とかなんとか)というもので、いわゆるコロナ禍の直前夜ぐらいのタイミングでしたので、「予見」みたいに受け取られました。

この「悪目立ち」は、そもそもオリンピックなんかやらなければ良いのに(絶対にやるから。という前提での、子供のぐずりみたいなものですね)、という前述の「通奏低音(これは、基本的には、〈静かに、不気味に、流れ続ける〉ものです)」が、コロナ禍というパンデミックによって爆発的に鳴り響きすぎてしまい、オリンピック自体が延期となったことです。

そしてもう一つは、僕がドナルド・トランプ大統領(当時)を支持する。と書いたことです。

〈彼は政治経験がない＝戦争経験がないので、アメリカが繰り返してきた侵略戦争的なことは、そもそも出来なかろう。なので平和の香りすらする〉と、もちろんエッセイですからブラックユーモアも諧謔も、リアルポリティクスも演舞的な狂気も複合的に重合しているわけですが（前述、それが「エッセイストによるエッセイ」というものなのですが、ＳＮＳは万民に「文章」の意味と価値を、かなりの低値安定で画一化しました。もちろんこれは年寄りである僕側の視点であって、相手から見れば僕は老害で自分達はヒッピームーブメントぐらいのイケてる感覚。という図式はいわゆるＳＮＳ以前の、インターネットの定着時から生じていた原理的なものですけれども）、僕とほぼ同世代の映画評論家、町山智浩さんがデジタル喧嘩の形で絡んでこられたのです。

僕はすでに、数年前にも、町山さんと、とある映画を巡っての議論がプロレス化し、面白がってバカンバカンに打ち合っていたらYahoo!ニュースに採り上げられた笑、という実に馬鹿げた過去もあり笑、面白がってやり合っていたのですが、やり方として、町山さんはTwitterで、そしてぼくはこの本の素材である「会員制有料チャンネル」で。とステージが違ったので、揃えるためにTwitterのアカウントを取得してやり合いを続けました。

なのですが、油断大敵とはこのことで笑、会員の方とコメ欄で楽しく戯れていたのをスクショされ、拡散され、と、今やなつかしいほどの〈キャンセルカルチャーの技法（これは年寄り的に申せば、１９４０年代にアメリカ合衆国で吹き荒れた「赤狩り」の技法と、ある意味で見事なほどトレーシングされており、「発見」「報告」等々、テクニカルタームも揃っていました）〉により、レイシスト扱いや発達障害者扱いという、全く身に覚えのない罪状でデジタルリンチ&パージに遭い、余りのことに、ピーク時は毎日ゲラゲラ笑って赤狩り側の糾弾文章を読んでいたのですが（一番受けたのは「こいつTwitterが下手」という怒り狂ったつぶやきで笑、僕は、名前が変わった現在においても変わらず、「Twitterが上手い」なんてのは文章家として最悪だと思っているので笑、「いやあ、実に嬉しいねえ笑」と言いながら、リツイートするのを堪えるのに必死でした笑）、キャンセリングどころか、仕事への影響として、悪いことも一切なく、また、良いことも一切ない。という「全然関係ねえなTwitterの現実への影響力」感と、赤狩りの熱量の差に呆然としつつも、いやあ勉強になった。と思っていました。

何の勉強かって？ それがこのあとがきの凡庸なタイトルです。僕にとってコロナとは、のちに罹患／発症する具体的な病の体感よりも何百倍も、日本人が史上最高に合衆国大統領を憎悪／恐怖し（それ言ったらトルーマンだってもっと憎んであげないと）、赤狩りの手法を使ってでも人を「キャンセルできる」ことへの陶酔的な熱狂（まあ、キャンセリングは、ことの評価はさておき「#MeToo」由来でしょうから、ある意味きちんと事は流れている訳ですが）に身を任せられることができたウイルスであって、ウイルスが弱毒化／弱体化すれば人は解熱するだろう。ということです。解熱は「諦め」という症状で現在、強く蔓延していると思います。

ここまでが、本書の大体真ん中までの状況です。

僕は実家が飲み屋で、毎晩激しい喧嘩がありましたので、現在においてもSNSは飲み屋の店内だと思っています。なので町山さんとは酔っ払って大いにやり合いましたが、町山さんがどう思われているのかはわかりませんでした。ただ、後日、フランスの映画監督ジャン・リュック＝ゴダールが亡くなって、町山さんがDOMMUNEで持っていた映画の番組でゴダールの代表作「気狂いピエロ」を採り上げる際に、DOMMUNE主催の宇川直宏さんともども、僕をゲストとして指名して下さったと聞き、まあまあ、町山さんも大体似た感覚なのだろうと思って出演を快諾しました。

これはヒロイズムでもシニシズムでもありませんが、僕は番組開始前に「なんか、喧嘩した2人を仲直りさせる。みたいな感じだとしたら大いに不本意かつ不愉快である。自分は仲直りに来たのではない。そもそも飲み屋で酔っ払ってつかみ合う程度は、仲裁必要性など微塵もない。今日は単に気狂いピエロの話がしたいだけ出来ると聞いたので喜び勇んで来ただけだ。よろしくお願いしまーす」と宣言したのち、大いに語り倒して良い調子になり、「ネットで揉めたらおしまい」と信じ込んでいる現実感の喪失者たちに、大変な合理化や乖離を請求することになり（未だに「あれは水面下で何らかの手打ちがあったはずだ」とか言ってる手強い方に一言。お前はバカだ笑）大満足で番組を終了すると、町山さんは頭をポリポリ掻くような感じで「菊地さん、あんときゃ失礼しました苦笑」と仰ったので、「いやいや全然笑、今日楽しかったです。また呼んでください」と申し上げ、勇躍渋谷パルコを出ました。

コロナとは何だったのか？　SNSとは何なのか？　僕なりに理解すると、現実が待っていました。やはり概念的な解釈や理解が不備な状態ではウィルスも繁殖できないのでしょう。それがこの本が折り返し、フィニッシュに向かう後半の状況となります。僕は還暦を迎えました。

2023年8月28日　元々、インターネットとブログフォームによって文筆家になった癖にSNSに愛憎のアンビバレンスを持ち続けるのは、「自分が傷つく」からではなく（そんなもんはこの世に焚き火と弓しかなくても逃げられないので）、子供の頃から酔っ払いの喧嘩の〈処理〉をして育ったから。あなただって、小学校に入学する前から、ゲロを浴びせられたり、それを母親と拭いたり、目の前で、最初は楽しくやっていた人達が、みるみるうちに別人のように凶暴化し、目を覆わんばかりの暴力行為が全テーブルで行われることが日常化すれば、飲み屋という空間に敵意と愛着が生じるはず。最後に一言、人を傷つけてはいけないなんて、誰が決めた？

菊地成孔

本書は「ビュロー菊地チャンネル」掲載の「菊地成孔の日記」を再構成のうえ、加筆修正し一冊にまとめたものです。

菊地成孔（きくち なるよし）

1963年、千葉県生まれ。音楽家、文筆家。菊地成孔とペペ・トルメント・アスカラール、菊地成孔クインテット、ラディカルな意志のスタイルズ、新音楽制作工房を主宰するほか、ジャズ・ドミュニスターズ、Q／N／Kとしても活動。著書に『ユングのサウンドトラック』『時事ネタ嫌い』『レクイエムの名手 菊地成孔追悼文集』『次の東京オリンピックが来てしまう前に』『菊地成孔の粋な夜電波 シーズン13-16ラストランと♂ティアラ通信篇』など多数。

戒厳令下の新宿
菊地成孔のコロナ日記　2020.6－2023.1

二〇二三年九月二八日　第一刷発行

著者　菊地成孔
装幀者　川名潤
発行者　碇高明
発行所　株式会社草思社
〒一六〇―〇〇二二
東京都新宿区新宿一－一〇－一
電話　営業〇三（四五八〇）七六七六
編集〇三（四五八〇）七六八〇

本文組版　株式会社アジュール
本文印刷　株式会社三陽社
付物印刷　株式会社平河工業社
製本所　大口製本印刷株式会社

造本には十分注意しておりますが、万一、乱丁、落丁、印刷不良などがございましたら、ご面倒ですが、小社営業部宛にお送りください。

送料小社負担にてお取替えさせていただきます。

ISBN978-4-7942-2675-4　Printed in Japan　検印省略